ODYSSÉE

CLIVE CUSSLER

Odyssée

ROMAN TRADUIT DE L'AMÉRICAIN PAR JEAN ROSENTHAL

GRASSET

Titre original :

TROJAN ODYSSEY
G. P. Putnam's Sons, 2003

En souvenir ému de mon épouse Barbara,
qui se promène parmi les anges.

REMERCIEMENTS

Je suis profondément reconnaissant à Iman Wilkens pour les révélations que m'a apportées son ouvrage, *Where Troy Once Stood*. Il a vraiment montré la voie vers une solution de l'énigme que pose la guerre de Troie d'Homère.

J'aimerais remercier aussi Mike Fletcher et Jeffrey Evan Bozanic de leurs précieux conseils concernant les systèmes de recyclage de l'air dans les appareils de plongée.

Nuit d'infamie

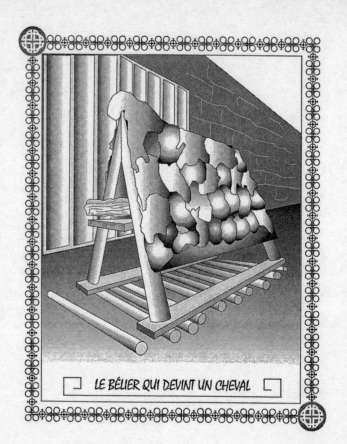

LE BÉLIER QUI DEVINT UN CHEVAL

LE NAVIRE D'ULYSSE

Aux environs de 1190 av. J.-C.
Une citadelle bâtie sur une colline près de la mer.

D'une grande simplicité et faite pour piquer la curiosité – objectif parfaitement atteint –, l'affreuse construction reposait sur quatre solides montants en bois hauts de six mètres et fichés dans une plate-forme au ras du sol ; sorte de carapace triangulaire munie d'une ouverture à chaque sommet, elle présentait à l'avant une bosse en forme de visière qui protégeait deux fentes comme des yeux ; des peaux recouvraient les côtés. Les habitants de la citadelle n'avaient jamais rien vu de pareil, mais ceux qui faisaient preuve d'imagination pouvaient y voir une sorte de cheval campé sur des pattes raides.

Les Troyens s'attendaient en se réveillant ce matin-là à retrouver les Grecs massés autour de leurs remparts et prêts au combat comme depuis dix semaines déjà. Mais la plaine alentour était déserte ; seuls quelques foyers encore fumants signalaient que s'était dressé là un camp ennemi : les Grecs et leur flotte avaient disparu ; après avoir chargé à bord de leurs navires provisions, chevaux, armes et chariots, ils avaient levé l'ancre en pleine nuit, ne laissant derrière eux que l'énigmatique monstre de bois. Les Troyens envoyés en éclaireurs le confirmèrent : le camp grec avait bel et bien été abandonné.

Le siège de Troie avait pris fin. Les habitants, ivres de joie, ouvrirent la grande porte de la citadelle et

envahirent la vaste plaine, théâtre de tant d'affronte-
ments meurtriers. L'engin les intriguait pourtant ; certains soupçonnant un piège insistaient même pour
qu'on le brûlât. Mais ils découvrirent rapidement qu'il
s'agissait tout simplement d'une inoffensive et rudimentaire construction en bois montée sur quatre pieds ;
un homme qui avait réussi à se hisser dans la structure
constata d'ailleurs qu'elle était vide.

—Si c'est tout ce dont sont capables les Grecs,
s'esclaffa-t-il, ne nous étonnons plus de notre victoire !

La foule éclata de rire puis acclama Priam, son roi,
qu'un chariot amenait sur les lieux. Mettant pied à terre,
il répondit aux vivats et fit le tour de l'étrange édifice
pour tenter d'en deviner l'utilité ; assuré que l'engin ne
présentait aucune menace, il le déclara prise de guerre
et ordonna qu'on le traîne jusqu'à la porte de la ville où
il commémorerait la magnifique victoire remportée sur
les agresseurs grecs.

La fête s'interrompit à l'arrivée de deux soldats
poussant à travers la foule un prisonnier grec abandonné par ses camarades. Il s'appelait Sinon ; il était le
cousin du puissant Ulysse, roi d'Ithaque, et l'un des
chefs des forces qui avaient assiégé Troie ; pourtant, en
découvrant Priam, il se prosterna à ses pieds et le
supplia de lui laisser la vie sauve.

—Pourquoi t'a-t-on abandonné ? interrogea le roi.

—Mon cousin a prêté l'oreille à mes ennemis et m'a
chassé du camp. Si je ne m'étais pas réfugié dans
un bouquet d'arbres avant que les navires lèvent
l'ancre, on m'aurait sûrement traîné derrière l'un d'eux
jusqu'à ce que je me noie et que je sois dévoré par les
poissons.

Priam examina longuement Sinon.

—Quelle est cette aberration ? A quoi bon agir
ainsi ?

—Après leur échec devant votre forteresse et la

perte au combat du vaillant Achille, ils ont cru avoir perdu la faveur des dieux. Aussi, dans l'espoir qu'ils protègent leur voyage de retour, leur ont-ils construit cet édifice en offrande.

— Mais pourquoi de telles proportions ?

— Pour que vous ne puissiez pas le faire entrer dans vos murs où ce trophée aurait rappelé le plus cuisant échec qu'aient jamais connu les Grecs.

— Oui, fit le sage vieux Priam en souriant, je comprends leur point de vue. Mais ils n'avaient pas prévu que l'effet, même au pied des remparts, serait identique.

Et les hommes se répartirent aussitôt les tâches : les uns confectionnèrent des rouleaux à partir de souches, d'autres se munirent de cordes et, s'alignant sur deux rangs, entreprirent de haler leur trophée sur la plaine qui s'étendait entre la ville et la mer. Leurs efforts pour faire grimper au monstre de bois la pente menant à la citadelle furent couronnés de succès car à la fin de l'après-midi il trônait devant la porte principale de la cité. La foule se précipita pour examiner, non sans une certaine appréhension, le désormais « cheval de Troie », et se retrouver pour la première fois depuis plus de deux mois sans avoir à craindre l'ennemi.

Au comble du bonheur – finies les perpétuelles batailles –, les femmes et les filles franchirent à leur tour les murailles pour aller cueillir des fleurs dont elles décoreraient la grotesque créature de bois.

— Enfin la paix, enfin la victoire ! scandaient-elles joyeusement.

Seule Cassandre, la fille de Priam, à laquelle on prêtait un esprit un peu dérangé à cause de ses sinistres prédictions, s'écria :

— Vous ne comprenez donc pas ? C'est un piège !

— La joie vous égare, renchérit Laocoon avant de plonger sa lance dans les entrailles du cheval. Faire confiance aux Grecs, quelle stupidité ! Je me méfie d'eux même quand ils offrent des présents.

Le fer s'enfonça jusqu'à la hampe et s'immobilisa en vibrant. Des rires fusèrent dans la foule devant un tel scepticisme.

—Cassandre et Laocoon sont fous ! Le monstre est inoffensif : seulement des planches et des pieux assemblés.

—Idiots ! Les fous sont ceux qui croient Sinon le Grec, rétorqua Cassandre.

Un guerrier la regarda droit dans les yeux.

—Maintenant que le cheval nous appartient, notre cité ne tombera jamais aux mains de l'ennemi, affirma-t-il.

—Il ment !

—Nous ne pouvons pas accepter un présent des dieux ?

—Non, pas s'il nous vient des Grecs, maintint Laocoon en se frayant un chemin dans la foule pour regagner la ville à grands pas furieux.

Impossible de raisonner une foule en liesse : pour ces gens, l'ennemi avait levé le camp, la guerre était donc terminée. Place à la fête.

L'euphorie qui submergeait les Troyens fit rapidement oublier les deux sceptiques. On ne se posa bientôt plus de questions et on improvisa de grandes réjouissances : les remparts répercutaient les accents des flûtes et des pipeaux ; partout, on chantait et on dansait ; le vin coulait à flots.

Dans les temples, les prêtres et les prêtresses brûlaient de l'encens, entonnaient des hymnes et remerciaient par des offrandes les dieux et les déesses qui avaient mis un terme au terrible conflit et envoyé dans l'autre monde tant de vaillants guerriers.

Tout à leur joie, les habitants buvaient à la santé de

leur roi et de leurs héros, combattants, blessés et morts vénérés qui étaient tombés sur le champ de bataille.

— Hector ô Hector, notre courageux défenseur, pourquoi n'as-tu pas vécu pour savourer notre triomphe ?

— Les Grecs, ces idiots, se sont attaqué pour rien à notre magnifique cité, criait une femme emportée par le rythme d'une danse folle.

— Ils ont fui comme des enfants punis, ajouta une autre.

Ainsi chacun exultait-il, le vin courant dans ses veines, le prince en son palais, le riche dans sa vaste demeure ou le pauvre dans son taudis tapi au pied des murailles pour échapper au vent et à la pluie ; mais tous festoyaient, buvant et dévorant les précieuses provisions amassées au cours du siège. Vers minuit, les débordements s'apaisèrent et les sujets du vieux roi Priam, l'esprit embrumé par l'alcool, sombrèrent dans un profond sommeil, sous les auspices de la paix pour la première fois depuis que les Grecs exécrés avaient commencé le siège de leur ville.

Ils étaient nombreux à vouloir laisser la grande porte ouverte comme symbole de victoire, mais la sagesse l'emporta et on referma les lourds battants.

Dix semaines auparavant, les Grecs avaient jailli du nord et de l'est, fendant les eaux vertes à bord de centaines de vaisseaux avant de débarquer dans la baie qui cernait la grande plaine de Troie. Evitant les marécages qui constituaient l'essentiel des basses terres, les Grecs choisirent un promontoire pour dresser leur campement et entreprirent de décharger leurs navires.

Si, à cause du calfatage soigneux des quilles au-dessous de la ligne de flottaison, les coques étaient noires, les parties supérieures en revanche proposaient une large palette de couleurs reflétant le goût de chacun des rois de la flotte. Ils commandaient les manœuvres à des matelots qui peinaient sur de longues rames ou sur de grands avirons montés à l'arrière en guise de gouvernail. Leur proue ornée le plus souvent d'un faucon ou d'un épervier sculpté, et leur poupe, équipée chacune d'une plate-forme, étant pratiquement identiques, les vaisseaux se déplaçaient indifféremment dans l'une ou l'autre direction ; incapables par ailleurs de naviguer vent debout, ils ne hissaient leur grande voile carrée que par brise arrière. Les effectifs variaient entre cent vingt guerriers pour les transports de troupes et à peine une vingtaine pour les ravitailleurs ; l'équipage le plus fréquent était composé de cinquante-deux hommes, y compris le capitaine et un pilote. Les chefs d'une poignée de petits royaumes avaient formé une vague alliance afin de piller et de lancer des raids sur des villes côtières un peu comme le feraient deux mille ans plus tard les Vikings. Ils venaient d'Argos, de Navarin, d'Arcadie, d'Ithaque et d'une douzaine d'autres régions. Considérés comme grands pour leur époque, même s'ils dépassaient rarement un mètre soixante, ils se battaient avec acharnement, la poitrine protégée par des lames de bronze martelé attachées entre elles par des courroies de cuir, la tête abritée sous un casque de bronze, le cimier le plus souvent marqué aux armes de leur propriétaire, les jambes et les bras préservés par des plaques de métal.

Ils étaient passés maîtres dans le maniement de la lance, leur arme préférée ; s'ils la brisaient ou la perdaient ils se rabattaient alors sur leur courte épée. Les combattants de l'âge du bronze faisaient rarement usage de l'arc et de la flèche qu'ils considéraient comme une arme de lâche. Ils se battaient derrière de grands boucliers – ronds ou quelquefois ovales – constitués par six à huit peaux de vache superposées et cousues par des lanières de cuir à un cadre d'osier aux bords renforcés de bronze.

Fait curieux, les Grecs, contrairement aux guerriers des autres cultures, n'avaient pas constitué d'unités de cavalerie et n'utilisaient pas non plus de chars ; les chariots leur servaient principalement à acheminer hommes et matériel jusqu'aux champs de bataille. Les Grecs, de même que les Troyens, préféraient combattre à pied. Ils ne cherchaient pas à conquérir un territoire ou à se livrer au pillage ; ils voulaient s'assurer la possession d'un métal presque aussi précieux que l'or.

Avant d'échouer leurs navires devant la citadelle, les Grecs avaient attaqué une douzaine de villes et de bourgades le long de la côte : ils avaient fait main basse sur un imposant butin et enlevé de nombreux esclaves, pour la plupart des femmes et des enfants. Mais ils ne pouvaient même pas imaginer les immenses richesses protégées par les épaisses murailles de Troie et ses farouches défenseurs.

Un frisson d'appréhension était passé dans les rangs des guerriers quand ils eurent découvert la cité juchée à l'extrémité du promontoire rocheux et évalué les puissants remparts de pierre, les tours imposantes au milieu desquelles se dressait le palais royal. Ils réalisaient que, contrairement aux villes qu'ils venaient de mettre à sac, celle-ci ne tomberait pas sans un long siège.

Les Troyens confirmèrent cette impression en effectuant une sortie hors de leur forteresse pour attaquer les Grecs qui débarquaient et en repoussant presque leur avant-garde. Mais, inférieurs en nombre, ils durent se retirer derrière la porte principale de leur cité, non sans avoir infligé aux Grecs une sévère punition. La bataille fit rage sur la plaine tout au long des dix semaines qui suivirent : les Troyens se battaient avec acharnement, les corps s'entassaient au pied des murailles et les héros des deux camps s'affrontaient jusqu'à la mort ; à la fin de la journée, de chaque côté, on incinérait les morts sur d'énormes bûchers au-dessus desquels, plus tard, on éleva des tumulus en guise de monuments. Ils furent ainsi des milliers à trouver la mort sans qu'on vît jamais diminuer l'ardeur des combats.

Puis Hector, fils du roi Priam et le plus valeureux des guerriers de Troie, ainsi que son frère Pâris, le vaillant Achéen Achille et son ami Patrocle tombèrent à leur tour. Les rois Agamemnon et Ménélas, à la tête des Grecs, se déclarèrent alors prêts à lever le siège et à rentrer dans leurs foyers puisque la citadelle s'avérait imprenable et que les provisions se raréfiaient, ce qui obligeait à écumer la campagne, alors que les alliés des royaumes voisins venus prêter main-forte aux Troyens les ravitaillaient.

Accablés par la perspective d'une défaite certaine, les Grecs commençaient à tirer des plans pour lever le camp et rembarquer leurs forces quand le rusé Ulysse, roi d'Ithaque, leur proposa une ultime tentative.

Troie festoyait ; profitant de l'obscurité, les navires grecs quittèrent à force de rames l'île voisine de Tenedos où ils s'étaient cachés pendant la journée et se guidant sur un feu allumé par le fourbe Sinon, ils accostèrent de nouveau. Les guerriers revêtirent leur armure et traversèrent sans bruit la plaine, transportant avec eux un pieu colossal maintenu par des sangles de cordage tressé.

La nuit, noire et sans lune, leur permit de faire halte à moins de cent mètres de la porte sans être découverts. Conduits par Ulysse, des éclaireurs contournèrent l'énorme cheval et approchèrent des remparts.

Sinon poignarda les deux sentinelles qui sommeillaient dans la tour de garde. Il ne comptait certes pas ouvrir la porte lui-même – il fallait un homme très robuste pour soulever la grosse barre de bois bloquant les battants hauts de dix mètres –, ainsi prévint-il discrètement Ulysse :

—Les gardes sont morts et les habitants ivres ou endormis. C'est le moment d'enfoncer la porte.

Ulysse ordonna aussitôt aux hommes de soulever la pointe du gigantesque pieu pour la placer sur une rampe plongeant à l'intérieur du cheval. Une équipe poussait de l'arrière ; une autre, qui avait escaladé l'intérieur de l'échafaudage, hissait la poutre sous le toit en visière ; on la souleva alors grâce à ses sangles jusqu'à ce qu'elle se trouvât suspendue en l'air. Les Troyens n'avaient pas décelé le bélier dans le cheval conçu par Ulysse.

Les hommes lui firent prendre le plus de recul possible avant de le lâcher.

La pointe de bronze fixée à l'extrémité du pieu heurta la porte de bois avec un bruit sourd qui fit trembler les gonds mais ne réussit pas à la forcer. Inlassablement, le bélier frappa le battant épais d'une trentaine de centimètres, entamant le bois ; la porte ne cédait pourtant pas. Les Grecs craignaient qu'un Troyen alerté par le vacarme ne découvrît en regardant par-dessus la muraille l'armée massée dans la plaine. Juché en haut du rempart, Sinon épiait tout citadin qui aurait pu donner l'alerte aux guerriers qui cuvaient encore un triomphe prématuré ; mais ceux qui ne dormaient pas encore pensèrent que le fracas provenait d'un orage lointain.

Leurs efforts commençaient à paraître vains quand soudain un des gonds lâcha. Une nouvelle fois exhortés par Ulysse, les guerriers mirent toutes leurs forces dans la poussée du bélier contre cette porte qui ne voulait pas céder.

Elle parut d'abord céder mais, tandis que les Grecs retenaient leur souffle, le battant resta un moment accroché aux gonds qui avaient résisté puis, dans un gémissement déchirant, s'abattit de tout son poids sur le pavé de la citadelle dans un fracas assourdissant.

Tels des loups affamés, les soldats grecs déferlèrent dans les rues de la cité en hurlant comme des possédés. Exaspérés par dix semaines de combats incessants qui se soldaient par la mort de leurs camarades, ils se déchaînèrent sans merci et n'épargnèrent personne. Semant la mort sur leur passage, massacrant les hommes et enlevant femmes et enfants, pillant, saccageant et brûlant tout ce qui leur tombait sous la main.

La belle Cassandre se réfugia à l'intérieur du temple, persuadée que, protégée par les gardes, elle ne risquerait rien. Mais il en fallait bien plus pour arrêter le guerrier Ajax. Il viola Cassandre aux pieds de la statue votive du temple. Plus tard, hanté par le remords, il se donna la mort en se jetant sur son épée.

Les guerriers troyens, quittant leur lit d'un pas mal assuré, l'esprit encore embrouillé par les vapeurs du vin, n'opposèrent qu'une faible résistance : leurs ennemis assoiffés de vengeance les massacrèrent sur place ; la plupart n'eurent le temps ni de voir leur maison incendiée, leur famille entraînée par les vainqueurs, ni d'entendre les hurlements des femmes, les pleurs des enfants, les plaintes des chiens de la ville. Le sang coulait dans les rues.

On massacra le roi Priam, sa suite et ses gardes. Sa femme Hécube fut réduite en esclavage. Le palais fut soumis à un pillage en règle, on arracha l'or des colonnes et des plafonds, les somptueuses tentures, et on mit en pièces le mobilier avant d'incendier les appartements.

Impossible de trouver dans la main d'un Grec une arme qui ne fût ensanglantée. On eût dit une meute de loups s'acharnant sur un troupeau de moutons. Vieillards, hommes, femmes, nul n'échappa au massacre : on les abattait comme des lapins trop apeurés pour bouger et trop faibles pour s'enfuir.

Les vaillants guerriers troyens tombaient l'un après

l'autre jusqu'à ce qu'il n'en restât plus un seul pour
brandir une lance contre les Grecs ivres de sang. Leurs
alliés – Thraces, Lyciens et Lysiens – luttèrent vaillam-
ment mais ne tardèrent pas à être écrasés. Les Amazones, ces fières guerrières qui combattaient avec les
Troyens, rendaient coup pour coup et abattirent plus
d'un ennemi avant de succomber à leur tour.

Chaque maison, chaque taudis de la ville était maintenant la proie des flammes qui embrasaient le ciel.
L'horrible spectacle semblait ne jamais connaître de
fin. Puis les Grecs, épuisés par cette nuit de folie
sanguinaire, commencèrent à quitter la ville avec leur
butin et leurs captives qui, pleurant leur mari, pous-
saient devant elles leurs enfants terrifiés. Selon la
coutume de cette époque sans pitié ils deviendraient
des esclaves sur les terres grecques. Certaines finiraient
par accepter leur destin : prises comme épouses par
leurs ravisseurs, elles leur donneraient des enfants
et mèneraient une existence supportable, même si
d'aucunes mourraient jeunes à force de mauvais traitements. On ne sait rien du sort que connurent leurs
enfants.

Si l'armée se retirait, l'horreur ne cessait pas pour
autant : ceux que le carnage n'avait pas achevés agoni-
saient, pris au piège sous les poutres embrasées de leur
maison. Les flammes éclairaient ces scènes horribles et
entraînaient vers la mer des nuages chargés de cendres
et d'étincelles.

Ceux des habitants qui, en se réfugiant dans les forêts
voisines, avaient échappé à la mort et à la destruction
regagnèrent lentement ce qui avait été jadis une fière
citadelle pour y retrouver des ruines fumantes où flottait
encore l'abominable puanteur des chairs brûlées.

Incapables de rebâtir, ils émigrèrent pour édifier
ailleurs une ville nouvelle qui n'atteignit jamais, cependant, la splendeur de celle d'antan.

Les années passèrent et le vent de la mer dispersa les cendres des décombres sur la plaine tandis que les pavés des rues et les pierres des remparts disparaissaient peu à peu dans la poussière.

Puis les tremblements de terre, la sécheresse et les épidémies eurent également raison du nouveau site qui resta abandonné deux mille ans. Mais sa renommée connut un éclat nouveau quand, sept cents ans plus tard, un poète nommé Homère légua à la postérité le récit de la guerre de Troie et de l'odyssée de son héros, le Grec Ulysse.

Habile et rusé, ne reculant pas devant un meurtre, Ulysse ne se comportait pourtant pas avec la même barbarie que ses frères d'armes vis-à-vis des captives. Ses hommes agissaient à leur guise, il ne s'y opposait pas ; il se contentait de puiser dans les richesses des adversaires exécrés pour avoir envoyé tant de ses soldats à la mort. Ulysse fut le seul des Grecs à ne pas prendre une concubine parmi les captives. Sa femme, Pénélope, et son fils lui manquaient ; il les avait quittés depuis bien longtemps et il souhaitait regagner son royaume sur l'île d'Ithaque aussi vite que possible.

Après avoir fait des sacrifices aux dieux, Ulysse quitta la ville en flammes et prit la mer en laissant aux vents favorables le soin d'emporter sa flottille vers le sud-est, vers Ithaque.

Quelques mois plus tard, une méchante tempête rejeta Ulysse plus mort que vif sur le rivage de l'île des Phéaciens où, épuisé, il s'endormit aussitôt. Nausicaa, la fille d'Alcinoos qui régnait sur l'île, le découvrit ; inquiète, elle s'assura qu'il vivait encore.

Il s'éveilla et la contempla, fasciné par sa beauté.

— A Délos, dit-il, j'ai vu de superbes créatures qui vous ressemblaient.

Charmée, Nausicaa conduisit le naufragé jusqu'au palais de son père où, s'étant présenté comme le roi d'Ithaque, Ulysse fut magnifiquement accueilli. Le roi Alcinoos et son épouse la reine Arété mirent généreusement à sa disposition un navire qui le ramènerait chez lui ; Ulysse devait seulement promettre de régaler auparavant le roi et sa cour du récit de la guerre et de ses aventures depuis son départ de Troie ; il s'exécuta bien volontiers au cours du somptueux banquet donné en son honneur.

— Peu après mon départ d'Ilion, commença-t-il, se sont levés des vents contraires ; ma flotte a dérivé une dizaine de jours loin au large, dans des eaux agitées. Nous accostâmes enfin sur une terre inconnue dont les habitants – nous les baptisâmes Lotophages à cause du fruit d'un arbre inconnu qu'ils croquaient et qui les maintenait dans un état d'euphorie constante – nous traitèrent, mes hommes et moi, fort amicalement. Quelques-uns de mes compagnons se mirent à consommer le fruit du lotus ; ils sombrèrent rapidement dans la léthargie et perdirent toute envie de rentrer chez eux. Comprenant que le voyage de retour risquait de s'achever là, j'ordonnai qu'on les traînât à bord des navires. Nous hissâmes immédiatement les voiles et prîmes le large.

« Je me croyais – à tort – loin à l'est, aussi mis-je le cap à l'ouest, en me guidant sur les étoiles et sur le lever ou le coucher du soleil. La flotte arriva dans les parages d'un groupe d'îles couvertes d'une forêt dense et constamment balayées par une pluie tiède. Elles étaient habitées par les Cyclopes, rustres et paresseux, qui élevaient de grands troupeaux de moutons et de chèvres.

« Je partis à la tête d'une petite troupe en quête de ravitaillement. A flanc de colline, nous découvrîmes une caverne – une étable en réalité – dont l'entrée était barrée par une clôture qui empêchait les bêtes de sortir. Ravis de ce don des dieux, nous commencions à les rassembler pour les mener aux navires quand nous entendîmes soudain un bruit de pas : un homme d'une stature colossale s'inscrivait dans l'entrée de la grotte qu'il obstrua aussitôt en faisant rouler un gros rocher devant l'ouverture, puis il s'occupa de ses bêtes. Tapis dans l'ombre, nous osions à peine respirer.

« Il souffla sur les braises d'un feu moribond et, à la lueur des flammes, nous aperçut pelotonnés au fond de la caverne. On ne saurait imaginer visage plus affreux ; les Cyclopes ne sont pourvus que d'un seul œil, et noir comme la nuit.

— Qui êtes-vous ? gronda-t-il. Pourquoi avez-vous envahi ma terre ?

— Nous ne sommes pas des envahisseurs, répondis-je. Nous avons accosté seulement pour emplir d'eau nos tonneaux.

— Non, vous êtes venus voler mes moutons, tonna le géant. Mes voisins et mes amis seront bientôt là par centaines ; nous vous ferons cuire dans nos marmites et nous vous dévorerons.

« Bien qu'aguerris par d'âpres combats, nous savions que bientôt nous n'aurions plus l'avantage du nombre. Découvrant un long bâton qui traînait par terre, j'en affûtai la pointe avec mon épée. Puis je tendis mon outre pleine de vin au Cyclope en lui disant :

— Tiens, Cyclope, laisse-moi t'offrir ce vin pour que tu nous laisses la vie sauve.

— Quel est ton nom ? demanda-t-il.

— Mon père et ma mère m'appelaient *Personne*.

— Quel nom stupide ! proféra le monstre avant de

vider d'un trait mon outre. Gagné par l'ivresse, il sombra dans les vapeurs de l'alcool.

« Je saisis aussitôt le bâton et, me précipitant sur le géant endormi, enfonçai la pointe acérée dans son œil unique.

« Poussant des hurlements de douleur, il sortit en trébuchant, arracha le pieu de son œil et se mit à appeler à l'aide.

— Qu'est-ce qui t'arrive ? demandèrent les Cyclopes du voisinage qui accouraient, alertés par ses cris.

— J'ai été attaqué par *Personne* ! répondit-il.

« Pensant qu'il était devenu fou, ils rentrèrent chez eux, et nous en profitâmes pour regagner nos vaisseaux en courant.

— Merci de nous avoir fait don de tes moutons, stupide Cyclope, lançai-je au géant aveugle. Et quand tes amis te demanderont comment tu as été blessé à l'œil, tu pourras leur dire que c'est Ulysse, le roi d'Ithaque, qui s'est joué de toi.

— Tu avais donc fait naufrage avant d'arriver en Phéacie ? s'enquit Alcinoos.

— Pas tout de suite, répondit Ulysse en secouant la tête. (Il but une gorgée de vin puis reprit.) Entraînés loin à l'ouest par les vents et les courants, nous finîmes par rallier l'île d'Eolie où nous jetâmes l'ancre. Eole, le fils d'Hippotas, chéri des dieux, y régnait. Il avait six filles ; six robustes garçons aussi qu'il avait poussés à épouser ses filles. Ils vivaient tous ensemble dans une constante ambiance de fête et de luxe.

« L'aimable Eole nous ravitailla, et nous repartîmes. Sept jours durant nous essuyâmes des tempêtes. La mer s'étant enfin calmée, nous atteignîmes le port des Lestrygons après avoir franchi une étroite passe entre deux promontoires rocheux ; mes vaisseaux jetèrent l'ancre. Heureux de retrouver la terre ferme, nous explorions les environs quand nous rencontrâmes une belle jeune fille venue chercher de l'eau.

« Nous lui demandâmes où trouver le roi de ces terres ; il s'agissait de son père, nous apprit-elle, et elle nous conduisit au palais où nous découvrîmes avec stupeur une géante à l'aspect effroyable.

« Elle appela son mari, Antiphatès ; celui-ci, plus grand qu'elle encore, valait deux Cyclopes. Horrifiés à la vue d'un tel monstre, nous nous précipitâmes en courant vers nos vaisseaux. Mais Antiphatès donna l'alarme et les robustes Lestrygons jaillirent bientôt par milliers ; du faîte des falaises, ils nous bombardèrent de projectiles qu'ils lançaient avec d'énormes frondes : pas de simples cailloux, mais des rochers presque aussi gros que nos navires. A part le mien, tous nos vaisseaux sombrèrent.

« Mes soldats furent précipités dans le port ; les Lestrygons les harponnèrent comme des poissons avant de haler leurs corps sur le rivage pour les dévorer. Mon navire réussit à gagner le large ; nous étions enfin hors d'atteinte mais dans de bien tristes conditions : nous avions tout perdu, nos amis mais aussi le butin rapporté d'Ilion ; l'or dardanien gisait maintenant au fond de la rade de Lestrygon.

« Accablés par le chagrin, nous poursuivîmes néanmoins notre route qui nous mena à l'île d'Aea où résidait Circé, la célèbre et ravissante reine considérée comme une déesse. Séduit par ses charmes, je me liai d'amitié avec elle, m'attardant en sa compagnie durant plus de trois révolutions de la lune. J'aurais volontiers prolongé mon séjour, mais mes compagnons insistèrent pour repartir vers Ithaque, menaçant même d'appareiller sans moi.

« Circé accepta mon départ en pleurant mais elle me supplia d'accomplir un autre voyage.

— Il faut te rendre au palais d'Hadès pour consulter

ceux qui ne sont plus et dont les conseils t'aideront à comprendre la mort. Quand tu reprendras ton chemin, tu auras à affronter les sirènes qui, par leur chant, chercheront à t'attirer, toi et tes hommes, sur les récifs de leurs îles ; bouche-toi les oreilles pour ne pas leur céder. Quand tu auras échappé à la tentation des sirènes, tu passeras devant les roches escarpées qu'on appelle les Plantes ; le passage est périlleux et nul esquif, à l'exception d'un seul, ne l'a jamais franchi.

— Quel est-il ? demandai-je.

— L'*Argonaute*, celui du célèbre Jason.

— Voguerons-nous ensuite sur des eaux calmes ?

— Non, fit Circé en secouant la tête, car tu arriveras devant d'autres roches qui s'élèvent jusqu'au ciel et dont les flancs, polis comme l'émail d'une urne, sont impossibles à escalader. Ils abritent la caverne de Scylla, une créature monstrueuse, qui frappe de terreur tous ceux qui l'approchent ; elle possède six longs cous, des serpents dont les têtes terrifiantes sont pourvues de mâchoires avec trois rangées de dents capables en un instant de broyer un homme. Prends garde qu'elle ne happe tes marins. Fais force de rames faute de quoi assurément vous y laisserez vos vies. Il vous faudra ensuite franchir les eaux où rôde Charybde, un formidable tourbillon qui pourrait engloutir ton navire ; n'oublie pas de tenter le passage pendant son sommeil.

« Après de touchants adieux à Circé, nous prîmes place dans le navire et nous nous mîmes à frapper l'eau de nos rames.

— Tu es vraiment descendu jusqu'aux Enfers ? murmura la ravissante épouse du roi Alcinoos en pâlissant.

— Oui, suivant les instructions de Circé, nous avons mis le cap sur Hadès et son redoutable royaume des morts. Après cinq jours de navigation, nous nous enfonçâmes dans une brume épaisse ; nous nous trouvions dans les eaux du fleuve Oceanus qui coulait vers l'extrémité du monde, au milieu de ténèbres perpétuelles. Nous échouâmes le navire ; je débarquai seul et m'avançai dans cette pénombre surnaturelle. Arrivé dans une vaste caverne creusée à flanc de montagne, je m'assis et attendis.

« Les esprits commencèrent bientôt à se rassembler, en émettant d'épouvantables gémissements. Je perdais presque connaissance quand ma mère apparut, c'est ainsi que j'appris sa mort puisque je l'avais quittée vivante lors de mon embarquement pour Ilion.

— Mon fils, murmura-t-elle d'une voix sourde, pourquoi te rends-tu dans le royaume des ténèbres alors que tu es encore vivant ? Ne dois-tu pas atteindre ton pays d'Ithaque ?

« Les larmes aux yeux, je lui racontai mon affreux périple et la tragique disparition de mes guerriers.

— Je suis morte le cœur brisé de ne jamais revoir mon fils.

« Ces paroles m'arrachèrent des pleurs ; je voulus l'étreindre, mais mes bras se refermèrent sur le vide.

« Ensuite défila devant moi le long cortège des hommes et des femmes que j'avais jadis connus et respectés ; ils me saluaient silencieusement et regagnaient la caverne. Parmi eux mon vieux compagnon, le roi Agamemnon, qui commandait devant Troie.

— Aurais-tu péri en mer ? demandai-je, surpris de le voir.

— Non, mon épouse, son amant et leurs sbires m'ont traîtreusement agressé. Je me suis bien battu, mais j'ai succombé sous le nombre. Ils ont aussi donné la mort à Cassandre, la fille de Priam.

« Puis ce fut le tour du noble Achille, de Patrocle et d'Ajax auxquels je fus incapable de donner les nouvelles de leur famille qu'ils me demandaient ; mais nous évoquâmes le bon vieux temps jusqu'au moment où ils reprirent le chemin des Enfers. Les fantômes d'êtres chers m'entouraient, chacun me contant sa douloureuse histoire.

« Mon cœur débordait de tristesse et je ne pus en supporter davantage ; je quittai ces lieux funestes et regagnai mon navire. Sans regarder derrière nous, nous voguâmes dans la brume jusqu'au jour où nous retrouvâmes le soleil et où nous pûmes mettre le cap vers les sirènes.

— Il semble que tu aies réussi à passer devant elles, constata le roi.

— En effet, confirma Ulysse. Mais avant de tenter l'aventure, je m'étais muni d'une boule de cire que j'avais morcelée ; je pétris les boulettes obtenues pour les ramollir et en bouchai les oreilles de mes compagnons. Décidés à m'ignorer quand je les supplierais de changer de cap, ils m'attachèrent au mât comme je le leur avais ordonné leur expliquant que, faute de quoi, nous nous échouerions sur les récifs.

« A peine avaient-elles aperçu notre vaisseau que les sirènes entamèrent leurs chants ensorcelants. "Ecoute la douceur de nos mélodies, la suavité de leurs accents, sage Ulysse. Réfugie-toi dans nos bras car nous saurons te charmer et renforcer ta clairvoyance."

« Cédant en effet aux sortilèges de leur musique et de leurs voix, je ne manquai pas d'implorer mes hommes ; mais ceux-ci resserrèrent mes liens et ramèrent de plus belle jusqu'à ce que nous fussions hors de portée du chant des sirènes. Alors seulement ils ôtèrent la cire qui bouchait leurs oreilles et me détachèrent du mât.

« Une fois doublé cette île cernée d'écueils, nous dûmes affronter des vagues énormes et une mer furieuse. J'exhortai les hommes à souquer plus ferme tout en gouvernant le navire au milieu des tourbillons. Je m'étais bien gardé de leur parler du redoutable monstre qu'était Scylla, car ils auraient abandonné leurs avirons pour se réfugier, affolés, dans la cale ;

nous venions de pénétrer dans les eaux tumultueuses de Charybde à l'entrée du détroit bordé de récifs. Pris dans ce cyclone, nous pensions vivre nos derniers instants d'autant plus que Scylla s'acharnait sur nous : ses têtes de vipère engloutirent six de mes plus vaillants guerriers ; leurs cris de désespoir lorsque les terribles mâchoires les happèrent marquent le moment le plus affreux de cet abominable voyage.

« Des éclairs se mirent à déchirer les nues, la foudre frappa le navire où tout baignait dans des relents de soufre. La violence des éléments disloqua le vaisseau, précipitant mes derniers compagnons dans les eaux déchaînées qui les engloutirent.

« Je parvins à attraper un tronçon du mât auquel était fixée une solide courroie de cuir dont je me sanglai et que j'attachai à un fragment de la quille fracassée. Ce radeau improvisé m'emporta au gré du vent et des courants. Bien des jours plus tard, encore tout juste vivant, je m'échouai sur l'île d'Ogygia, résidence de Calypso, une femme d'une grande beauté et d'une remarquable intelligence, la sœur de Circé. Quatre de ses sujets me découvrirent sur la plage et me transportèrent jusqu'à son palais où elle m'accueillit et me soigna.

« J'y connus des jours heureux grâce aux tendres soins de Calypso qui partageait ma couche. Nous nous ébattions dans un jardin fabuleux où se croisaient les jets d'eau de quatre fontaines. Dans des forêts luxuriantes des oiseaux de mille couleurs voletaient de branche en branche. Des sources d'eau claire arrosaient de douces prairies bordées de vignobles.

— Combien de temps as-tu passé avec Calypso ? interrogea le roi.

— Sept longs mois.

— Pourquoi, demanda la reine Arété, ne t'es-tu pas tout de suite mis en quête d'un bateau ?

— Parce que, fit Ulysse en haussant les épaules, il n'y en avait pas.

— Tu es pourtant reparti. Comment t'y es-tu pris ?

— La douce et généreuse Calypso connaissait mon chagrin. Un matin elle m'éveilla en me confiant son souhait de me voir rentrer chez moi. Elle me fit apporter des outils, m'emmena dans la forêt et m'aida à couper le bois pour construire un radeau capable de tenir la mer ; elle me fabriqua des voiles en cousant des peaux et rassembla vivres et eau pour mon voyage. En cinq jours, j'étais prêt à prendre la mer. Je quittai avec tristesse cette femme merveilleuse, très émue par mon départ. Si je n'avais pas aimé aussi profondément Pénélope, je serais resté. (Ulysse marqua un temps pour essuyer une larme.) Je crains qu'elle ne soit morte de chagrin dans la solitude qui a suivi mon départ.

— Qu'est-il advenu de ton radeau ? voulut savoir Nausicaa. Tu étais naufragé quand je t'ai découvert.

— Après dix-sept jours de calme, la mer soudain se déchaîna. Une violente tempête se leva accompagnée d'une pluie battante et de rafales qui arrachèrent ma voile ; des vagues énormes disloquèrent presque mon fragile esquif. Je dérivai pendant deux jours avant d'être rejeté sur votre rivage où toi, douce et charmante Nausicaa, tu m'as trouvé. (Il s'arrêta.) Ainsi se termine le récit de mes épreuves et de mes malheurs.

Tous au palais avaient écouté avec fascination l'incroyable odyssée d'Ulysse. Le roi Alcinoos se leva et s'adressa ainsi à son hôte :

— C'est un honneur pour nous d'accueillir un hôte aussi distingué et nous te sommes très reconnaissants de nous avoir charmés par un si merveilleux récit. Aussi, en témoignage de notre gratitude, je mets à ta disposition mon navire le plus rapide et son équipage pour te ramener chez toi, à Ithaque.

— Adieu, noble roi Alcinoos et gente reine Arété ; grâces vous soient rendues ainsi qu'à votre fille Nausicaa pour vos bontés. Soyez heureux et que les dieux veillent sur vous.

Là-dessus Ulysse fut escorté jusqu'au navire. Des vents favorables et une mer bienveillante lui permirent de regagner enfin son royaume d'Ithaque ; il retrouva son fils Télémaque et sa chère Pénélope, et passa au fil de l'épée les prétendants qui l'avaient harcelée.

Ainsi s'achève l'*Odyssée,* cette épopée qui, depuis des siècles, enflamme l'imagination de ses lecteurs. Pourtant, ce récit n'est qu'en partie authentique, et ne repose pas entièrement sur la vérité. Homère n'était pas un citoyen grec et les événements décrits dans l'*Iliade* et dans l'*Odyssée* ne se sont pas déroulés là où la légende les a situés.

Les véritables aventures d'Ulysse ne seront établies que beaucoup, beaucoup plus tard…

PREMIÈRE PARTIE

Il n'est pas de courroux plus redoutable que la colère des flots

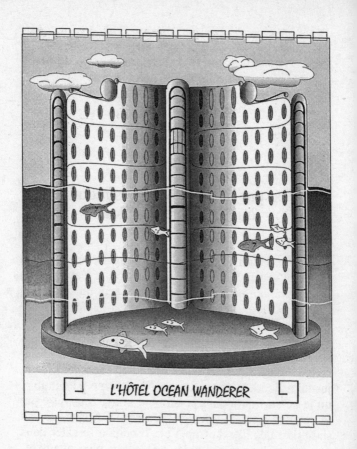

L'HÔTEL OCEAN WANDERER

1

15 août 2006,
Key West, Floride.

Le Dr Heidi Lisherness – silhouette élégante et cheveux argentés ramenés en chignon – s'apprêtait à passer une soirée en ville quand elle jeta un bref coup d'œil aux dernières images recueillies par un satellite des Opérations du Super Scan. Heidi avait choisi, pour supporter la chaleur humide de la Floride en août, un short vert et un haut assorti.

Elle était à deux doigts d'éteindre son ordinateur jusqu'au lendemain matin, quand, à peine perceptible, un je-ne-sais-quoi dans la dernière image transmise par le satellite posté au-dessus de l'océan Atlantique, au sud-ouest des îles du Cap-Vert, l'incita à se caler dans son fauteuil pour examiner son écran plus attentivement.

Un œil profane y aurait juste distingué quelques nuages innocents flottant au-dessus d'une mer d'un bleu d'azur. Mais Heidi y vit un signe plus menaçant. Elle compara l'image avec celle qu'elle avait reçue deux heures auparavant : la masse des cumulus avait grossi plus rapidement que tous les embryons de gros temps dont elle pouvait se souvenir en dix-huit ans passés à observer les ouragans tropicaux de l'Atlantique au Centre des ouragans de la NUMA[1]. Elle agrandit les deux images de la tempête en train de se former.

Son mari, Harley – physionomie joviale, moustache à la gauloise, crâne chauve et lunettes sans monture –, poussa la porte de son bureau avec une certaine impatience. Météorologue, lui aussi, mais pour la Météorologie nationale, il lançait les alertes destinées aux aéronefs et aux bateaux.

—Qu'est-ce que tu fais ? dit-il en regardant sa montre. J'ai réservé au Crabe farci.

Sans lever les yeux, elle désigna les deux images juxtaposées qui s'affichaient sur l'écran.

—Regarde ces clichés pris à deux heures d'intervalle. Qu'y vois-tu ?

Harley les étudia puis, fronçant les sourcils, chaussa ses lunettes avant de reprendre son examen.

—Ce système se développe sacrément vite, finit-il par répondre en hochant la tête.

—Trop vite, appuya Heidi. Si ça continue à ce rythme-là, ça nous promet une formidable tempête !

—On ne sait jamais, tempéra Harley d'un air songeur. Il arrive que le lion se transforme en mouton, ça s'est déjà vu.

—C'est vrai, mais la plupart des ouragans mettent des jours, parfois des semaines, à forcir ainsi. Il n'a fallu que quelques heures à celui-ci.

—Il est trop tôt pour prévoir la direction que cette tempête va prendre et la région où elle risque de commettre le plus de dégâts.

—J'ai la pénible impression que celle-ci sera imprévisible.

1. National Under Water and Marine Agency, l'Agence nationale marine et sous-marine.

—Tu me tiendras au courant ? demanda Harley en souriant.

—La Météorologie nationale sera informée en priorité, assura-t-elle en lui donnant une petite tape sur le bras.

—Tu as baptisé ta nouvelle copine ?

—Si elle devient aussi méchante que je le crains, je l'appellerai *Lizzie*, en souvenir de Lizzie Borden, la tueuse à la hache.

—Il est un peu tôt dans la saison pour l'initiale « L », mais pourquoi pas ? commenta Harley en tendant son sac à sa femme. Il sera toujours temps de voir ce que ça donne. Je meurs de faim. Allons dîner.

Heidi suivit son mari, mais ce dîner ne lui procurait plus aucun plaisir ; elle ne parvenait pas à se défaire de son appréhension car elle redoutait que ce hurricane ne prît des proportions terrifiantes.

Dans l'Atlantique, on parle d'un hurricane, dans le Pacifique, d'un typhon, et dans l'océan Indien, d'un cyclone. Un hurricane est le plus redoutable des phénomènes naturels : il cause souvent des dégâts bien supérieurs à ceux des éruptions volcaniques ou des tremblements de terre, car il sème la destruction sur un territoire beaucoup plus vaste.

Sa naissance exige la combinaison d'un certain nombre de facteurs : il faut premièrement que les eaux tropicales de la côte occidentale de l'Afrique soient portées à des températures dépassant vingt-cinq degrés Celsius, puis qu'elles soient exposées au soleil, ce qui provoque une importante évaporation. L'humidité s'élève alors dans les couches plus froides et se condense en cumulus tout en engendrant de violents orages. Cette combinaison produit la chaleur nécessaire à la tempête naissante.

Le développement de tourbillons d'air qui s'enroulent

à une soixantaine de kilomètres à l'heure provoque une baisse de pression à la surface et, plus elle est importante, plus la circulation du vent s'accélère. S'alimentant sur ces bases, le système – c'est le terme employé par les météorologues – a créé ainsi une force centrifuge explosive qui fait tournoyer un véritable mur de vent et de pluie autour de l'œil de la tempête où règne un calme stupéfiant, où le soleil brille, où la mer est relativement calme et où les murs blancs des nuages qui peuvent s'élever jusqu'à quinze mille mètres d'altitude sont la seule manifestation de l'énergie terrifiante qui se déploie.

Jusque-là, on ne parle que de dépression tropicale mais, dès l'instant où le vent atteint 120 kilomètres à l'heure, il s'agit d'un authentique hurricane. Dès lors, on le classe selon la vitesse du vent : entre 120 et 150 kilomètres à l'heure, c'est un hurricane de première catégorie ; la deuxième catégorie reste encore modérée avec des vents qui peuvent atteindre 180 kilomètres à l'heure ; dans la troisième catégorie, où ils soufflent de 180 à 210 kilomètres à l'heure, le hurricane est classé comme violent ; quand on enregistre des pointes de 250 kilomètres à l'heure, on entre dans la classe extrême, celle de l'ouragan *Hugo* qui détruisit la plupart des maisons sur la côte au nord de Charleston, en Caroline du Sud, en 1989. Et, pour finir, la reine des tempêtes, la cinquième catégorie et ses vents qui dépassent 250 kilomètres à l'heure comme ce fut le cas pour l'ouragan *Camille* qui frappa la Louisiane et le Mississippi en 1969, faisant deux cent cinquante victimes, une goutte d'eau auprès des huit mille tués lors du grand ouragan de 1900 qui dévasta la ville de Galveston, au Texas. Le cyclone tropical le plus meurtrier fut celui qui ravagea le Bangladesh et tua près d'un demi-million de personnes en 1970.

Le coût matériel du grand ouragan de 1926 qui

s'abattit sur le sud-est de la Floride et l'Alabama s'éleva à plus de 83 milliards de dollars, compte tenu de l'inflation, et ne fit que… deux cent quatre-vingt-trois victimes.

Ce que personne ne pouvait prévoir, pas plus Heidi Lisherness que quiconque, c'était le caractère diabolique du hurricane *Lizzie* dont la fureur laisserait loin derrière le souvenir du précédent enregistré sur l'Atlantique. *Lizzie* allait très vite entamer sa ruée redoutable vers la mer des Caraïbes, semant le chaos et la désolation sur son passage.

2

Filant comme une ombre, un requin-marteau de cinq mètres de long glissa gracieusement dans l'eau transparente tel un nuage gris survolant une prairie. A chaque extrémité de son museau aplati, deux yeux globuleux fixaient l'eau ; ils perçurent un mouvement et pivotèrent pour se concentrer sur une créature qui nageait dans la forêt de coraux un peu plus bas et qui n'évoquait rien qu'ils eussent déjà vu. Avec ses deux nageoires parallèles à l'arrière et ses flancs noirs rayés de rouge, elle ne parut pas appétissante au requin qui poursuivit sa quête inlassable, sans réaliser qu'il venait de rater un morceau bizarre certes – mais de choix.

Toute à son étude des récifs coralliens du banc de la Navidad à cent vingt kilomètres de la République dominicaine, Summer Pitt préféra ignorer la présence du requin. Le banc comprenait en effet une zone dangereuse d'une cinquantaine de kilomètres carrés et dont la profondeur variait entre un et trente mètres. En quatre siècles, deux cents navires au moins avaient fait naufrage sur les affleurements jaillis de l'Atlantique.

Le corail y était particulièrement pur, s'élevant par endroits à une quinzaine de mètres au-dessus du sable qui tapissait le fond, déployant de fragiles éventails sous les branches robustes, dont les contours tortueux dessinaient un jardin majestueux autour de grottes et d'arcades. Summer avait l'impression de nager dans un labyrinthe dont les allées débouchaient tantôt sur un mur tantôt sur des canyons assez vastes pour laisser passer un camion.

La température de l'eau dépassait 25° C, ce qui n'empêchait pas Summer de porter une combinaison étanche en caoutchouc vulcanisé noir et rouge qui la couvrait de la tête aux pieds, lui assurant ainsi une protection contre les polluants chimiques et biologiques qu'elle pensait rencontrer en examinant les coraux.

Elle consulta sa boussole et vira légèrement sur la gauche, les mains plaquées sur son double réservoir d'air pour diminuer la résistance de l'eau. Son équipement alourdissait sa silhouette et son masque dissimulait ses traits ; seuls visibles et permettant de deviner sa beauté, de magnifiques yeux gris et une mèche de cheveux roux plaquée sur son front.

Summer adorait la mer ; elle plongeait avec délices dans ses profondeurs inconnues, s'identifiant à une sirène et imaginant que de l'eau salée coulait dans ses veines. Encouragée par sa mère, elle s'était inscrite à l'Institut d'océanographie de Scripps où elle avait passé son doctorat, pendant que son frère jumeau Dirk obtenait son diplôme d'ingénieur océanographe à l'Université atlantique de Floride.

Leur mère mourut peu après leur retour à Hawaii ; elle leur avait révélé que leur père – qu'ils n'avaient jamais vu – dirigeait la section des Projets spéciaux de la NUMA à Washington. C'était la première fois que leur mère leur parlait de lui, évoquant leur amour et la raison pour laquelle elle l'avait laissé croire à sa mort lors d'un séisme sous-marin vingt-trois ans auparavant. Grièvement blessée, et défigurée, elle n'avait pas voulu être un poids pour lui. Quelques mois plus tard, elle donnait naissance aux jumeaux que, en souvenir de cet amour, elle baptisa Summer, comme elle, et Dirk, comme leur père.

Après l'enterrement, Dirk et Summer s'étaient rendus à Washington afin de rencontrer pour la première fois Pitt Sr. Cette irruption avait été pour lui un choc : à la stupéfaction provoquée par ce fils et cette fille dont il ignorait jusque-là l'existence, succédèrent la joie et le bouleversement : celle qu'il n'avait jamais pu oublier et qu'il croyait morte depuis plus de vingt ans avait supporté discrètement son invalidité et venait seulement de disparaître.

Dirk Pitt avait aussitôt installé ses enfants inespérés dans le vieux hangar qu'il occupait avec son impressionnante collection de voitures anciennes ; puis apprenant que leur mère les avait poussés sur ses traces, il leur trouva un emploi à la NUMA.

Après avoir travaillé deux ans sur des projets océanographiques qui les avaient entraînés aux quatre coins du monde, le frère et la sœur s'étaient lancés dans une nouvelle aventure : recueillir des données sur l'étrange contamination qui décimait la fragile faune marine du banc de la Navidad et d'autres récifs des Caraïbes.

Ces rochers grouillaient encore malgré tout d'une infinité de variétés de poissons et de coraux : serrans aux couleurs vives au milieu des grands perroquets des mers et des mérous, petits poissons tropicaux jaunes et violets filant parmi les hippocampes ; murènes à l'air féroce ouvrant et fermant des mâchoires menaçantes. (Summer savait que c'était ainsi que ces animaux privés d'ouïes respiraient et qu'elles s'en prenaient rarement à l'homme. Pour se faire mordre par une murène, il fallait presque enfoncer une main dans sa gueule ou l'attaquer.)

Une ombre se dessina sur le fond sablonneux ; Summer leva les yeux, s'attendant à voir le même requin, mais il s'agissait d'un groupe de cinq grandes raies tachetées ; l'une d'entre elles s'écarta de la formation et vint planer autour de Summer, la contemplant avec curiosité avant de remonter d'un coup pour rejoindre ses compagnes.

Une quarantaine de mètres plus loin, Summer passa au-dessus d'un buisson de corail aux pointes hérissées et repéra une épave. Un gros barracuda d'un mètre cinquante rôdait parmi les débris, fixant de son œil noir et froid tout ce qui s'aventurait dans son domaine.

Le vapeur *Vandalia* avait été poussé par un violent ouragan sur le banc de la Navidad en 1876. Aucun de ses cent quatre-vingts passagers et trente hommes d'équipage n'avait survécu. Classé par les Lloyd's de Londres comme perdu corps et biens, son sort ne fut élucidé qu'en 1982 lorsque des plongeurs amateurs découvrirent son épave incrustée de coraux. Il ne restait pas grand-chose pour l'identifier. En cent trente ans s'étaient déposés sur elle entre trente et quarante centimètres de végétation sous-marine et de coraux. Seules les chaudières et les machines qui émergeaient encore de sa coque fracassée signalaient que gisait là un navire jadis magnifique. Presque tout le bois avait disparu, depuis longtemps rongé par l'eau salée ou dévoré par les créatures marines friandes de tous les déchets organiques.

Construit en 1864 pour la West Indies Packet Company, le *Vandalia* mesurait quatre-vingt-seize mètres de long sur treize mètres de large ; il pouvait accueillir deux cent cinquante passagers et comportait trois cales. Il ralliait Liverpool à Panamá où il transférait voyageurs et cargaison sur le train pour gagner le côté Pacifique de l'isthme d'où on les transbordait sur des vapeurs qui les acheminaient en Californie.

Portée par un léger courant, Summer évoluait au-dessus de la vieille carcasse, en essayant de se représenter les gens qui jadis arpentaient ses ponts. Etrange sensation, comme le survol d'un cimetière hanté par des occupants venant du fond des âges.

Chassant ces images de son esprit, elle s'arrêta pour lire sur son manomètre la quantité d'air restant dans ses bouteilles, relever sa position sur un mini-ordinateur GPS, et repérer sur sa boussole sa distance par rapport à l'habitat sous-marin où son frère et elle vivaient pendant leur mission.

Elle progressa d'une centaine de mètres encore pour constater que les couleurs vives des poissons et du corail perdaient de leur éclat ; que les éponges devenaient de plus en plus ternes et chétives avant de disparaître complètement. En même temps, la visibilité chutait rapidement ; bientôt elle fut incapable de voir plus loin que le bout de sa main tendue.

Elle venait de pénétrer dans une sorte d'épais brouillard, la mystérieuse « boue brune » des Caraïbes. La mer, à proximité de la surface, présentait une étrange consistance brunâtre que les pêcheurs comparaient à des eaux d'égout. D'où venait cette boue, personne ne le savait ; les océanographes l'imputaient à la présence d'un certain type d'algues, mais encore fallait-il le prouver.

Chose étrange, cette boue ne semblait pas exterminer les poissons comme sa redoutable cousine, la marée rouge. Ils semblaient en éviter les effets les plus toxiques, mais privés d'abris et de pâturages, ils dépérissaient quand même. Summer observa que l'anémone de mer aux couleurs d'ordinaire si vives, qui déploie ses bras pour se nourrir dans le courant, paraissait affectée par la présence de cet étrange envahisseur. La jeune femme décida d'en prélever quelques échantillons. Plus tard, elle délimiterait la zone morte du banc de la Navidad et les scientifiques installés à bord du navire de recherche procéderaient à des analyses chimiques pour en déterminer la composition dans l'espoir de trouver un jour comment la régénérer.

La première invasion de boue brune avait été signa-

lée par un plongeur professionnel au large de la
Jamaïque en 2002 ; elle avait sévi dans tout le golfe du
Mexique et jusque dans les cayes de Floride. Summer
découvrait sur le banc de la Navidad une épidémie bien
différente, une boue beaucoup plus toxique à en juger
d'après les cadavres d'étoiles de mer et de crustacés
que la jeune femme recensait ; elle observait aussi que
les poissons évoluant dans cette eau étrangement déco-
lorée avaient un comportement léthargique et quasi
comateux.

Elle prit quelques flacons dans un sac attaché à sa
cuisse et préleva des échantillons d'eau. Elle recueillit
aussi des corps d'étoiles de mer qu'elle glissa dans un
filet coincé dans sa ceinture. Ensuite, elle vérifia de
nouveau ses réserves d'air – plus de vingt minutes – et
sa position avant de repartir dans la direction d'où elle
était venue ; elle retrouva bientôt une eau claire.

Observant machinalement le fond qui se transformait
en un étroit filet de sable, elle aperçut l'ouverture d'une
petite caverne dans les coraux qu'elle n'avait pas
remarquée jusque-là, identique au premier abord à
toutes les autres ; celle-ci pourtant avait quelque chose
de différent : l'entrée semblait taillée dans la masse et
s'ouvrait sur deux colonnes enchâssées dans les coraux.

Un ruban de sable s'enfonçait à l'intérieur. Curieuse
et disposant d'une réserve d'air suffisante, elle nagea
jusqu'à l'entrée de la caverne et scruta l'obscurité ; les
reflets indigo des parois scintillaient dans l'éclat tamisé
des rayons du soleil qui pénétraient jusque-là. Progres-
sant lentement au-dessus du fond sablonneux, Summer
vit le bleu virer au noir puis, quelques mètres plus loin,
passer au brun. Un peu inquiète, elle se retourna pour
regarder par-dessus son épaule : la lumière qui filtrait par
l'ouverture la rassura. Sans lampe de plongée, elle ne
distinguait presque rien et il ne fallait pas être grand clerc
pour imaginer les dangers rôdant dans ces ténèbres.

Elle faisait demi-tour quand l'une de ses palmes effleura ce qu'elle prit tout d'abord pour une simple excroissance de corail à demi enfouie dans le sable, mais les contours de l'objet incrusté de madrépores semblaient dessinés par la main de l'homme. Summer dégagea la chose et la brandit devant elle ; l'objet, à peu près de la taille d'un carton à chapeau, paraissait pourtant très lourd, même sous l'eau. Deux poignées dépassaient de la partie supérieure tandis que le fond ressemblait à un socle. A première vue, l'intérieur semblait creux, ce qui confirmait qu'il ne s'agissait pas d'une création naturelle.

Derrière son masque, les yeux gris de Summer reflétaient une curiosité teintée de scepticisme. Elle décida de transporter sa découverte dans leur local ; elle la nettoierait soigneusement pour identifier ce qui se cachait sous la gangue de corail.

Pour compenser le supplément de poids dû à ses différentes collectes qui l'avaient alourdie, elle insuffla davantage d'air dans sa combinaison. Puis, serrant bien sa trouvaille sous son bras et sans se soucier des bulles qu'elle laissait dans son sillage, elle regagna sans hâte l'habitat.

On qualifiait souvent le *Poisson* – l'abri pour dix jours encore du frère et de la sœur – de « *station spatiale sous l'eau* » ; il s'agissait en fait d'un laboratoire sous-marin conçu pour la recherche océanographique : une pièce rectangulaire aux extrémités arrondies, de 12 mètres sur 3, haute de 2,50 mètres, et pesant 65 tonnes. L'ensemble reposait sur des pieds fixés à une plate-forme lourdement lestée qui lui assurait une assise stable à quinze mètres au-dessous de la surface. Le sas d'entrée faisait également office de magasin et de vestiaire : on y revêtait et ôtait les combinaisons de plongée. Le sas principal, qui maintenait une différence de pression entre les deux compartiments, abritait un petit laboratoire, une cuisine, un coin salle à manger exigu et quatre couchettes, ainsi qu'un ordinateur et une console de transmission reliée à une antenne extérieure permettant de maintenir le contact avec le monde.

Summer se défit de ses bouteilles et les brancha au réservoir général. Puis, retenant son souffle, elle nagea jusqu'au sas d'entrée où elle rangea le sac et le filet contenant ses échantillons dans un petit conteneur. Quant à l'objet mystérieux, elle l'entoura d'une serviette ; pas question en effet de risquer une contamination ; elle était capable de supporter encore quelques minutes la chaleur tropicale et la sudation pour éviter une maladie peut-être mortelle : elle avait évolué dans la boue brune dont le contact d'une seule goutte sur sa peau pouvait se révéler fatal. Elle gardait donc encore sa combinaison de plongée, ses bottes, ses gants scellés aux poignets par des anneaux et son masque étanche. Elle décrocha sa ceinture lestée et son compensateur de flottabilité ; elle tourna les deux robinets déclenchant l'arrosage dru qui lavait les équipements avec une solution spéciale et évacua toute trace de boue brune. Certaine enfin qu'elle était bien décontaminée, elle ferma les robinets et frappa à la porte du sas principal. De l'autre côté du hublot se profila une silhouette d'environ un mètre quatre-vingt-dix, mince, musclée, hâlée par le soleil, celle de son frère jumeau ; pourtant on ne retrouvait pas dans les boucles brunes et les yeux vert irisé de Dirk la crinière rousse et le regard gris de Summer.

Quand elle sortit du sas, il la débarrassa du collier qui assurait l'étanchéité entre sa combinaison et son masque. A voir son regard plus perçant que d'habitude et son air sévère, elle comprit qu'elle allait se faire sermonner.

Sans lui laisser le temps d'ouvrir la bouche, elle leva les mains en disant :

—Je sais, je sais, je n'aurais pas dû plonger en solo.

—Si tu n'avais pas filé en catimini dès le lever du jour sans attendre que je sois réveillé, je t'aurais ramenée au labo par la peau du cou, lança son frère, exaspéré.

—Excuse-moi, fit Summer, la mine contrite, mais je vais plus loin quand je n'ai pas la responsabilité d'un autre plongeur.

Dirk l'aida à coulisser les lourdes fermetures rivetées de sa combinaison. La débarrassant de ses gants et du capuchon qui lui enserrait la tête, il fit glisser la combinaison jusqu'à ce qu'elle puisse s'en extraire, libérant au passage une cascade de boucles rousses. Dessous, Summer portait un collant de polypropylène moulant qui faisait agréablement ressortir ses formes.

—Tu as pénétré dans la boue ? s'inquiéta Dirk, soucieux.

—J'ai rapporté des échantillons, fit-elle en hochant la tête.

—Tu es sûre que rien n'a filtré à l'intérieur de ta combinaison ?

Levant les bras au-dessus de sa tête, elle esquissa une pirouette.

—Regarde toi-même. Pas une goutte de vase toxique.

—Tâche de ne pas oublier, déclara Pitt en lui posant une main sur l'épaule : ne t'avise jamais plus de plonger seule. En tout cas pas quand je suis dans les parages.

—Oui, petit frère, acquiesça-t-elle avec un sourire.

—Rangeons tes échantillons dans une boîte étanche, le capitaine Barnum les fera analyser par le labo du navire.

— Pourquoi ? Le capitaine vient nous voir ? s'étonna-t-elle.

— Il s'est invité à déjeuner, expliqua Dirk, et a insisté pour apporter lui-même le ravitaillement. Il en a assez de jouer les commandants de navire.

— Dis-lui qu'on ne l'acceptera pas sans une bouteille de vin.

— Espérons que la télépathie fonctionnera, fit Dirk.

*
* *

Le capitaine Paul T. Barnum qui, à cause de sa silhouette efflanquée, aurait pu passer pour le frère du légendaire Jacques Cousteau, n'eût été sa calvitie, entra dans le sas principal ; il se débarrassa de sa combinaison et confia à Dirk une boîte métallique contenant deux jours de vivres que Summer répartit entre un placard et le réfrigérateur.

— J'ai un petit cadeau pour vous, annonça Barnum en brandissant une bouteille de vin jamaïquain, et en plus le cuistot du bord nous a préparé un homard Thermidor avec des épinards à la crème.

— Voilà qui explique votre présence, s'esclaffa Pitt en lui donnant une grande tape dans le dos.

— De l'alcool dans le cadre d'un projet de la NUMA, ironisa Summer. Comment réagirait notre vénéré chef, l'amiral Sandecker, devant cette infraction à la règle d'or selon laquelle on ne boit pas pendant les heures de travail ?

— Ton père a déteint sur moi, dit Barnum. Il n'est jamais monté à bord sans une caisse de bon vin, et son copain Al Giordino sans un humidificateur bourré des cigares préférés de l'amiral.

— Il semble, remarqua Dirk en souriant, que la

source des cigares de Al soit un secret de Polichinelle, sauf pour l'amiral.

—Qu'avons-nous en hors-d'œuvre ? demanda Barnum.

—Bouillabaisse et salade de crabe.

—Et qui est aux fourneaux ?

—Moi, fit Dirk, car les sandwiches au thon sont la seule préparation de fruits de mer que Summer connaisse !

—Absolument pas, protesta-t-elle. Je suis une très bonne cuisinière.

—Alors, insista Dirk en la regardant droit dans les yeux, pourquoi ton café a-t-il toujours le goût d'acide de batterie ?

Arrosés de la bouteille de vin apportée par le capitaine, homard et épinards disparurent rapidement tandis que Barnum racontait ses souvenirs de loup de mer. Avec une grimace destinée à son frère, Summer servit une tarte meringuée au citron qu'elle avait préparée elle-même. Dirk fut le premier à convenir que réussir cette recette au four à micro-ondes constituait un véritable exploit.

Barnum allait partir quand Summer le prit par le bras.

—J'ai une énigme pour vous, déclara-t-elle en lui tendant l'objet qu'elle avait découvert dans la caverne. Je pense à un pot ou à une urne ; pour le savoir, il faudrait le débarrasser des incrustations de corail. En fait, j'avais dans l'idée de vous le confier pour que quelqu'un du labo le récure sérieusement.

—Je suis sûr que c'est possible, assura-t-il en soupesant la poterie. Ça m'a l'air trop lourd pour de la terre cuite.

—Regardez, fit Dirk en désignant un coin du socle épargné par le corail. On dirait du métal.

—Bizarre, il ne semble pas y avoir de rouille.

— Je n'en jurerais pas, mais à mon avis c'est du bronze.

— Les contours sont trop délicats pour qu'il s'agisse de fabrication indigène, ajouta Summer. Malgré le corail, on devine des personnages sculptés sur le pourtour.

— Tu as plus d'imagination que moi, déclara Barnum en inspectant le récipient. Un archéologue éclaircira peut-être ce mystère à terre… s'il ne pique pas une crise de nerfs en apprenant que tu l'as ramassé sur un site.

— Pas la peine d'attendre si longtemps, suggéra Dirk. Transmettons des photos à Hiram Yaeger au Centre informatique de la NUMA à Washington ? Il devrait pouvoir préciser à quelle date et où cet objet a été produit. Il y a de fortes chances pour qu'il soit tombé d'un navire ou qu'il provienne d'une épave.

— Le *Vandalia* ne se trouve pas loin, avança Summer.

— Il en vient probablement, appuya Barnum.

— Oui, mais que faisait-il à l'intérieur d'une caverne à cent mètres de là ? lança Summer.

Son frère murmura avec un soupir énigmatique :

— La magie, ma bonne dame, il y a du vaudou par ici !

Le soleil était couché depuis longtemps quand Barnum se décida à les quitter.

— Quelles sont les prévisions météo ? lui demanda Pitt au moment où le capitaine se glissait par le sas d'accès.

— Assez calmes pour les deux jours à venir, mais le météorologue du bord surveille un ouragan qui est en train de se constituer au large des Açores. S'il lui prend la fantaisie de se diriger par ici, je vous évacuerai tous les deux et on se planquera.

— J'espère que ce ne sera pas le cas, murmura Summer.

Barnum plaça l'urne dans un filet et prit les échantillons d'eau prélevés par Summer. Dirk alluma le projecteur extérieur, révélant les bancs de perroquets de mer aux couleurs vives qui évoluaient, apparemment indifférents aux humains.

Barnum n'accrocha même pas ses bouteilles d'oxygène ; il se contenta de prendre une profonde inspiration et, braquant devant lui sa lampe frontale, de filer jusqu'à la surface, à quinze mètres au-dessus en laissant échapper des bulles d'air. Son petit canot gonflable à coque d'aluminium l'attendait là où il avait jeté l'ancre quelques heures auparavant ; il le regagna à la nage, se hissa à bord et remonta l'ancre. Puis il mit le contact ; les deux moteurs hors-bord de 150 chevaux le ramenèrent à son bateau dont on apercevait les superstructures brillamment éclairées et les feux de navigation rouge et vert.

Les navires de haute mer sont généralement peints en blanc – orange pour certains cargos – avec des filets rouges, noirs ou bleus. Mais le *Sea Sprite*, comme tous les bateaux de la NUMA, arborait de la proue jusqu'à la poupe un turquoise éclatant, couleur choisie par l'amiral James Sandecker, le directeur de l'agence, pour que ses bateaux se distinguent des autres navires sillonnant les mers. Il est vrai que la plupart des marins étaient capables d'identifier n'importe où un bâtiment de la NUMA…

Pour un navire de ce type, le *Sea Sprite* était grand : quatre-vingt-treize mètres de long sur dix-neuf mètres de large. Soigné dans ses moindres détails, il avait été employé durant ses dix premières années comme remorqueur brise-glace dans les mers arctiques, luttant dans des tempêtes glaciales pour remorquer des navires endommagés entre icebergs et banquise ; il pouvait se frayer un chemin à travers des glaces de deux mètres d'épaisseur et tirer un porte-avions par gros temps.

Sandecker avait acheté le *Sea Sprite* encore fringant, pour le compte de la NUMA ; il l'avait fait transformer en navire océanographique doublé d'une base de plongée et pour cette rénovation, les ingénieurs de la NUMA avaient eu carte blanche : installations électroniques, système informatique de communication, laboratoires perfectionnés ; espaces de travail suffisants et vibrations minimales ; un réseau d'ordinateurs capables de surveiller, recueillir et transmettre toutes sortes de données au laboratoire de la NUMA à Washington où elles seraient aussitôt analysées.

La propulsion du *Sea Sprite* faisait appel à la technologie la plus moderne ; avec ses deux grosses machines magnéto-hydro-dynamiques, il atteignait presque les quarante nœuds, et si autrefois il était capable de tirer un porte-avions par gros temps, il aurait pu désormais en traîner deux sans effort. Aucun navire de recherche au monde ne l'égalait.

Barnum était fier de son bateau, de loin le plus remarquable des trente unités de recherche de la NUMA. Barnum s'était vu confier la responsabilité de sa remise en état par l'amiral Sandecker, tâche qu'il avait acceptée d'autant plus volontiers que l'argent ne devait pas constituer un problème.

Le *Sea Sprite* naviguait neuf mois par an, emportant une équipe de savants renouvelée à chaque projet. Le reste de l'année, on procédait au repérage des sites à étudier, à l'entretien et au réglage des instruments toujours à la pointe des derniers progrès techniques.

Au fur et à mesure qu'il se rapprochait, il contemplait les huit étages des superstructures et, à l'arrière, la gigantesque grue qui avait descendu le *Poisson* et qu'on utilisait pour soulever et récupérer dans l'eau les véhicules automatiques ou non ; à la proue se trouvaient

une énorme plate-forme pour hélicoptères et la batterie
d'antennes, véritable forêt autour d'une vaste coupole
abritant un assortiment de systèmes radar.

Barnum approcha son canot le long de la coque,
coupa les moteurs et attendit le câble muni d'un crochet
grâce auquel on hisserait à bord la petite embarcation.

Dès qu'il eut mis le pied sur le pont, Barnum se
dirigea vers le laboratoire où il remit l'énigmatique
objet trouvé par Summer à deux étudiants de l'école
d'archéologie marine du Texas.

— Nettoyez ça du mieux que vous pourrez, dit
Barnum. Mais faites très attention : il se pourrait bien
que ce soit très précieux.

— J'y vois plutôt une vieille marmite couverte de
boue, marmonna une jeune blonde arborant un T-shirt
de l'université du Texas et un short extrêmement court.

— Pas du tout, riposta Barnum. Il se cache tant de
secrets dans un récif de corail. Alors, sait-on jamais,
méfiez-vous du mauvais génie qui s'y dissimule peut-
être !

Ravi d'avoir eu le dernier mot, Barnum tourna les
talons et se dirigea vers sa cabine, sous le regard
dubitatif des étudiants.

Dans la soirée, un hélicoptère emporta l'urne pour
l'aéroport de Saint-Domingue, capitale de la République dominicaine ; à vingt-deux heures, elle était
dans l'avion de ligne desservant Washington.

3

L'immeuble de la NUMA dressait ses trente étages sur la rive est du Potomac et dominait le Capitole. Le dixième étage, véritable décor de science-fiction, était occupé par le réseau informatique, sur lequel régnait Hiram Yaeger, le sorcier de la transmission à la NUMA. Sandecker lui avait donné pour mission de concevoir et créer la plus grande bibliothèque océanographique du monde. Les données accumulées, rassemblées et cataloguées par Yaeger recouvraient toutes les recherches scientifiques, enquêtes et analyses les plus diverses issues des travaux les plus anciens jusqu'aux plus récents. Sa collection n'avait pas sa pareille au monde.

Contrairement à ce que l'on voyait dans la plupart des centres informatiques du gouvernement et des grosses sociétés, aucune cloison ne séparait les bureaux car Yaeger estimait que cela compromettait l'efficacité du travail. Il orchestrait donc ce vaste complexe depuis une grande console circulaire reposant sur une estrade centrale. A l'exception de celles de la salle de réunion et des toilettes, la seule cloison était constituée par un tube transparent de la taille d'un placard flanquant sur un côté la batterie de moniteurs groupés autour du pupitre de Yaeger.

Yaeger ne s'était pas résigné à abandonner la tenue hippie au profit du costume croisé et il continuait à porter jean, blouson et santiags – très vieilles. Il avait ramené en queue-de-cheval ses cheveux grisonnants et contemplait ses chers écrans de contrôle à travers des lunettes d'instituteur à monture métallique. Cela dit, ce sorcier de l'informatique ne menait absolument pas l'existence que suggérait son apparence.

Avec sa ravissante épouse, une artiste connue, il habitait une ferme à Scharpsburg, dans le Maryland, où ils élevaient des chevaux. Leurs deux filles fréquentaient une école privée ; elles s'inscriraient ensuite à l'université. Yaeger faisait le trajet entre sa ferme et les bureaux de la NUMA au volant d'une BMW douze cylindres ; sa femme, elle, préférait un break Cadillac pour conduire les filles et leurs copines à l'école ou à leurs soirées.

L'urne expédiée par le capitaine Barnum du *Sea Sprite* l'intriguait ; il la sortit de sa boîte et la déposa dans le petit réduit aménagé près de son fauteuil tournant. Il pianota un code sur son clavier : quelques instants plus tard, l'image en trois dimensions d'une fort jolie femme vêtue d'un corsage à fleurs et d'une jupe assortie se matérialisa dans la pièce.

Yaeger avait conçu cette créature éthérée comme la réplique de son épouse, mais cette émanation informatisée, douée de parole et de réflexion, manifestait une personnalité bien à elle.

— Bonjour, Max, lança Yaeger. Prête pour quelques recherches ?

— Toujours à tes ordres, répondit Max de sa voix de chanteuse de blues.

— Tu vois l'objet que j'ai posé à tes pieds ?

— Parfaitement.

— J'aimerais que tu l'identifies en essayant de le situer dans le temps et dans sa culture.

— Tiens, donnerions-nous dans l'archéologie ?

Yaeger acquiesça.

—Cet objet a été découvert dans une grotte de corail sur le banc de la Navidad par une biologiste de la NUMA.

—Ils auraient pu la nettoyer, s'insurgea Max en découvrant les coraux qui s'incrustaient dans l'urne.

—Ils n'ont pas eu beaucoup de temps.

—Ça se voit !

—Consulte les banques de données archéologiques de toutes les universités jusqu'à ce que tu trouves quelque chose.

—Tu me pousses à un acte criminel, tu sais, dit-elle en lui lançant un regard narquois.

—Pirater des dossiers dans le cadre de recherches historiques n'a rien de criminel.

—Tu as une façon de légitimer tes activités plutôt louches qui me surprend.

—C'est pour rendre service…

—Je t'en prie, coupa Max en levant les yeux au ciel.

L'index de Yaeger effleura une touche : Max s'évapora et l'urne glissa dans un récipient au fond du tube.

Au même instant, le téléphone bleu aligné avec d'autres appareils de différentes couleurs sonna. Pour ne pas interrompre le pianotement de ses doigts sur le clavier, Yaeger coinça le combiné contre son oreille.

—Oui, amiral.

—Hiram, fit la voix de l'amiral Sandecker, il me faut le dossier sur cette abomination flottante ancrée au large de Cabo San Rafael en République dominicaine.

—Je vous l'apporte tout de suite.

James Sandecker, soixante et un ans, faisait des pompes quand sa secrétaire introduisit Yaeger dans son bureau. De petite taille – à peine un mètre soixante –, crinière rousse et barbiche à la Van Dyck tout aussi rousse, il posa sur Yaeger le regard autoritaire de ses yeux bleus. Fanatique de culture physique, il faisait du jogging chaque matin, s'entraînait tous les après-midi au gymnase de la NUMA et suivait un strict régime végétarien. Son seul vice, un penchant pour les gros cigares roulés suivant ses spécifications. Ces marottes ne l'avaient pas empêché de faire de la NUMA l'un des organismes gouvernementaux les plus efficaces. Même si les présidents qu'il avait servis lors de son mandat de directeur de l'agence n'avaient pas remarqué son esprit d'équipe, ses exploits exceptionnels et l'admiration que cette réussite lui avait acquise auprès du Congrès lui avaient valu de n'être jamais délogé de son poste. Se levant d'un bond, il désigna à Yaeger un fauteuil en face du bureau, qui avait occupé jadis la cabine du commandant du légendaire *Normandie* jusqu'à ce que le navire brûle en rade de New York en 1942.

Un troisième personnage vint se joindre à eux, le brillant Rudi Gunn, directeur adjoint de l'agence, qui dépassait l'amiral d'à peine deux ou trois centimètres. L'ancien capitaine de corvette de Sandecker avait pour mission de surveiller les nombreux projets océanographiques de la NUMA à travers le monde. Il salua Hiram de la tête et s'assit auprès de lui.

— Voici tout ce que nous avons sur l'*Ocean Wanderer*, annonça Yaeger en posant un épais dossier devant l'amiral.

Sandecker ouvrit le classeur et examina les plans du palace flottant qui, totalement autonome, serait remorqué de paradis exotiques en décors de rêve pour y rester un mois au mouillage. Après avoir étudié les détails, il leva vers Yaeger un regard consterné.

— C'est un piège à catastrophes.

— Je le confirme, ajouta Gunn. Après un examen attentif de la structure intérieure, nos ingénieurs ont conclu que l'hôtel ne résisterait pas à une violente tempête.

—Qu'est-ce qui vous a amené à cette conclusion ? demanda innocemment Yaeger.

Gunn se leva et s'approcha du bureau, déroulant des plans montrant les câbles d'ancrage fixés aux piliers enfoncés au fond de la mer pour amarrer l'hôtel.

—Un fort ouragan réussirait à l'arracher de ses amarres.

—Pourtant, fit observer Yaeger, le bâtiment est construit pour résister à des vents de 240 kilomètres à l'heure.

—Ce ne sont pas les vents qui posent problème, répondit Sandecker. L'hôtel est amarré au fond de la mer, sans solides fondations s'enfonçant dans la terre ; il est donc à la merci des énormes vagues qui pourraient se former dans les creux et faire voler l'édifice en éclats… avec clients et employés.

—Les architectes n'en ont pas tenu compte ? interrogea Yaeger.

—Nous leur avons signalé le problème, ricana Sandecker, mais le fondateur de la société propriétaire de l'hôtel n'a rien voulu entendre.

—L'aval d'une équipe de spécialistes du Génie maritime lui a suffi, ajouta Gunn, et comme la juridiction des Etats-Unis ne s'étend pas à une société étrangère, pas question d'intervenir dans les travaux.

Sandecker referma le dossier.

—Espérons que l'ouragan en formation au large de l'Afrique occidentale contournera l'hôtel, ou qu'il ne déchaînera pas des vents dépassant 240 kilomètres à l'heure.

—Le capitaine Barnum, qui ravitaille le *Poisson* au travail non loin de l'*Ocean Wanderer*, est déjà prévenu, annonça Gunn. Il se tient à l'affût de tout ouragan susceptible de se manifester dans ces parages.

— Il y en a un qui se forme actuellement ; notre centre de Key West le surveille, précisa Yaeger.

— Tenez-moi au courant, déclara Sandecker. Il ne nous manquerait plus qu'une double catastrophe.

Un voyant vert clignotait sur le panneau quand Yaeger regagna sa console ; il s'assit et tapa le code qui commandait l'apparition de Max en même temps que celle de l'urne qui remontait du plancher.

— Qu'as-tu trouvé ?

— Les gens du *Sea Sprite* ont bâclé le décapage, déclara Max ; ils ont négligé le dépôt calcaire à la surface et n'ont même pas pris la peine de nettoyer l'intérieur. J'ai dû faire appel à tous les systèmes d'imagerie magnétique pour obtenir un relevé acceptable : IRM, radiographie digitale, scanner à trois dimensions, bref, le grand jeu, pour obtenir une image convenable.

— Epargne-moi les détails techniques, soupira Yaeger. Qu'as-tu trouvé ?

— Il ne s'agit pas d'une urne, mais d'une amphore, à cause des petites poignées à l'encolure. C'est un moulage datant du milieu ou de la fin de l'âge de bronze.

— C'est ancien.

— Très ancien, confirma Max.

— Tu es sûre ?

— M'est-il déjà arrivé de me tromper ?

— Non, fit Yaeger, je dois le reconnaître.

— Alors fais-moi confiance. J'ai pratiqué une analyse chimique très poussée du métal. Les premières méthodes de durcissement du cuivre ont été pratiquées vers 3500 av. J.-C., en enrichissant le métal avec de l'arsenic ; malheureusement les mineurs et les chaudronniers mouraient jeunes, empoisonnés par les vapeurs d'arsenic. Beaucoup plus tard, vers 2200 av. J.-C., on a découvert, sans doute accidentellement, qu'un mélange à 90 % de cuivre et 10 % d'étain produisait un métal d'une résistance remarquable ; ainsi a débuté l'âge de bronze. Si le cuivre abondait en Europe et au Moyen-Orient, il n'en allait pas de même pour l'étain, rare et difficile à trouver.

— L'étain était donc une matière première coûteuse.

— En ce temps-là, précisa Max, les marchands d'étain voyageaient partout pour acheter le minerai sur le lieu d'extraction et le vendre aux propriétaires des forges ; ainsi le bronze a-t-il induit le développement de l'économie et la fortune de nombreux négociants du monde antique. On forgeait de tout, des armes, telles que pointes de lance, couteaux ou épées, ou colliers, bracelets, ceintures et broches pour les femmes. Les haches et les burins de bronze ont fait faire d'énormes progrès à la menuiserie. Des artisans se sont mis à fondre des marmites, des urnes et des jarres.

— Bien, mais quelle est l'histoire de notre amphore ?

— Elle a été fondue entre 1200 et 1100 av. J.-C. Et je te signale, au cas où cela t'intéresserait, que le moule a été fabriqué en utilisant la méthode de la cire perdue.

— Elle a donc plus de trois mille ans, s'exclama Yaeger en se redressant dans son fauteuil.

— Bravo, ironisa Max avec un sourire railleur.

— Où a-t-elle été fondue ?

— En Gaule par des Celtes et, plus précisément, dans une région appelée l'Egypte.

— L'Egypte ? répéta Yaeger d'un ton sceptique.

— Voilà trois mille ans, la terre des pharaons s'appelait L-Khem ou Kemi ; quand Alexandre le Grand envahit le pays, il la baptisa Egypte en s'inspirant de la description donnée par Homère dans l'*Iliade*.

— Je ne savais pas que les Celtes remontaient aussi loin dans le passé, reconnut Yaeger.

—Les Celtes regroupaient des tribus qui pratiquaient l'art et le commerce dès 2000 av. J.-C.

—Tu disais que l'amphore avait été fondue en
Gaule. Que viennent faire les Celtes là-dedans ?

—Les envahisseurs romains donnèrent aux terres
celtiques le nom de Gaule, expliqua Max. Les analyses
concluent que le cuivre provenait de mines proches
d'Hallstatt, en Autriche, et que l'étain avait été extrait
en Cornouailles, dans le sud de l'Angleterre, alors que
le style, lui, évoque une tribu celtique du sud-ouest de
la France. Les personnages qui figurent sur le pourtour
de l'amphore correspondent presque exactement à ceux
qu'on a retrouvés sur un chaudron déterré par un
fermier français de la région en 1972.

—Je suppose que tu connais le nom du sculpteur.

Max foudroya Yaeger du regard.

—Tu ne m'as pas demandé de recherches généalo-
giques.

—Comment expliquer, poursuivit Yaeger soudain
songeur, qu'un vestige de l'âge de bronze originaire de
la Gaule se retrouve au beau milieu d'un récif corallien
sur le banc de la Navidad au large de la République
dominicaine ?

—Tu ne m'as pas programmée pour traiter de géné-
ralités, riposta Max d'un ton sans réplique, et je n'ai
aucune idée à ce sujet.

—Réfléchis, insista Yaeger. L'amphore serait-elle
jadis tombée d'un navire ? Proviendrait-elle d'une cargaison perdue dans un naufrage récent ?

—Peut-être en effet l'amphore faisait-elle partie
d'une livraison d'antiquités destinées à un riche négociant ou à un musée d'Amérique latine.

—C'est une hypothèse qui se tient.

—A la réflexion, non, rétorqua Max, d'après mes
estimations les déchets organiques datent de plus de
2 800 ans.

—Impossible, il n'y a pas eu de naufrage dans l'hémisphère occidental avant l'an 1500.

—Tu ne me fais pas confiance, fit Max en levant les mains.

—Reconnais que ta datation frise le ridicule.

—C'est à prendre ou à laisser. Je n'en démords pas.

Yaeger se renversa dans son fauteuil en réfléchissant aux conclusions de Max.

—Tire-moi dix exemplaires de tes analyses, Max. Je partirai de là.

—Encore une chose avant que tu ne me renvoies aux oubliettes.

—Quoi donc ? fit Yaeger sur ses gardes.

—Quand on aura gratté les cochonneries à l'intérieur de l'amphore, on trouvera une figurine en or, une chèvre.

—Quoi ?

—Salut, Hiram, lança Max avant de replonger dans ses circuits informatiques.

Pétrifié, Yaeger essayait d'imaginer un matelot du temps jadis embarqué sur un vaisseau vieux de trois mille ans et jetant par-dessus bord un objet de bronze à quatre mille lieues de l'Europe : difficile !

Il reprit l'amphore et en examina l'intérieur avant de la ranger dans sa boîte. Il resta un long moment immobile : il ne parvenait pas à assimiler cette découverte.

Il préférait vérifier les systèmes de Max avant de faire part de son rapport à Sandecker. On ne sait jamais... et puis Max, pour une raison quelconque, s'était peut-être embrouillée dans ses calculs.

4

Un hurricane moyen atteint en général toute son ampleur en six jours ; quatre suffirent à *Lizzie*. Ses vents tournoyaient de plus en plus rapidement ; 65 kilomètres à l'heure et ce fut la « dépression tropicale » ; 120 kilomètres à l'heure et la tempête devint un hurricane de première catégorie sur l'échelle Soffir Simpson ; puis *Lizzie* poussa ses vents à 200 kilomètres à l'heure, s'attarda brièvement en deuxième catégorie puis accéda rapidement à la troisième catégorie.

Au Centre des ouragans de la NUMA, Heidi Lisherness examinait les dernières images transmises par les satellites géostationnaires en orbite autour de la Terre à trente-cinq mille kilomètres au-dessus de l'Equateur. Les données étaient transmises à un ordinateur utilisant plusieurs modèles numériques pour prévoir la vitesse, le trajet et la force de *Lizzie*. Les photos satellite n'étaient pas d'une très grande précision : Heidi aurait préféré des clichés plus détaillés, mais il était trop tôt pour envoyer aussi loin au-dessus de l'océan un avion de repérage ; elle devrait donc attendre pour disposer d'images plus fiables.

Les premiers rapports étaient loin d'être encourageants.

La tempête menaçait de franchir le seuil de la cinquième catégorie, avec des vents dépassant 250 kilomètres à l'heure. Il ne restait plus qu'à prier pour que

Lizzie ne touchât pas la côte américaine. Jusqu'à présent seuls deux hurricanes de cinquième catégorie détenaient ce triste record : le grand ouragan du Labour Day de 1935 qui avait balayé les Keys de Floride et l'ouragan *Camille* qui avait abattu à son passage vingt-deux immeubles d'habitation.

Heidi prit quelques minutes pour faxer les dernières précisions à son mari, Harley, au siège de la Météorologie nationale.

Harley,
Le hurricane Lizzie *se déplace vers l'est et accélère. Comme nous le soupçonnions les modèles informatiques prédisent des vents de 150 nœuds avec des vagues de douze à quinze mètres dans un rayon de plus de cinq cents kilomètres.* Lizzie *avance à la vitesse incroyable de vingt nœuds.*
Je te tiendrai au courant.

Signé : Heidi

Ensuite, elle se concentra de nouveau sur les satellites, en particulier sur un agrandissement : la beauté maléfique de ces spirales d'épais nuages blancs, la masse des cirrus évoluant dans les parois de l'œil du cyclone impressionnèrent fortement Heidi. Rien, dans tout l'arsenal de la nature, n'équivalait la terrifiante énergie d'un véritable ouragan. L'œil s'était formé de bonne heure et ressemblait à un cratère creusé sur une planète blanche. Le diamètre de l'œil d'un ouragan varie habituellement entre dix et cent cinquante kilomètres ; celui de *Lizzie* mesurait quatre-vingts kilomètres.

Le plus saisissant, c'était la pression atmosphérique relevée en millibars. Plus le chiffre est bas, plus redoutable est la tempête. Les ouragans *Hugo* de 1989 et *Andrew* de 1992 affichaient respectivement des pressions de 934 et de 922 millibars. *Lizzie* descendait déjà à 945 et l'aiguille ne cessait de baisser ; un vide se créait en son centre qui s'intensifiait d'heure en heure.

Phénomène aggravant, *Lizzie* fonçait vers l'ouest sur l'océan à une allure record. Les ouragans se déplacent lentement – à une vitesse qui n'excède généralement pas 20 kilomètres à l'heure – et zigzaguent en direction de l'hémisphère occidental ; *Lizzie,* elle, suivait une trajectoire rectiligne, comme si elle visait un objectif précis.

Lizzie ne se conformait pas à la règle.

Heidi savait que « hurricane » était un mot originaire des Caraïbes et qu'il signifiait « grand vent ». Débordant d'une énergie capable de rivaliser avec la plus grosse bombe nucléaire, *Lizzie* déferlait avec son escorte grondante d'éclairs et de rafales de pluie.

Certains navires subissaient déjà sa rage.

Il était midi maintenant, un midi fou, dément. Le commandant du *Mona Lisa*, un porte-conteneurs immatriculé au Nicaragua, naviguait sur une mer relativement calme quand, en un instant, il se trouva face à un mur de vagues haut d'une dizaine de mètres, comme s'il ouvrait une vanne libérant brusquement des torrents d'eau. En quelques minutes, la mer avait forci et la brise légère cédé la place à un vent violent. Jamais, de toute sa vie de marin, il n'avait vu une tempête se lever aussi soudainement. Loin de tout port où se réfugier, il choisit de diriger le *Mona Lisa* droit dans la tempête en calculant que plus vite il rallierait l'œil du cyclone, plus grandes étaient ses chances de s'en tirer sans trop de dégâts.

A trente milles au nord du *Mona Lisa,* juste derrière la ligne de l'horizon, le superpétrolier égyptien *Ramsès II* se trouva pris dans les premiers remous de l'ouragan. Sous les yeux horrifiés du capitaine Warren Mead, une vague haute de plus de vingt-cinq mètres s'abattit sur l'arrière de son navire, arrachant le bastingage et déversant des tonnes d'eau qui s'engouffrèrent par les panneaux d'écoutille dans les cabines de l'équipage et les magasins. De la timonerie, les marins hébétés virent la vague passer au-dessus des superstructures et balayer les deux cents mètres du pont, fracassant les appareils et les canalisations avant de retomber par-dessus la proue.

Un yacht de vingt-quatre mètres, appartenant au fondateur d'une société d'informatique et transportant dix passagers et cinq hommes d'équipage pour une croisière au Sénégal disparut purement et simplement, englouti par des lames gigantesques sans même avoir eu le temps d'envoyer un SOS.

Avant la tombée de la nuit, une douzaine d'autres bateaux seraient victimes de la violence destructrice de *Lizzie*.

Réunis en conférence, Heidi et ses collègues météorologues du Centre de la NUMA étudiaient les données du dernier système qui arrivait de l'est. Aucun signe d'apaisement chez *Lizzie* lorsqu'elle passa le 40e degré de longitude ouest en plein Atlantique, faisant fi de toutes les prévisions en suivant une trajectoire presque rectiligne.

A quinze heures, Heidi reçut un coup de fil de Harley.

— Comment ça se présente ? demanda-t-il.

— Notre système informatique transmet les données au Centre, répondit-elle, et nous avons lancé hier soir des alertes météo.

— Une idée du trajet de *Lizzie* ?

— Figure-toi qu'elle file droit comme une flèche. (Harley resta silencieux.) Ces douze dernières heures, elle n'a pas dévié de quinze kilomètres.

— On n'a jamais vu ça, fit Harley, songeur.

— Tu verras quand tu recevras nos données, déclara Heidi. *Lizzie* bat tous les records. Des navires signalent déjà des vagues de plus de vingt-cinq mètres.

— Bonté divine ! Quelles sont tes prévisions informatiques ?

— On les jette au panier : elles sont inutiles, *Lizzie* ne se conforme au mode opératoire d'aucun de ses prédécesseurs et nos ordinateurs sont incapables d'anticiper sa trajectoire ou la force qu'elle atteindra avec un minimum d'exactitude.

— Alors, nous nous trouvons confrontés à la tempête du siècle ?

— Celle du millénaire plutôt, je le crains.

— Peux-tu me donner au moins une indication, une précision sur les régions qu'elle risque de frapper pour que nous puissions commencer à envoyer des alertes ? fit Harley, visiblement inquiet.

— Elle peut aborder la côte n'importe où entre Cuba et Porto Rico. Pour l'instant, je parierais sur la République dominicaine, mais je n'ai aucun moyen de le savoir avec certitude avant vingt-quatre heures.

— Alors il faut lancer des alertes préliminaires.

— A la vitesse où *Lizzie* se déplace, il est grand temps. Harley ?

— Oui, chérie.

— Ne m'attends pas pour dîner ce soir.

Heidi s'imaginait le sourire de Harley quand, à l'autre bout du fil, il répondit :

— Moi non plus, chérie. Moi non plus.

Heidi raccrocha puis resta quelques instants assise à son bureau les yeux fixés sur une carte géante de la région de l'Atlantique Nord où sévissaient le plus souvent les hurricanes.

Elle étudiait les îles des Caraïbes les plus proches du monstrueux ouragan quand une idée lui traversa soudain l'esprit. Elle tapa sur son clavier et ouvrit le programme répertoriant les navires, avec une brève description et une estimation de leur position, dans une région précise de l'Atlantique Nord ; ils étaient au moins vingt-deux qui risquaient d'essuyer l'ouragan de plein fouet. Elle parcourut la liste, redoutant d'y trouver un de ces énormes paquebots transportant des milliers de croisiéristes et d'hommes d'équipage et voguant sur la trajectoire probable de *Lizzie*. Aucun bateau de croisière n'y figurait, mais un nom attira son regard. Elle crut d'abord qu'il s'agissait d'un navire, mais non : ce n'était pas un navire.

— Oh, Seigneur, murmura-t-elle.

Sal Moore, un de ses collègues installé à un bureau voisin, leva les yeux par-dessus ses lunettes.

— Ça va ? Qu'est-ce qui se passe ?

— L'*Ocean Wanderer*.

— Ça n'est pas un navire de croisière ?

— Non, fit Heidi en secouant la tête, c'est un hôtel flottant... en plein dans la trajectoire de l'ouragan. Impossible de le déplacer à temps : il est fichu.

— Je pense à ce bateau qui a signalé une vague de plus de vingt-cinq mètres, murmura Moore. Si l'une du même genre frappe l'hôtel...

Il ne termina pas sa phrase.

— Il faut prévenir la direction pour qu'elle procède à l'évacuation.

Heidi se leva d'un bond et fonça vers la salle des transmissions, espérant contre toute attente que les responsables de l'établissement réagiraient aussitôt. Sinon, plus d'un millier de clients et d'employés allaient trouver une mort inévitable.

5

Jamais on n'avait vu tant d'élégance et de grandeur se dresser sur l'océan. Jamais on n'avait rien construit d'aussi superbe. L'hôtel *Ocean Wanderer* offrait une expérience fascinante, l'occasion unique pour ses clients d'admirer les merveilles du monde sous-marin. Il s'élevait au-dessus des vagues dans sa splendeur sans pareille à deux milles de la pointe du Cabo Cabron sur la rive sud-est de la République dominicaine.

Reconnu par toutes les agences de tourisme comme l'hôtel le plus extraordinaire du monde, il avait été construit en Suède suivant des exigences incroyables. C'était une parfaite réussite architecturale où les matériaux les plus rares se combinaient pour une décoration audacieuse illustrant tous les aspects de la vie marine. Des verts exubérants, des bleus chatoyants et des dorures aux nuances infinies s'alliaient pour créer un ensemble à l'extérieur somptueux et dont l'intérieur vous coupait le souffle. Au-dessus de la surface de la mer, la structure extérieure était conçue pour évoquer les gracieux contours d'un nuage. S'élevant à plus de soixante mètres dans le ciel, les cinq étages supérieurs abritaient les logements et les bureaux des quatre cents personnes constituant la direction et l'équipage, les magasins, les cuisines et les installations de chauffage et de climatisation.

L'*Ocean Wanderer* proposait aussi tout ce qu'un

gourmet difficile pouvait souhaiter. Il y avait cinq restaurants tenus par des chefs de réputation mondiale. Des plateaux de fruits de mer étaient servis dans des décors inoubliables. Et, pour des dîners plus intimes, il y avait toujours des croisières en catamaran au coucher du soleil.

Sur trois niveaux, de vastes espaces accueillaient les meilleurs artistes, tandis que dans une magnifique salle de bal, on dansait au son d'un orchestre ; plus loin, des boutiques de créateurs et des grandes enseignes rivalisaient avec ce que les clients trouvaient rarement chez eux. Et tout cela hors taxes.

On trouvait aussi une salle de cinéma aux sièges confortables où des satellites permettaient de projeter les films les plus récents. Le casino, même si ses dimensions étaient plus réduites, n'avait rien à envier à ce qu'offrait Las Vegas. Des poissons évoluant dans des aquariums aux formes arrondies nageaient autour des tables de jeu et des machines à sous.

Les étages intermédiaires abritaient une station thermale de grand luxe où une équipe de professionnels proposait des soins de toutes sortes : massages, saunas et hammams décorés comme des jardins tropicaux. Pour les plus actifs, le toit était aménagé avec des courts de tennis et un petit terrain de golf d'où les clients pouvaient expédier des balles en pleine mer sur des cibles flottantes.

Les plus aventureux se risquaient sur de spectaculaires toboggans où les ascenseurs permettaient d'accéder à différents niveaux. L'un d'eux partait du toit de l'hôtel pour s'enfoncer en spirales dans l'eau quinze étages plus bas. Tous les sports aquatiques étaient à la disposition des clients comme le surf, le ski nautique et le jet-ski, sans parler naturellement d'une école de plongée surveillée par des moniteurs qualifiés. Les clients s'adonnaient également à des voyages sous-marins autour des récifs et dans les gouffres les plus proches. Mais l'expérience la plus magique était de descendre dans l'immense nacelle vitrée qui s'enfonçait au-dessous de la surface de la mer. Sur l'*Ocean Wanderer,* il n'y avait pas de chambres, mais seulement des suites, au nombre de quatre cent dix, toutes installées au-dessous de la surface et dont les hublots en verre capables de résister à une forte pression ouvraient sur de stupéfiants panoramas de la vie sous-marine.

Contrairement aux paquebots de croisière qui sillonnaient les mers, l'*Ocean Wanderer* n'avait pas de moteur. C'était une île flottante amarrée par de gigantesques pivots d'acier profondément enfoncés dans le lit de la mer. De là, quatre énormes câbles étaient reliés par des attaches qu'on n'avait qu'à fixer ou à dételer.

Mais il ne s'agissait pas d'un ancrage permanent. Soucieux d'éviter aux riches voyageurs des vacances trop monotones au même endroit, les ingénieurs qui avaient construit l'*Ocean Wanderer* avaient aménagé des lieux de mouillage dans plus d'une douzaine de sites pittoresques à travers le monde. Cinq fois par an, deux remorqueurs de cent vingt pieds de long rejoignaient l'hôtel flottant. On vidait les réservoirs de flottaison géants qui soulevaient l'hôtel jusqu'à ce que deux étages seulement restent sous l'eau, on libérait les câbles d'amarrage, et les remorqueurs, équipés chacun de puissants moteurs de trois mille chevaux, emmenaient l'hôtel flottant vers un nouveau lieu de villégiature tropicale où on l'ancrait de nouveau. Les clients rentraient chez eux, ou bien restaient à bord pendant la durée du voyage.

Tous les quatre jours les hôtes et l'équipage devaient se plier à des exercices de sauvetage. Au cas où les générateurs seraient hors d'usage, des ascenseurs spéciaux pouvaient évacuer toute la population de l'hôtel jusqu'au pont entourant le second niveau où des embarcations de sauvetage étanches et extrêmement perfectionnées restaient navigables dans les conditions les plus extrêmes.

Rien de surprenant, donc, à ce qu'il faille retenir deux ans à l'avance sur l'*Ocean Wanderer*. Mais ce jour-là, c'était une occasion particulière. L'homme responsable de l'*Ocean Wanderer* venait passer quatre jours à bord pour la première fois depuis l'inauguration de l'hôtel flottant. C'était un homme aussi mystérieux que les profondeurs de l'océan. Un homme qu'on n'avait jamais photographié que de loin, dont on n'avait jamais vu les lèvres et le menton alors que ses yeux restaient cachés sous des lunettes noires. On ne connaissait pas sa nationalité. C'était un homme sans nom, aussi énigmatique qu'un spectre et le Spectre était d'ailleurs le surnom que lui avaient donné les médias. Aucun reporter, aucun journaliste n'avait réussi à percer son anonymat et on ne connaissait pas plus son âge que son passé. Tout ce qu'on savait de lui avec certitude, c'était qu'il était à la tête d'Odyssée, un énorme empire de recherches scientifiques et de constructions dont les tentacules s'étendant sur trente pays faisaient de lui un des hommes les plus riches et les plus puissants du monde civilisé.

Odyssée n'avait pas d'actionnaires. Pas d'assemblée annuelle ni de publication des résultats financiers. L'empire d'Odyssée et l'homme qui le contrôlait dans sa totalité restaient dans le secret le plus absolu.

A quatre heures de l'après-midi, le hurlement d'un avion à réaction vint fracasser le silence d'un ciel sans nuages au-dessus d'une mer aux reflets verts. Un grand appareil arborant la couleur lavande qui était la marque d'Odyssée arriva de l'ouest. Curieux, les clients de l'hôtel suivirent ses évolutions tandis que le pilote virait au-dessus de l'*Ocean Wanderer* pour donner à ses passagers une vue de l'hôtel flottant.

Le Breivde-200 de fabrication russe avait été conçu à l'origine comme un appareil amphibie de lutte contre l'incendie. Mais celui-là était construit pour transporter dix-huit passagers et un équipage de quatre hommes dans un luxe royal. Muni de deux turboréacteurs BMW-Rolls Royce montés sur l'aile supérieure, et capable de voler à près de sept cents kilomètres à l'heure, le robuste appareil pouvait sans mal décoller et se poser avec des creux de plus d'un mètre.

Après un impeccable virage sur l'aile, le pilote effectua son approche devant l'hôtel. La coque effleura les vagues et vint se poser tel un gigantesque cygne. Il avança ensuite jusqu'à un ponton flottant qui s'étendait devant l'entrée principale. On lança alors des amarres et l'équipage immobilisa l'appareil le long du quai flottant.

Un comité d'accueil dirigé par un homme chauve à lunettes et portant un blazer au pli impeccable attendait sur le ponton bordé de cordons de velours. Hobson Morton était le directeur général de l'*Ocean Wanderer*. Totalement dévoué à son travail et à son employeur, Morton, avec son mètre quatre-vingt-quinze, ne pesait que quatre-vingts kilos. Il avait été engagé personnellement par le Spectre qui avait pour philosophie de s'entourer d'assistants excellant dans leur spécialité. Derrière son dos, ses collaborateurs appelaient Morton « la Badine ». Distingué, avec des tempes grisonnantes que dominait une épaisse chevelure blonde impeccablement coiffée, il se tenait droit comme un piquet tandis qu'une équipe de six employés abaissait la passerelle de l'hydravion, suivie de quatre agents de sécurité en combinaison bleue qui se postèrent à des emplacements stratégiques le long du ponton.

Au bout de quelques minutes le Spectre débarqua de

l'appareil. Contrairement à Morton, il aurait pu en se tenant droit atteindre un peu plus d'un mètre soixante, mais son obésité lui interdisait cette position. Quand il marchait – ou plutôt quand il se dandinait – il faisait penser à une grenouille enceinte en quête d'une mare. Son énorme ventre pendait presque jusqu'à faire craquer le costume blanc qu'il portait toujours. Il avait la tête enveloppée dans un turban de soie blanche dont l'écharpe lui recouvrait le menton et la bouche. Impossible donc de voir son visage : et ses yeux étaient masqués par les verres impénétrables de ses grosses lunettes noires.

Morton s'avança et s'inclina cérémonieusement.

— Bienvenue sur l'*Ocean Wanderer*, monsieur.

Pas de poignée de main. Le Spectre renversa la tête en arrière pour contempler le magnifique édifice. Même s'il en avait personnellement supervisé la conception et la construction, c'était la première fois qu'il le voyait terminé et ancré en mer.

— L'apparence dépasse mes prévisions les plus optimistes, déclara le Spectre d'une voix douce et mélodieuse avec une légère trace d'accent du sud des Etats-Unis, qui ne correspondait pas du tout à son aspect physique. La première fois que Morton avait rencontré le Spectre, il s'attendait à lui trouver une voix aiguë et un peu grinçante.

— Je suis certain que vous serez encore plus ravi de l'intérieur, précisa Morton. Si vous voulez bien me suivre, je vais vous faire visiter avant de vous accompagner jusqu'à la suite royale au dernier étage.

Le Spectre se contenta d'acquiescer et traversa le pont jusqu'à l'hôtel, escorté par ses hommes.

Dans la salle des transmissions séparée par un large couloir des bureaux de la Direction, un opérateur surveillait et relayait les messages transmis par satellites en provenance du siège de la compagnie du Spectre située à Laguna au Brésil et des divers bureaux à travers le monde. Un voyant clignota sur sa console et il prit l'appel.

— L'*Ocean Wanderer*, qui demandez-vous ?

— Ici Heidi Lisherness du Centre des hurricanes de la NUMA à Key West. Puis-je parler au directeur de votre établissement ?

— Je regrette, mais il est en train de faire visiter l'hôtel au propriétaire de l'*Ocean Wanderer*.

— C'est extrêmement urgent. Passez-moi son assistant.

— Tous les membres de la Direction suivent la visite.

— Alors, insista Heidi, voulez-vous je vous prie leur annoncer qu'un hurricane de cinquième catégorie se dirige vers l'*Ocean Wanderer*. Il se déplace à une vitesse incroyable et pourrait frapper l'hôtel dès demain matin à l'aube. Vous devez, je répète, vous devez absolument évacuer votre hôtel. Je vous tiendrai régulièrement au courant et vous pourrez me joindre à ce numéro pour toutes les questions que pourrait poser votre directeur.

L'opérateur nota consciencieusement le numéro du centre de Key West puis répondit à quelques autres appels arrivés pendant qu'il parlait à Heidi. Comme il n'avait pas pris cet avertissement au sérieux, il attendit d'avoir terminé son service pour appeler Morton.

Morton examina le message de l'opérateur et le relut soigneusement avant de le tendre au Spectre.

— Une alerte météo en provenance de Key West. On signale qu'un ouragan se dirige dans notre direction et on nous suggère d'évacuer l'hôtel.

Le Spectre jeta un coup d'œil au message puis, s'approchant d'une grande baie vitrée, se tourna vers l'horizon à l'est. Pas un nuage, la mer semblait parfaitement calme avec des vagues de trente à cinquante centimètres.

— Ne prenons aucune décision précipitée. Si la tempête suit la route habituelle des hurricanes, elle devrait virer au nord en passant à plusieurs centaines de milles d'ici.

Morton n'en était pas si sûr. Prudent, il préférait prendre ses précautions.

— Je ne pense pas, monsieur, qu'il serait de notre intérêt de risquer la vie de nos clients ni de nos employés. Je suggère respectueusement de donner le plus tôt possible des instructions pour entamer les procédures d'évacuation et prévoir un transfert vers un abri sûr en République dominicaine. Nous devrions également alerter les remorqueurs pour qu'ils se préparent à nous éloigner du plus gros de la tempête.

Le Spectre inspecta une nouvelle fois le ciel serein comme pour se rassurer.

— Nous allons attendre encore trois heures. Je n'ai pas envie de faire du tort à l'image de l'*Ocean Wanderer* avec des histoires d'évacuation massive pour que les médias grossissent la nouvelle et parlent de l'abandon d'un navire en train de couler. D'ailleurs, fit-il embrassant d'un grand geste le somptueux édifice flottant, mon hôtel a été construit pour résister aux tempêtes les plus violentes.

Morton songea un instant à évoquer le *Titanic* mais se ravisa. Il quitta la suite du Spectre et regagna son bureau pour commencer à préparer une évacuation qu'il jugeait inévitable.

A cinquante milles au nord de l'*Ocean Wanderer*, le capitaine Barnum, qui étudiait les rapports météo envoyés par Heidi Lisherness, tourna machinalement son regard vers l'est comme l'avait fait le Spectre. Contrairement aux terriens, Barnum connaissait la mer. Il sentait la brise qui fraîchissait peu à peu et les vagues qui se creusaient. Au cours de sa longue carrière en mer, il avait essuyé bien des tempêtes et il savait comment elles pouvaient s'abattre sur un navire sans méfiance et l'engloutir avec son équipage en moins d'une heure.

Il décrocha le téléphone et appela le *Poisson*. Une voix indistincte lui répondit.

— Summer ?

— Non, fit Dirk en réglant la fréquence, c'est le frère. Que puis-je faire pour vous, capitaine ?

— Summer est avec vous ?

— Non, elle est dehors à vérifier les réservoirs d'oxygène.

— Nous avons un avis de tempête de Key West. Un hurricane de cinquième catégorie fonce sur nous.

— Cinquième catégorie ? C'est costaud.

— Je pense bien. Il y a vingt ans j'en ai vu un de quatrième catégorie dans le Pacifique. Je n'imagine rien de pire.

— De combien de temps disposons-nous ? demanda Dirk.

— Le Centre prévoyait six heures du matin. Mais les récentes mises à jour montrent que le hurricane arrive beaucoup plus vite. Nous devons vous remonter sur le *Sea Sprite* le plus tôt possible.

— Capitaine, nous sommes en plongée à saturation, depuis quatre jours, ma sœur et moi. Il nous faudra au moins quinze heures de décompression pour remonter à la surface. Nous n'y arriverons jamais avant l'arrivée de l'ouragan.

Barnum était bien conscient de la situation.

— Vous n'aurez plus notre soutien en surface si nous levons l'ancre.

— A cette profondeur, fit Dirk d'un ton assuré, nous supporterons la tempête sans trop de mal.

—Ça ne me plaît pas de vous laisser seuls, insista Barnum.

—Nous nous mettrons un peu au régime, mais nous avons un générateur et assez d'oxygène pour tenir quatre jours. D'ici là, le plus gros de la tempête devrait être loin.

—J'aimerais que vous ayez plus de réserves.

Du *Poisson* il y eut une pause. Puis :

—Avons-nous le choix ?

—Non, fit Barnum avec un grand soupir. Je pense que non.

Il leva les yeux vers la grosse horloge au-dessus de la console informatique de la timonerie. Sa crainte était que le *Sea Sprite* entraîné si loin de sa position par la tempête ne revienne pas à temps pour sauver Dirk et Summer. Et s'il laissait les enfants de Dirk Pitt se perdre en mer, Dieu sait quelle serait la réaction du directeur des Projets spéciaux de la NUMA.

—Prenez toutes les précautions pour économiser vos réserves d'air.

—Ne vous inquiétez pas, capitaine. Summer et moi serons comme des coqs en pâte dans notre petit nid de coraux.

Barnum n'était pas à l'aise. Il se demandait comment le *Poisson* survivrait sans dommage si le récif corallien se voyait marteler par des vagues de trente mètres. Par le hublot de la passerelle, il regarda vers l'est. Déjà des nuages menaçants s'amassaient dans le ciel et la mer avait maintenant des creux de plus d'un mètre.

Tourmenté par de mauvais pressentiments, il donna l'ordre au *Sea Sprite* de lever l'ancre et indiqua un cap qui les éloignerait de la route de la tempête.

Quand Summer revint, Dirk lui expliqua brièvement la situation. Il insista sur la nécessité de ménager les provisions et les réserves d'air.

—Nous devrions aussi arrimer tout ce qui traîne au cas où des remous nous atteindraient jusqu'ici.

—Dans combien de temps l'ouragan doit-il nous atteindre ? interrogea Summer.

—D'après le capitaine, à l'aube.

—Alors, tu as le temps de faire une dernière plongée avec moi avant que nous soyons coincés ici en attendant que le beau temps revienne.

Dirk regarda sa sœur. Un autre, fasciné par sa beauté, serait tombé sous son charme, mais son frère jumeau était insensible à sa séduction.

—A quoi penses-tu ? demanda-t-il.

—Je veux regarder de plus près l'intérieur de la caverne où j'ai découvert l'urne.

—Tu peux la retrouver dans l'obscurité ?

—Comme un renard sa tanière, dit-elle avec assurance. D'ailleurs, tu as toujours aimé plonger de nuit pour voir des poissons que tu ne rencontres pas dans la journée.

Dirk se laissa tenter.

—Alors faisons vite. Nous avons du travail avant l'arrivée de la tempête.

Summer le prit par le bras.

—Tu ne le regretteras pas !

—Pourquoi dis-tu cela ?

—Parce que, dit-elle en fixant sur son frère le doux regard de ses yeux gris, je suis persuadée qu'il y a dans cette grotte un mystère plus grand que celui de l'urne.

6

Summer ouvrant la voie, ils s'enfoncèrent dans des eaux aussi noires que le vide spatial. Leurs projecteurs de plongée surprirent les poissons nocturnes en quête de pâture au milieu des coraux dès la tombée de la nuit. Ni les rayons de la lune ni la lueur des étoiles ne réussissaient à percer les nuages menaçants, signes avant-coureurs de la tempête proche.

Dirk suivit sa sœur, son sillage régulier indiquant une plongeuse expérimentée. Elle se retourna pour le regarder à travers son masque et sourit. Puis elle désigna sur leur droite le labyrinthe multicolore des coraux, et son univers plutôt accueillant : attirés par le faisceau des projecteurs, des poissons curieux sortaient de leur cachette pour examiner ces étranges visiteurs ; un gros perroquet des mers nageait au côté de Dirk en le dévisageant avec intérêt, tandis que, jaillis des ténèbres, six barracudas de plus d'un mètre, gueules béantes sur des rangées de dents acérées, passaient leur chemin avec la plus complète indifférence.

Summer battait des palmes au milieu des canyons de corail avec autant d'aisance que si elle suivait une carte routière. Un petit poisson-boule, affolé par la lumière, se dilata pour se hérisser d'épines semblables à celles d'un cactus et dissuadant tout prédateur de l'avaler.

Leurs lampes projetaient des ombres étranges sur les coraux aux formes tourmentées et Dirk en voyant ces jeux de couleurs pensait à une toile abstraite. Il jeta un coup d'œil à son indicateur de plongée – quatorze mètres – et descendit dans le sillage de Summer qui venait de s'engager soudain dans un étroit défilé de coraux aux bords abrupts ; il remarqua au passage de nombreuses ouvertures donnant sur des grottes et se demanda laquelle l'avait attirée la veille.

Finalement, elle hésita devant un orifice vertical aménagé entre une paire de colonnes qui n'avaient pas l'air naturelles. S'assurant que son frère la suivait toujours, Summer s'enfonça dans la caverne sans hésiter – le projecteur et la présence de Dirk la rassuraient –, au-delà de l'endroit où elle avait découvert l'urne.

Finis les contours tourmentés : le frère et la sœur se trouvaient là comme dans un couloir rectiligne où les problèmes d'orientation ne se posaient pas.

Ils ne couraient pas le risque de se perdre, cause principale des accidents fatals de plongée. Dans cette vaste salle, aucune ouverture latérale, aucun puits ; pour regagner l'entrée, il leur suffisait de revenir en arrière. Pas de vase non plus au fond qui, si on la dérangeait, ne se redéposerait pas avant une heure ; seulement un sable épais que le mouvement de leurs palmes ne risquait pas de faire tourbillonner.

Ils se trouvèrent soudain devant, leur sembla-t-il, une volée de marches dissimulées en partie par la végétation sous-marine. Un frisson parcourut la nuque de Summer : la caverne dissimulait encore bien des choses, elle l'avait pressenti.

Le corail, privé de lumière, était moins fourni et formait sur les parois une couche un peu poisseuse que Dirk balaya de sa main gantée ; son cœur se mit à battre plus vite : il avait senti des rainures dans la roche, creusées sans doute par l'homme, jadis, quand le niveau de la mer était plus bas.

Puis il lui sembla que l'eau lui apportait l'écho d'un

cri ; il donna un vigoureux coup de palme et émergea, à sa grande stupéfaction, dans une poche d'air ; le projecteur de Summer balayait un dôme de pierres sèches.

— Qu'est-ce que c'est que ça ? s'exclama Dirk dans son téléphone.

— Ou c'est un caprice de la nature, ou c'est une chambre aménagée jadis par l'homme, murmura Summer.

— Ce n'est pas un phénomène naturel.

— L'endroit a dû être submergé lors de la fonte de la banquise qui a suivi l'époque glaciaire.

— Il y a dix mille ans de cela ! Ça ne peut pas être aussi ancien. Selon toute probabilité, cette salle a sombré dans un séisme comme celui qui a frappé la Jamaïque, et en particulier Port-Royal, le refuge de pirates englouti après un violent tremblement de terre en 1692.

— Une ville fantôme ignorée ? demanda Summer de plus en plus excitée.

— A moins qu'il n'y ait encore beaucoup de choses enfouies sous le corail, fit Dirk en secouant la tête. Mon instinct me souffle qu'il s'agit d'un genre de temple.

— Bâti par les anciens habitants des Caraïbes ?

— J'en doute. Les archéologues n'ont trouvé aucune trace de construction de pierre dans les Antilles avant Colomb. De plus les indigènes ne connaissaient certainement pas le bronze. L'urne que tu as remontée a probablement été forgée par une culture différente, une civilisation inconnue qui a disparu.

— Une nouvelle Atlantide, en quelque sorte, ironisa Summer.

— Non, Papa et Al ont dissipé ce mythe dans l'Antarctique il y a plusieurs années.

— D'anciennes peuplades européennes auraient franchi l'océan pour bâtir un temple sur un récif de corail ? Incroyable !

— Le récif de la Navidad formait sans doute une île en ce temps-là.

— A bien réfléchir, murmura Summer, l'air que nous respirons daterait de plusieurs milliers d'années.

Dirk prit une profonde inspiration.

— Je ne lui trouve pas mauvais goût.

— Aide-moi, fit Summer. Il faut rapporter des photos.

Dirk passa derrière elle et prit le boîtier d'aluminium attaché sur son dos. Il en sortit une minicaméra digitale étanche qu'il régla en mode manuel.

La salle sous-marine, dès l'instant où Summer alluma les projecteurs de prise de vue, s'anima dans un surprenant montage de verts, de jaunes, de rouges et de violets.

Pendant que Summer photographiait, Dirk plongea pour explorer les parois. Il faillit passer sans l'apercevoir devant un espace aménagé entre deux murs : un orifice large d'une soixantaine de centimètres, juste assez pour permettre à Dirk, tendant devant lui la main qui agrippait le projecteur, de s'y glisser avec ses bouteilles. Ce passage le mena dans une autre salle, un peu plus grande, avec des sièges taillés dans les parois et ce qui ressemblait à un grand lit de pierre au milieu. L'endroit n'était pas vide comme il l'avait tout d'abord cru, car son projecteur révéla bientôt un objet rond posé sur le lit : à la partie supérieure une échancrure, et un large trou plus bas, de chaque côté, faisaient penser à une armure protégeant un torse ; un collier d'or reposait aussi sur la pierre, un peu plus haut, ainsi que deux brassards en mailles métalliques de chaque côté. Au-dessus du collier trônait une imposante coiffure en métal tressé surmontée d'un diadème.

Dirk se mit à imaginer le corps qu'avaient jadis protégé ces reliques ; il y avait une paire de cuissardes de bronze, des pièces d'armure qu'on portait au-dessus des genoux, la lame d'une épée et celle d'un poignard sur le côté gauche et un fer de lance à droite. Mais ce corps, si corps il y avait eu, s'était décomposé ou avait été dévoré voilà longtemps par des créatures marines.

Au pied du lit, se dressait à plus d'un mètre au-dessus du sol un énorme chaudron dont la circonférence ne permettait pas à Dirk d'en faire le tour avec ses bras. De son poignard de plongée il frappa contre le flanc qui rendit un son métallique. Du bronze, se dit-il. Il entreprit alors de dégager la mousse qui en tapissait la surface ; apparut tout de suite la silhouette sculptée dans le métal d'un guerrier brandissant une lance, suivie de celles d'hommes et de femmes livrant bataille, portant une armure, un grand bouclier et une longue épée ; certains se battaient nus, mais la quasi-totalité arborait un énorme casque d'où jaillissaient des cornes.

Il nagea jusqu'au bord, braqua sa lumière par la large ouverture et examina l'intérieur. Le grand chaudron était presque complètement rempli par des objets entassés les uns sur les autres mais aisément reconnaissables. Dirk identifia des pointes de lance en bronze, des lames de poignard à la garde rongée par les siècles, des haches, des bracelets et des ceintures métalliques. Il laissa ces objets-reliques tels qu'il les avait trouvés, à l'exception d'un seul qu'il cueillit délicatement. Puis il franchit une arche taillée dans l'autre paroi de ce qu'il supposait maintenant être une ancienne chambre à coucher utilisée comme tombe.

La pièce suivante avait manifestement servi de cuisine ; elle ne renfermait pas de poche d'air et les bulles qu'il laissait derrière lui formaient des traînées évoquant des gouttes de mercure. Des marmites en bronze, des amphores, des urnes et des jarres gisaient sur le sol parmi des fragments de poterie. Auprès d'une sorte de cheminée, il découvrit des pinces de bronze et une grande louche, tout cela à demi enfoui dans la vase et recouvert de petits coquillages.

S'étant assuré qu'il avait tout exploré, il rejoignit Summer qui photographiait frénétiquement le moindre recoin.

Il lui toucha le bras et lui fit signe de remonter.

— J'ai découvert deux autres salles, lui annonça-t-il excité une fois de retour dans la poche d'air.

— De plus en plus intrigant, répondit Summer, le regard fixé sur le viseur de son appareil.

— Passe ce peigne dans tes cheveux et essaie d'imaginer la dernière femme qui s'en est servie, dit-il à Summer en lui tendant l'objet qu'il tenait dans sa main.

— Il est ravissant, murmura-t-elle. (Elle s'apprêtait à coiffer une longue mèche flamboyante quand elle s'arrêta et le regarda gravement.) Tu devrais le remettre là où tu l'as trouvé. Quand les archéologues viendront inspecter ce site, et ils ne manqueront pas de le faire, tu seras condamné comme pilleur de tombes.

— Si j'avais une petite amie, je parie qu'elle le garderait.

— La dernière de ton cortège de petites chéries avait une tête à piller le tronc des pauvres dans une église.

Dirk prit un air offensé.

— C'était sa kleptomanie qui faisait le charme de Sarah, riposta Dirk, offensé.

— Heureusement que papa connaît mieux la nature humaine que toi !

— Qu'est-ce qu'il a à voir là-dedans ?

— C'est lui qui a fichu Sarah à la porte quand elle s'est pointée dans son hangar pour te chercher.

— Je me demandais pourquoi elle ne m'avait jamais rappelé, conclut Dirk sans trop d'émotion.

Elle examina le peigne quelques instants, se demandant de quelle couleur étaient les cheveux de sa dernière propriétaire ; puis elle le photographia avant d'aller avec son frère le remettre à sa place dans le chaudron. Elle prit ensuite toute une série de clichés de la chambre et de la cuisine. Dirk rangea le matériel dans la boîte étanche ; ils vérifièrent leur réserve d'air – il restait largement de quoi regagner leur habitat –, et repartirent, Dirk ouvrant la voie.

Lorsqu'ils retrouvèrent enfin le confort du *Poisson,* les vagues au-dessus d'eux commençaient à se creuser, poussées par un vent de plus en plus violent. Détendus, éprouvant un faux sentiment de sécurité, ils savourèrent le dîner préparé par Dirk. Ni l'un ni l'autre ne se doutaient de la vulnérabilité de leur habitat, à quinze mètres au-dessous de la surface d'une mer déchaînée, secouée par des vagues grimpant jusqu'à près de trente mètres et des creux qui livreraient le *Poisson* à toute la violence de l'ouragan.

7

Fonçant vers le mur tourbillonnant de l'ouragan, fouetté par le vent, la pluie et la grêle et secoué par des turbulences infernales, le vieil *Orion-3*, chasseur d'ouragans, encaissait bravement les chocs. Ses ailes fléchissaient et frémissaient comme la lame d'un fleuret d'escrimeur ; les robustes hélices de ses quatre moteurs de 4 600 chevaux le propulsaient à travers le déluge à plus de 550 kilomètres à l'heure. Ni la marine, ni la NOAA (National Oceanic Atmospheric Administration), ni la NUMA n'avaient jamais trouvé, pour s'attaquer aux tempêtes, appareil plus fiable que ce modèle construit en 1976.

D'une remarquable stabilité, *Galloping Gertie* – telle la cow-girl montée sur un cheval sauvage dessinée sur son fuselage – transportait, outre le pilote et le navigateur, un météorologue, trois spécialistes des communications électroniques, douze savants et un journaliste d'une station de télé locale qui avait demandé à embarquer en apprenant que le hurricane *Lizzie* s'apprêtait à battre tous les records.

Assis aux commandes, très détendu, James Barrett regardait constamment le tableau de bord : on ne voyait en effet pas plus clair au travers du pare-brise que lorsque l'on regarde derrière le hublot de sa machine à laver en plein cycle de savonnage.

Mais la mort rôdait dans le tourbillon, surtout

lorsque Barrett frôlait l'eau de si près que les embruns, projetés par les hélices, embuaient le pare-brise jusqu'à ce qu'il s'échappe en remontant à sept mille pieds. La pénétration en spirale s'avérait la méthode la plus efficace pour enregistrer et analyser la force de l'ouragan.

Il fallait avoir le cœur bien accroché pour exercer ce métier : les spécialistes ne pouvaient en effet pas se contenter d'observer les tempêtes de loin ; ils devaient voler au cœur des hurricanes et des typhons, descendre et se salir les mains, foncer droit dans ce maelström, et recommencer inlassablement.

Ce qu'ils accomplissaient sans se plaindre, dans des conditions terrifiantes ; ils mesuraient la vitesse et la direction du vent, la densité des précipitations, la pression atmosphérique, et transmettaient ces innombrables données au Centre des ouragans. Là, on introduisait les renseignements dans des modèles informatiques qui permettaient aux météorologues de prévoir la violence de l'ouragan et d'envoyer des bulletins d'alerte aux populations se trouvant sur sa route.

Barrett maniait sans effort les commandes qui avaient été modifiées pour supporter des turbulences extrêmes ; il vérifia les chiffres de son GPS avant de rectifier légèrement le cap.

— Costaud, dit-il en se tournant vers son copilote tandis qu'une violente rafale secouait l'*Orion*.

L'équipage utilisait des micros et des casques pour communiquer car le hurlement du vent noyait même le rugissement des moteurs.

Le grand gaillard installé dans le siège du copilote sirotait son café. Très soigneux, presque maniaque, Jerry Boozer se vantait de ne jamais renverser une goutte de liquide ou laisser tomber une miette de sandwich dans le cockpit durant un hurricane.

— Le pire de ceux que j'ai vus, depuis dix ans que je traque ces saloperies, confirma-t-il.

— Je n'aimerais pas être sur son passage quand il atteindra les côtes.

— Hé Charlie, interrogea Boozer dans le microphone, que racontent tes instruments magiques sur la force du vent ?

Tapi dans son compartiment au milieu d'une batterie de consoles branchées sur des systèmes météo électroniques, Charlie Mahonay, un chercheur de l'université de Stanford, était sanglé sur son siège en face d'une collection de palpeurs qui mesuraient la température, l'humidité, la pression atmosphérique, la force du vent et sa direction.

— Tu ne vas pas le croire, répondit-il, mais la dernière sonde enregistrait des vents se déplaçant à l'horizontale à 350 kilomètres à l'heure.

— Pas étonnant que la pauvre vieille *Gertie* en voie de dures ! commentait Boozer à l'instant même où l'appareil retrouva une atmosphère parfaitement calme et un soleil étincelant sur l'aluminium du fuselage et des ailes.

Ils venaient d'entrer dans l'œil de *Lizzie* et volaient dans une sorte de tube géant aux parois tapissées de nuages impénétrables. Tout en bas, la mer reflétait le bleu du ciel.

Barrett vira sur l'aile puis se mit à tourner en rond à l'intérieur de l'œil tandis que les météorologues derrière lui rassemblaient leurs données. Au bout de dix minutes, il changea de cap et fonça dans le mur gris et tourbillonnant. L'avion frémit comme si la fureur des dieux l'attaquait, comme si un géant, voyant l'avion planer sur une seule aile, avait brusquement abattu sa poigne à tribord. Tout ce qui, dans le poste de pilotage, n'était pas attaché – papiers, classeurs, tasses de café, porte-documents – fut précipité contre la cloison. A peine la rafale était-elle passée qu'un souffle plus violent encore projeta l'avion dans le tourbillon comme un planeur de balsa, envoyant tout ce qui traînait à l'autre bout du cockpit. Barrett et Boozer restèrent presque pétrifiés par le choc ; ils n'avaient jamais subi un coup de vent de cette ampleur.

L'*Orion* trembla de toutes ses membrures et piqua à bâbord.

Barrett sentit une soudaine diminution de puissance ; son regard se porta aussitôt sur le tableau de bord tandis qu'il s'efforçait de redresser l'appareil.

— Je n'ai rien sur le moteur numéro quatre. Veux-tu vérifier ?

— Seigneur ! murmura Boozer en regardant par son hublot, il a lâché !

— Alors, coupe-le ! lança Barrett.

— Il n'y a rien à couper, on l'a perdu.

Rassemblant toutes ses forces, Barrett se cramponnait au manche et appuyait sur les pédales ; il ne se rendait pas bien compte de ce que venait de lui annoncer Boozer. Il sentait que quelque chose n'allait pas du tout dans l'aérodynamique ; l'avion ne réagissait pas aux commandes, comme si un poids au bout d'une corde gigantesque tirait en arrière l'aile tribord.

Il parvint enfin à remettre l'appareil en palier, réalisant seulement alors ce que lui avait dit Boozer : le moteur avait été arraché de son habitacle, ce qui lui avait fait perdre le contrôle de l'*Orion* et lui donnait cette impression d'être tiré en arrière par l'aile tribord. Il se pencha pour voir.

A la place habituelle du turbo propulseur Allison, on ne voyait plus qu'une brèche béante sur des supports, des canalisations et des pompes déchiquetés, ainsi que des tableaux électriques qui pendaient. Ça n'aurait pas dû arriver, se dit Barrett, incrédule. Les moteurs ne tombent pas tout simplement d'un avion même au milieu des pires turbulences. Là-dessus, il repéra une trentaine d'orifices dans l'aile : les rivets avaient sauté. Son angoisse naissante s'accentua quand il découvrit plusieurs fissures sur l'enveloppe d'aluminium.

—Il y a des blessés et presque tout le matériel est endommagé ou hors d'usage, entendit-il dans son casque.

—Que ceux qui en sont capables soignent les blessés. On rentre.

—Si on y arrive, maugréa Boozer, pessimiste. (Il désigna du doigt le hublot latéral de Barrett.) Le moteur numéro trois est en feu.

—Coupe-le ! ajouta-t-il sans se démonter.

Barrett pensa un instant appeler sa femme pour lui dire adieu, mais pas question de renoncer ainsi. Pourtant ramener la *Gertie* blessée et son équipe de chercheurs à bon port relevait du miracle. Faisant appel à toute son expérience, il se mit à murmurer une prière et s'efforça d'arracher l'*Orion* aux éléments déchaînés ; s'ils échappaient au plus violent du chaos, le reste se réglerait tout seul.

Au bout de vingt minutes, les rafales de vent et de pluie commencèrent à diminuer et les nuages à se faire moins denses. Mais juste au moment où il se disait qu'ils sortaient des nuages, *Lizzie* lança un nouveau coup de poing qui frappa de plein fouet la gouverne de l'*Orion,* anéantissant ce qui restait du contrôle qu'exerçaient encore sur l'appareil Barrett et Boozer.

Il devenait désormais imprudent de parier sur leur avenir.

8

La plupart du temps, les vagues, pas plus hautes que la tête d'un berger allemand, soulèvent lentement la surface des océans évoquant le souffle régulier d'un géant endormi – illusion dont se bercent les marins imprudents qui gagnent leur couchette parce que le ciel est dégagé et la mer calme et qui se réveillent sur un océan déchaîné qui, en quelques instants, balaye des milliers de kilomètres carrés en engloutissant tous les navires qui se trouvent sur son chemin.

Le hurricane *Lizzie* réunissait tous les éléments susceptibles d'engendrer un désastre : inquiétant le matin, résolument menaçant à midi, et déchaîné le soir. Les vents – 350 puis bientôt 400 kilomètres à l'heure – fouettaient l'eau, créant un tourbillon géant et d'énormes creux qui progressaient impitoyablement vers le banc de la Navidad, sa première étape.

Le *Sea Sprite* appareillait et Paul Barnum, pour la vingtième fois peut-être, se retourna pour examiner la mer vers l'est ; au début, il n'avait remarqué aucun changement mais maintenant, à la jonction du bleu profond et du bleu saphir du ciel, il aperçut une traînée d'un gris sale comme une lointaine tempête de poussière balayant la prairie.

Barnum fut stupéfait par la rapidité du phénomène ; il n'avait jamais envisagé qu'un ouragan pût foncer aussi rapidement qu'un train express. Il n'avait même pas eu le temps de programmer son ordinateur pour calculer la direction et la vitesse de l'ouragan qu'un véritable linceul masquait le soleil et peignait le ciel d'un gris de plomb.

Pendant huit heures, Barnum poussa le *Sea Sprite* au maximum pour mettre la plus grande distance possible entre lui et les récifs coralliens de la Navidad. Mais quand il comprit que sa tentative échouerait et que le gros de la tempête allait le rattraper, il estima que, pour survivre, il lui fallait foncer droit dedans, en comptant sur son bateau pour se frayer un passage. Il tapota affectueusement la barre comme si elle était faite de chair et de sang et non pas d'un acier insensible. Barnum était certain que son robuste navire, qui en avait tant vu durant ces années de navigation dans les régions polaires, survivrait aux rudes coups que l'ouragan lui réservait.

Il se tourna vers son second, Sam Maverick, à qui de longs cheveux roux, une barbe en broussaille et un anneau d'or pendant à l'oreille gauche donnaient l'air d'un étudiant attardé.

—Programmez un nouveau cap, monsieur Maverick. Virez de quatre à cinq degrés. Nous ne pouvons pas gagner l'ouragan de vitesse, alors nous allons foncer droit dedans.

Incrédule, Maverick considéra les vagues qui se dressaient à quinze bons mètres au-dessus de l'arrière et dévisagea Barnum comme si celui-ci avait perdu la tête.

—Vous voulez virer de bord par une mer pareille ? articula-t-il lentement.

—C'est le moment ou jamais, répondit Barnum, avant que des lames de fond n'arrivent.

Cette manœuvre, extrêmement risquée – de nombreux navires avaient chaviré au cours des siècles en la tentant – exposerait pendant des minutes interminables la coque aux vagues.

—J'attendrai un intervalle entre les creux et, à mon commandement, vous foncerez en avant toute. (Puis il annonça dans le haut-parleur :) Nous allons virer de bord, tenez bon et cramponnez-vous.

Penché au-dessus de la console juste derrière les vitres de la passerelle, Barnum scrutait la mer pour repérer la vague plus haute que toutes celles qui l'avaient précédée.

—Monsieur Maverick, en avant toute.

Maverick, bien que terrifié et convaincu de courir au désastre en découvrant la vague gigantesque qui s'abattait sur le navire, obéit aussitôt à l'ordre de Barnum. Il commençait à le maudire quand il comprit l'idée du capitaine : les vagues monstrueuses se succédant sans répit comme les rangs serrés de soldats montant à l'assaut, Barnum avait pris les devants et commencé à virer sans attendre ; il gagnait ainsi une minute inestimable tandis que le bateau encaissait de côté le choc de la lame.

Celle-ci souleva l'avant et poussa le *Sea Sprite* presque sur bâbord avant de le basculer de l'autre côté. Pendant peut-être quinze secondes, le navire disparut sous une masse d'eau bouillonnante sans cesser de lutter pour émerger de la crête qui dominait la passerelle ; puis il pencha brutalement à bâbord, la mer balayant le bastingage du pont ; et enfin, miraculeusement, avec une lenteur insupportable, il se redressa dans le creux et encaissa la vague suivante par l'avant, en retrouvant son équilibre.

En dix-huit ans de navigation, Maverick n'avait jamais vu manœuvre plus habile ; bouche bée, il regarda Barnum et distingua sur le visage du capitaine un sourire, peut-être un peu crispé, mais un sourire

quand même. Mon Dieu, se dit Maverick stupéfait, il
s'amuse.

*
* *

A cinquante milles au sud du *Sea Sprite,* la lisière de
Lizzie atteindrait l'*Ocean Wanderer* dans quelques
minutes. Les nuages à la périphérie déferlèrent, mas-
quant le soleil et plongeant la mer dans une pénombre
grisâtre ; puis ils lâchèrent un épais rideau de pluie qui
s'abattit sur les fenêtres de l'hôtel flottant, faisant
penser au tir d'un millier de mitrailleuses.

— Trop tard ! gémit Morton qui, de son bureau,
contemplait le tourbillon fonçant droit sur l'hôtel.
Malgré les avertissements répétés de Heidi Lisherness
du Centre des ouragans, il n'arrivait pas à concevoir
l'incroyable vitesse de déplacement de l'ouragan ; ni à
comprendre comment des eaux aussi calmes et un ciel
aussi serein pouvaient changer aussi vite.

— Que tous les responsables du personnel se ras-
semblent immédiatement dans la salle de conférences !
lança-t-il à sa secrétaire.

Les hésitations du Spectre l'avaient rendu fou de
rage. Pourquoi ne pas avoir ordonné l'évacuation des
onze cents personnes à bord quand on avait encore des
chances de les mettre à l'abri à seulement quelques
milles de là, en République dominicaine ? Sa rage
s'accrut encore quand, intrigué par un bruit de moteur
qui fit vibrer les vitres, il découvrit le Spectre et sa suite
embarquant dans le B-210 ; à peine la porte refermée, il
accéléra le régime des moteurs, prit de la vitesse, puis,
en projetant des torrents d'embruns, s'éleva dans les
airs et vira sur l'aile en direction de la République
dominicaine.

— Saleté de trouillard, siffla Morton en voyant le

Spectre détaler ainsi sans se soucier le moins du monde des onze cents âmes qu'il laissait derrière lui.

Pendant qu'il regardait l'avion disparaître dans les nuages menaçants, ses collaborateurs se rassemblaient autour de la table de conférence ; nul besoin de scruter les visages, la panique s'y lisait aisément.

— Nous avons sous-estimé la vitesse de l'ouragan, commença-t-il. Le gros de la tempête est à moins d'une heure de nous, il est donc trop tard pour procéder à une évacuation ; nous installerons la totalité des clients et des employés à l'étage supérieur de l'hôtel où ils seront le plus en sûreté.

— Les remorqueurs ne peuvent pas nous mettre à l'abri ? s'enquit la directrice des réservations, une femme de trente-cinq ans environ, grande et élégante.

— Ils sont alertés et ne devraient pas tarder à arriver, mais les vagues de plus en plus fortes rendront la liaison avec nos cabestans très difficile. Si la manœuvre se révèle impossible, alors nous n'aurons pas d'autre solution que de mouiller sur place.

— Les étages en dessous de la surface ne seraient-ils pas plus sûrs ? suggéra le concierge en levant la main.

— Si le pire se produit, fit Morton en secouant la tête, si nos amarres se rompent, et si l'hôtel part à la dérive… (Il s'interrompit et haussa les épaules.) Je ne veux pas penser à ce qui se passerait si nous sommes poussés vers le banc de la Navidad à quarante milles à l'est ou sur les récifs qui bordent les rivages dominicains… Les baies vitrées des étages inférieurs voleraient en éclats.

— Nous devons comprendre, poursuivit le concierge en hochant la tête, que si l'eau envahissait les étages inférieurs, les ballasts ne parviendraient pas à maintenir l'hôtel à flot, et que les vagues le fracasseraient sur les rochers.

— Et dans ce cas ? demanda le directeur adjoint.

Le visage grave, Morton parcourut du regard la table de conférence.

— Alors, nous abandonnerons l'hôtel, nous embarquerons sur les radeaux de sauvetage et nous prierons Dieu d'accorder la survie à quelques-uns d'entre nous.

9

Barrett et Boozer faisaient leur possible pour maintenir l'appareil bousculé et fouetté en palier. Les rafales assaillaient le *Galloping Gertie*, menaçant de le précipiter dans la mer. Cramponnés aux commandes, les deux pilotes luttaient ; la gouverne ne réagissant que mollement, ils devaient jouer sur le régime des deux moteurs restants et sur les ailerons.

Lizzie surclassait, et de loin, tous les ouragans tropicaux qu'ils avaient croisés au cours de leurs années de traque.

Enfin, après une trentaine de minutes – ils auraient parlé, eux, en toute bonne foi, d'une trentaine d'heures –, le ciel passa du gris terne au blanc sale puis au bleu étincelant et l'*Orion*, échappant tant bien que mal aux franges de l'ouragan, retrouva un temps calme.

—On n'arrivera jamais à Miami, annonça Boozer qui étudiait une carte.

—Surtout avec deux moteurs, un fuselage en lambeaux et une gouverne à moitié bloquée, renchérit Barrett d'un air sombre. Mieux vaut se dérouter sur San Juan.

—Va pour Porto Rico.

—A toi, dit Barrett en lâchant les commandes. Je veux voir nos scientifiques. Dieu sait dans quel état je vais les trouver.

Il détacha son harnais de sécurité et gagna la cabine

de l'*Orion*. Elle était complètement dévastée : ordinateurs, écrans de contrôle et instruments électroniques de toutes sortes s'entassaient comme versés d'un camion dans une décharge ; ce matériel installé pour résister aux pires turbulences semblait avoir été arraché par une main géante. Des corps gisaient çà et là, certains sans connaissance et grièvement blessés, d'autres adossés aux cloisons ; les quelques passagers encore à peu près valides s'occupaient de ceux qui avaient besoin de soins.

Mais ce n'était rien comparé au spectacle terrifiant que découvrit Barrett : le fuselage de l'*Orion* était fendu en quelques dizaines d'endroits, des rivets avaient sauté et, çà et là, on voyait bel et bien la lumière du jour. De toute évidence, l'appareil n'aurait pas supporté cinq minutes supplémentaires le traitement infligé par l'ouragan ; il aurait volé en éclats.

Steve Miller, un météorologue, qui tentait de soulager un ingénieur électricien présentant une double fracture du radius, leva les yeux.

— Ça n'est pas croyable, dit-il en désignant le chaos autour d'eux. Nous avons reçu une rafale de 330 kilomètres à l'heure à tribord et quelques secondes après, nous en essuyions une autre à bâbord, encore plus forte.

— Je n'avais jamais rencontré un vent aussi violent, murmura Barrett.

— Croyez-moi, reprit Miller, on n'avait jamais encore enregistré deux rafales opposées entrant en collision dans le même ouragan. Cela constitue une rareté météorologique et il y a quelque part dans ce fatras des enregistrements qui le prouvent.

— *Gertie* n'est pas en état de rallier Miami, dit Barrett en désignant les parties du fuselage prêtes à se désolidariser. Nous visons plutôt San Juan ; je vais demander à des véhicules d'urgence de s'y tenir prêts.

— Des infirmiers aussi, recommanda Miller. Tout le monde a écopé, surtout Delbert et Morris, mais personne n'est dans un état critique.

— Je retourne aider Boozer. S'il y a quoi que ce soit…

— Ici, ça ira, répondit Miller. A vous de nous éviter le plongeon dans l'océan.

— On va essayer.

Deux heures plus tard ils arrivaient en vue de l'aéroport de San Juan. Maniant les commandes avec maestria, Barrett maintint l'appareil à la limite de la perte de vitesse afin de réduire au maximum les tensions sur l'avion. Volets baissés, il effectua une longue approche ; il fallait réussir du premier coup car il n'aurait pas droit à une seconde tentative.

— Abaisse le train, dit-il quand la piste s'encadra dans le pare-brise.

Heureusement, les roues descendirent et se bloquèrent. Les équipes de secours ayant appris par radio l'étendue des dégâts se tenaient prêtes ; voitures de pompiers et ambulances bordaient la piste.

Les techniciens de la tour de contrôle, quant à eux, suivaient à la jumelle l'arrivée de l'appareil ; ils n'en croyaient pas leurs yeux : comment, avec un moteur coupé d'où s'échappait un panache de fumée et un autre disparu, l'*Orion* était-il encore capable de voler ? Ils avaient mis en attente tous les vols commerciaux et retenaient leur souffle.

L'*Orion* descendit en réduisant sa vitesse. Boozer réglait les gaz pour maintenir l'assiette de l'appareil tandis que Barrett manipulait délicatement les commandes. Il rata de très peu la piste, et les pneus touchèrent d'abord l'herbe puis, après un infime rebond, le tarmac. Boozer coupa les gaz et laissa l'avion rouler sur l'asphalte.

Barrett freina doucement sans quitter des yeux la

haie qui indiquait l'extrémité du terrain. Si le pire arrivait, il pourrait, en appuyant à fond sur le frein gauche, virer dans l'herbe. Mais les dieux veillaient sur lui et *Gertie* s'immobilisa en frémissant à moins de cinquante mètres d'une autre piste. Barrett et Boozer se renversèrent sur leur siège en poussant un énorme soupir de soulagement; ils se dégagèrent de leurs harnais et se précipitèrent dans la cabine : au-delà des instruments entassés en désordre et des blessés allongés, ils contemplèrent par l'ouverture béante du fuselage la piste sur laquelle ils venaient de s'arrêter.

La queue s'était décrochée et reposait sur le sol.

Les éléments frappaient de plein fouet les flancs de l'*Ocean Wanderer*. Les ingénieurs avaient fait du bon travail car les baies en verre armé conçues pour supporter des vents de deux cent quarante kilomètres à l'heure encaissaient sans se briser des rafales de plus de 300 kilomètres. Les premiers assauts de l'ouragan n'avaient causé de dégâts qu'au toit, balayant terrains de golf et de basket-ball, courts de tennis, mobiliers des restaurants ; il ne restait plus qu'une piscine d'eau douce qui débordait dans la mer.

Morton éprouvait une grande fierté pour son personnel qui se conduisait de façon admirable. Il avait beaucoup redouté la panique au début, mais tous – directeurs, réceptionnistes, concierge ou femmes de chambre – mettaient leurs efforts en commun pour déménager les clients de leurs suites au-dessous de la ligne de flottaison vers la salle de bal, les centres de soins, le théâtre et les restaurants des étages supérieurs. On avait distribué à chacun un gilet de sauvetage et indiqué le canot de secours dans lequel il devrait embarquer.

Ce que personne ne savait, pas même Morton, car aucun des employés ne s'était aventuré sur le toit balayé par des vents de 300 kilomètres à l'heure, c'était que les canots avaient été emportés en même temps que les installations sportives vingt minutes après les premiers assauts de l'ouragan.

Morton restait en contact permanent avec les responsables de l'entretien qui patrouillaient dans l'hôtel en signalant les dégâts survenus et en s'efforçant de les réparer. Jusque-là la robuste structure tenait. Voir une vague monstrueuse se dresser jusqu'à la hauteur du dixième étage avant de se briser contre l'angle de l'hôtel, et, en même temps, entendre le gémissement des câbles d'amarrage et le grincement de la charpente que le vent menaçait d'arracher à ses rivets d'acier, constituaient pour les clients une expérience terrifiante.

Pour l'instant on ne signalait que des infiltrations mineures. Les générateurs, les installations électriques et la plomberie fonctionnaient toujours. L'*Ocean Wanderer* résisterait encore une heure, mais Morton savait que, pour son magnifique hôtel, il s'agissait seulement de retarder l'inévitable.

Les clients et les employés, fascinés, contemplaient les tourbillons d'eau que les rafales de vent fouettaient dans un jaillissement d'embruns. Ils regardaient, désemparés, les vagues gigantesques et interminables, poussées par un vent d'une vitesse vertigineuse, en sachant que seule une mince paroi de verre renforcé les séparait de milliers de tonnes d'eau. Ce spectacle leur infligeait une épreuve inhumaine.

Morton regagna un moment son fauteuil dans son bureau ; il tourna le dos aux baies vitrées pour ne pas se laisser distraire des responsabilités qui l'accablaient, et parce qu'il ne supportait plus de voir les énormes masses d'eau verte déferler sur son hôtel. Il envoyait message sur message, réclamant une assistance immédiate pour évacuer les clients et le personnel avant qu'il ne soit trop tard.

On recevait ses appels pathétiques mais on était complètement impuissant.

Et de plus, tous les navires se trouvant dans un rayon de cent milles à la ronde souffraient eux aussi ; un porte-conteneurs de près de deux cents mètres avait cessé d'envoyer des SOS, deux autres navires ne répondaient plus, et on avait perdu tout espoir de retrouver plus de dix chalutiers qui avaient eu la malchance de se trouver sur le chemin de *Lizzie*.

Les appareils militaires de la République dominicaine étaient cloués au sol, les unités de la marine et les embarcations de sauvetage avaient pour ordre d'attendre au port la fin de la tempête. Aussi les seules réponses que recevait Morton répétaient-elles toutes : « Désolé, *Ocean Wanderer*, nous ne pouvons rien faire. Nous interviendrons dès que l'ouragan se calmera. »

Il gardait le contact avec Heidi Lisherness du Centre des ouragans de la NUMA, lui décrivant l'ampleur du phénomène.

— Etes-vous certain de la hauteur des vagues ? demanda-t-elle, incrédule.

— Certain. Je me trouve à trente mètres au-dessus de la ligne de flottaison et toutes les neuf vagues l'eau passe par-dessus le toit.

— On n'a jamais vu ça.

— Pourtant, c'est vrai.

— Bien sûr, fit Heidi. Est-ce que je peux faire quelque chose ?

— Prévenez-moi simplement quand, à votre avis, les vents s'apaiseront.

— D'après notre avion traqueur de cyclones et nos rapports par satellites, ça n'est pas pour tout de suite.

— Si je ne donne plus signe de vie, reprit Morton, vous saurez que le pire est arrivé.

Sans laisser à Heidi le temps de répondre, il interrompit la communication pour prendre un autre appel.

—Monsieur Morton ?

—Lui-même.

—Monsieur, ici le capitaine Ricky Tapp de la flotte de remorqueurs de l'*Odyssée*.

—Continuez, capitaine. Il y a des parasites, mais je vous entends.

—Monsieur, je regrette de vous informer que les remorqueurs *Albatros* et *Pélican* sont dans l'impossibilité de venir à votre secours. La mer est bien trop forte. Nous n'avons jamais connu un ouragan de cette ampleur. Nous ne pourrions pas arriver jusqu'à vous. Même si nos navires sont robustes, ils n'ont pas été conçus pour naviguer par un temps pareil. Toute tentative serait suicidaire.

—Je comprends, soupira Morton. Venez quand vous pourrez. Je ne sais pas combien de temps encore nos amarres tiendront. Mais c'est déjà un miracle que l'hôtel ait supporté de tels chocs aussi longtemps.

—Nous ferons tout ce qui est humainement possible pour venir jusqu'à vous dès que le plus gros de la tempête sera passé.

—Avez-vous reçu des instructions du Spectre ? s'enquit Morton.

—Non, monsieur, aucune nouvelle de lui ni de ses directeurs.

—Merci, capitaine.

Le Spectre, avec son cœur de pierre, aurait-il fait une croix sur l'*Ocean Wanderer* et ses occupants ? Morton se posait la question, et imaginait ce monstre convoquant ses conseillers pour étudier comment prendre ses distances avec la catastrophe qui s'annonçait.

Il s'apprêtait à quitter son bureau pour inspecter les dégâts de l'hôtel et tenter de rassurer les clients. Il n'était jamais monté sur une scène, il s'apprêtait pourtant à donner la représentation de sa vie.

Il entendit soudain un violent claquement au

moment même où il sentit le plancher se dérober sous ses pas et la pièce prendre une gîte insolite.

Presque au même instant, la sonnerie de son portable se fit entendre. C'était le responsable de l'entretien.

— Monsieur Morton, ici Emlyn Brown. Je suis dans la salle du treuil numéro deux ; le câble d'amarrage a claqué à une centaine de mètres à l'extérieur.

Morton sentit ses pires craintes se préciser.

— Vous pensez que les autres vont tenir ?

— J'en doute.

A chaque vague qui déferlait, l'hôtel tremblait, enseveli sous des tonnes d'eau, puis émergeait comme une forteresse assiégée.

Constater que l'*Ocean Wanderer* sortait apparemment indemne de chaque nouvel assaut regonfla le moral des clients, qui pour la plupart avaient choisi de passer leurs vacances sur cet hôtel flottant pour y trouver l'aventure ; tous étaient conscients du danger qui les menaçait, pourtant ils semblaient l'accepter avec un calme relatif. Même les enfants finirent par maîtriser leur première peur, allant jusqu'à prendre plaisir à voir les masses d'eau colossales déferler sur l'hôtel.

Dans les cuisines, on sut se montrer à la hauteur et les serveurs, impassibles, circulaient dans le théâtre et la salle de bal en proposant des mets raffinés.

Mais l'angoisse rongeait Morton, convaincu de l'imminence de la catastrophe et de l'impuissance des hommes aux prises avec la nature déchaînée.

Les câbles se sectionnèrent l'un après l'autre, les deux derniers à moins d'une minute d'intervalle. Libéré de ses attaches, l'hôtel commença à dériver vers les récifs qui longeaient la côte dominicaine.

Jadis, l'homme de barre ou le capitaine du navire, solidement campé sur le pont, mains crispées sur les commandes du gouvernail, luttait contre la mer de toute son énergie, barrant pendant parfois de longues heures.

Ce temps-là n'était plus.

Alimenté par un flux constant de données provenant des instruments météo et de divers systèmes installés à bord, l'ordinateur analysa aussitôt la méthode la plus efficace pour faire face à l'ouragan. Il prit alors le contrôle et se mit à assurer la manœuvre du navire, anticipant les vagues et les creux tout en estimant les paramètres de temps et de distance pour déterminer sous quel angle et à quelle vitesse plonger dans ce chaos.

La visibilité ne dépassait pas quelques centimètres : projetés par un vent effroyable, l'écume et les embruns fouettaient les vitres de la timonerie durant les brefs intervalles où le bateau n'était pas englouti sous des tonnes d'eau. Bref, de quoi décourager tout autre que Barnum qui, solide comme un roc, perçait du regard le mur de vagues bouillonnantes, concentré sur un seul but : survivre. Le contrôle informatisé savait affronter l'ouragan – Barnum l'admettait plus ou moins – mais une urgence pouvait fort bien se présenter et il devrait reprendre le contrôle.

Les heures passaient sans apporter le moindre répit. Quelques membres de l'équipage et la plupart des scientifiques souffraient du mal de mer, mais personne ne se plaignait. Pas question de sortir sur le pont continuellement balayé par les lames. Il suffisait d'un regard à cette mer sans fin pour les renvoyer à leurs couchettes sur lesquelles ils s'attachaient en priant d'être encore vivants le lendemain.

Ceux qui se trouvaient dans le poste d'équipage ou dans la chambre des machines n'étaient pas aussi secoués que Barnum et ses officiers dans la timonerie. Ces montagnes russes incessantes que subissait le *Sea Sprite* commençaient à le préoccuper. Le navire pencha soudain brutalement à tribord et des chiffres clignotèrent, montrant que le bateau donnait de la bande et indiquant une gîte de trente-quatre degrés ; puis, peu à peu, l'aiguille revint entre cinq et zéro.

— Encore un roulis comme ça, murmura-t-il, et on se retrouvera définitivement sous l'eau.

Il se demandait comment le bateau réussissait à supporter une mer aussi déchaînée quand, comme par miracle, l'anémomètre se mit à dégringoler jusqu'au-dessous de 80 kilomètres à l'heure.

Sam Maverick secoua la tête.

— On dirait que nous approchons de l'œil du cyclone et pourtant la mer semble plus agitée que jamais.

— Qui donc a déclaré, fit Barnum en haussant les épaules, que c'est avant l'aube qu'il fait le plus noir ?

L'officier de transmissions, Mason Jar, silhouette boulotte, cheveux blancs et gros anneau à l'oreille gauche, s'approcha de Barnum et lui tendit un message.

— Ça vient d'arriver ? demanda celui-ci après l'avoir parcouru.

— Il y a moins de deux minutes, répondit Jar.

Barnum passa le message à Maverick qui lut à voix haute : « *Hôtel* Ocean Wanderer *en situation très difficile. Les câbles d'amarrage ont lâché. L'hôtel dérive maintenant vers les récifs de la côte de la République dominicaine. Prière à tout navire se trouvant dans le secteur de répondre. Plus de mille personnes à bord.* »

— A en juger par le nombre de SOS, nous sommes les seuls à pouvoir tenter un sauvetage.

— Ils ne nous ont pas précisé leur position, fit remarquer l'officier de transmissions.

— Ce ne sont pas des marins, fit Barnum, résigné, mais des aubergistes.

Maverick se pencha sur la table des cartes et prit un compas.

— Il était à cinquante milles au sud de notre position quand nous avons levé l'ancre pour fuir la tempête. Ça ne va pas être facile d'aborder les parages du banc de la Navidad, constatait-il quand Jar réapparut avec un nouveau message : « *Au* Sea Sprite *du Q.G. NUMA, Washington. Si possible, tentez de sauver les passagers de l'hôtel flottant* Ocean Wanderer. *Vous laisse juge et soutiens votre décision. Sandecker.* »

— En tout cas nous voilà munis d'une autorisation officielle, déclara Maverick.

— Nous ne sommes que quarante à bord du *Sea Sprite*, dit Barnum, et ils sont plus de mille sur l'*Ocean Wanderer.* En toute conscience, je ne peux pas me défiler.

— Et Dirk et Summer dans le *Poisson* ?

— Ils encaisseront le choc sous l'eau ; ils sont protégés par le récif.

— Et leur réserve d'air ?

— De quoi tenir plus de quatre jours.

— Si cette foutue tempête cède, nous devrions rejoindre notre position d'ici à deux jours.

— A condition de réussir à arrimer l'*Ocean Wanderer* et de le remorquer à bonne distance de la côte.

Maverick regarda par le pare-brise.

— Une fois entrés dans l'œil du cyclone, nous avancerons sans problème.

— Programmez la dernière position de l'hôtel et la dérive probable dans l'ordinateur, ordonna Barnum. Je vais fixer un cap pour le rejoindre.

Barnum s'apprêtait à ordonner qu'on annonce à l'amiral Sandecker sa décision de tenter le sauvetage de l'*Ocean Wanderer* quand il vit avec horreur une vague monstrueuse, plus haute encore que toutes les précédentes, s'élever à près de vingt-cinq mètres au-dessus de la timonerie, qui elle-même se dressait déjà à près de quinze mètres au-dessus de l'eau ; elle s'abattit sur le navire avec une force incroyable et l'engloutit. Le *Sea Sprite* piqua bravement dans cette montagne liquide, plongeant dans un creux sans fond apparent, puis se redressa.

Barnum et Maverick échangèrent un regard stupéfait ; c'est alors qu'une autre vague, encore plus énorme, s'écrasa sur le bateau.

Sous le poids de millions de tonnes d'eau, l'étrave du *Sea Sprite* piqua du nez et s'enfonça de plus en plus profondément comme si elle n'allait jamais s'arrêter.

10

Libéré de ses amarres, l'*Ocean Wanderer* dérivait maintenant totalement désemparé, à la merci de l'ouragan. Il n'y avait plus rien à tenter pour sauver l'établissement et ses clients.

Désespéré, Morton devait choisir entre le remplissage maximal des ballasts pour, en enfonçant davantage l'hôtel dans l'eau, en freiner la dérive, et le vidage des réservoirs qui livrerait aux vagues le somptueux édifice et ses passagers.

La première solution semblait la plus pratique mais impliquait l'exposition de l'*Ocean Wanderer* aux coups redoublés de l'ouragan. Déjà certaines sections de l'hôtel cédaient, et l'eau que les pompes n'arrivaient plus à refouler s'engouffrait dans les niveaux inférieurs. La seconde option entraînerait un extrême inconfort pour les passagers et une accélération vers l'inévitable impact sur les récifs.

Il s'apprêtait à opter pour le remplissage quand le vent se mit soudain à faiblir puis, une demi-heure plus tard, à tomber presque complètement en même temps que le soleil inondait l'hôtel. Des acclamations retentirent : le plus dur était passé, croyait-on.

Morton, lui, ne se faisait pas d'illusions. Certes, les rafales avaient diminué mais la mer demeurait houleuse ; les murs gris de l'ouragan se dressaient encore de l'autre côté des baies vitrées constellées de sel ; ils venaient de pénétrer dans l'œil du cyclone et, en réalité, la tempête fonçait droit sur eux.

Le pire restait à venir.

Profitant des quelques heures dont il disposait, Morton convoqua le personnel d'entretien, les employés et tous les passagers valides. Il les divisa en groupes de travail, confiant aux uns le soin de réparer les avaries et à d'autres celui de renforcer les baies vitrées des étages inférieurs prêtes à céder. Tous se mirent héroïquement à la tâche et leurs efforts donnèrent rapidement des résultats : le niveau de l'eau diminua et les pompes commencèrent à compenser les fuites.

Morton savait qu'il ne s'agissait que d'un bref répit qui cesserait dès qu'ils sortiraient de l'œil de l'ouragan, mais il jugeait indispensable de maintenir le moral de tous en leur assurant qu'ils avaient une chance de s'en tirer, même si, pour sa part, il n'y croyait pas du tout.

Il regagna son bureau où il se mit à étudier la carte des côtes dominicaines ; il cherchait à estimer l'endroit où l'*Ocean Wanderer* risquait de s'échouer. Avec de la chance, le courant les emporterait jusqu'à l'une des nombreuses plages, mais la plupart étaient trop petites et certaines avaient même été gagnées sur le rocher afin d'aménager des piscines pour les hôtels. Le risque de heurter les récifs volcaniques vieux de millions d'années s'élevait selon lui à quatre-vingt-dix pour cent.

Impossible d'éviter l'horrible catastrophe, impossible d'évacuer les mille occupants d'un *Ocean Wanderer* battu par les flots, impossible de débarquer à terre avec des vagues gigantesques poussant l'hôtel vers les rochers.

Jamais il ne s'était senti si vulnérable, si impuissant. Il se frottait les yeux avec lassitude quand son opérateur radio déboula dans son bureau.

—Monsieur Morton, les secours arrivent ! cria-t-il.

— Un navire ?

— Non, monsieur, un hélicoptère.

La bouffée d'optimisme de Morton se dissipa aussitôt.

— Mais que voulez-vous qu'il fasse à lui tout seul ?

— Il va débarquer deux hommes sur le toit de l'hôtel, ils l'ont annoncé par radio.

— Impossible, lâcha Morton avant de se reprendre. Enfin c'est possible tant que nous nous trouvons dans l'œil de l'ouragan !

Plantant là l'opérateur radio, il s'engouffra dans l'ascenseur privé qui desservait le toit de l'hôtel. L'état des lieux fut rapide : ne restait du complexe sportif que la piscine ; et à la consternation s'ajouta le désespoir, quand il constata la disparition des canots de sauvetage.

Il découvrait le cœur de l'ouragan dans toute son étendue et resta pétrifié devant ce spectacle d'une splendeur dantesque. Puis, levant les yeux, il remarqua un hélicoptère couleur turquoise – on distinguait peint en majuscules sur son fuselage le mot NUMA – en vol stationnaire à quelques mètres au-dessus de l'hôtel ; deux hommes en combinaison turquoise et casque de protection se laissaient glisser le long d'un câble. Ils se posèrent sur le toit et se dégagèrent de leur harnais pour réceptionner deux gros colis emballés dans du plastique orange que descendait un autre filin ; ils les décrochèrent aussitôt et firent signe au pilote.

Un homme à bord de l'hélicoptère remonta les câbles et leva les pouces tandis que le pilote virait de bord et reprenait de l'altitude. Les deux visiteurs aperçurent Morton et s'approchèrent de lui avec leurs encombrants colis.

Le plus grand des deux ôta son casque, révélant une abondante chevelure noire et des tempes grisonnantes. Eclairant un visage buriné, des yeux verts aux reflets d'opale semblaient vriller leur regard jusqu'au cerveau de Morton.

— Voudriez-vous nous conduire auprès de M. Hobson Morton, dit-il d'une voix étrangement calme étant donné les circonstances.

— Je suis Morton. Qui êtes-vous et pourquoi êtes-vous ici ?

— Je m'appelle Dirk Pitt. Je suis directeur des Projets spéciaux de la NUMA. (Il se tourna vers l'homme de petite taille aux cheveux noirs et bouclés, aux épais sourcils – le descendant d'un gladiateur romain probablement – qui l'accompagnait.) Et voici mon directeur adjoint, Al Giordino. Nous sommes venus pour effectuer le remorquage de l'hôtel.

— On m'avait dit que les navires de la compagnie ne pouvaient pas quitter le port.

— Cela concerne les remorqueurs *Odyssée*, mais pas un navire de recherche de la NUMA.

Prêt à se raccrocher à n'importe quoi, Morton désigna l'ascenseur à Pitt et à Giordino et les guida jusqu'à son bureau.

— Pardonnez-moi la fraîcheur de cette réception, dit-il en leur offrant un siège. Personne ne m'a prévenu de votre arrivée.

— Nous n'avons guère eu le temps de nous préparer, répondit Pitt. Quelle est la situation ?

— Pas brillante, fit Morton en secouant la tête. Nos pompes arrivent tout juste à contenir les infiltrations, la structure du bâtiment risque de s'effondrer et, quand nous aurons heurté les récifs, ajouta-t-il avec un haussement d'épaules, ce sera la mort pour un millier de gens, y compris vous-mêmes.

— Il n'est pas question de heurter les récifs, déclara Pitt dont le visage s'était durci.

— Nous aurons besoin de tous vos hommes de

l'entretien, ils nous aideront à amarrer l'*Ocean Wanderer* à notre navire, enchaîna Giordino.

—Où est-il ? interrogea Morton, dubitatif.

—Le radar de notre hélicoptère l'a situé à moins de trente milles.

Morton regarda par la vitre les énormes tourbillons cernant l'œil de l'ouragan.

—Votre bateau n'arrivera jamais ici avant que l'ouragan ne se referme sur nous.

—Selon les estimations du Centre des ouragans de la NUMA, l'œil mesure soixante milles de diamètre et se déplace à vingt milles à l'heure. Donc, avec un peu de chance, c'est faisable.

—Deux heures pour arriver et une pour amarrer, précisa Giordino en jetant un coup d'œil à sa montre.

—Un sauvetage en mer, je crois, reprit Morton d'un ton très officiel, se décrète après discussion.

—Il n'y a rien à discuter, répliqua Pitt, agacé. La NUMA dépend du gouvernement des Etats-Unis ; elle se consacre à la recherche océanographique et n'est pas une société de sauvetage. En cas de succès, notre patron, l'amiral James Sandecker, ne vous demandera pas un *cent* pour le boulot.

—Juste un détail, intervint Giordino avec un sourire, il a un faible pour les cigares de luxe.

Morton dévisagea Giordino sans rien dire, complètement désarçonné par ces hommes tombés du ciel sans crier gare et qui lui annonçaient calmement leur intention de sauver l'hôtel et tous ses occupants.

—Messieurs, veuillez m'indiquer ce dont vous avez besoin, finit-il par dire en hochant la tête.

Le *Sea Sprite* refusait de mourir.

Il s'enfonçait au-delà de la limite où l'espoir restait possible ; il resta immergé en totalité quelques interminables secondes, dans une position qui semblait intenable. Puis lentement, péniblement, son étrave commença à remonter tout doucement vers la surface ; ses hélices qui battaient furieusement l'eau s'enfoncèrent alors dans les vagues et le poussèrent en avant et le navire jaillit enfin dans la fureur de l'ouragan, sa quille plongea, soumettant chaque plaque de sa coque au poids des tonnes d'eau qui ruisselaient sur les ponts.

La tempête s'était acharnée sur le vaillant petit navire qui, rassemblant une détermination quasi surhumaine, émergeait des eaux bouillonnantes.

Maverick, le visage blanc comme un linge, regardait les vagues par le pare-brise miraculeusement intact de la timonerie.

— Pénible, murmura-t-il avec le flegme d'un gentleman. Je ne pensais pas m'être engagé à bord d'un sousmarin.

Si le *Sea Sprite* avait encaissé un tel déchaînement sans sombrer, c'est qu'il avait été conçu au départ dans un acier plus épais que la moyenne pour résister aux assauts des hivers polaires et à la pression des glaces. Mais il ne s'en tirait pas indemne et il avait perdu ses canots de sauvetage à l'exception d'un seul.

Barnum constata avec stupéfaction que, Dieu sait comment, son système de communications avait survécu. Tout d'un coup, le soleil inonda la timonerie : le *Sea Sprite* venait de déboucher dans l'œil géant du cyclone *Lizzie* qui offrait le spectacle paradoxal d'un ciel bleu au-dessus d'une mer déchaînée.

Barnum regarda son officier de transmissions, Mason Jar, qui se cramponnait à la table des cartes comme s'il sortait d'une confrontation avec une armée de fantômes.

— Quand vous aurez retrouvé vos esprits, Mason, contactez l'*Ocean Wanderer* et dites que nous arrivons le plus vite possible.

Encore sonné par ce qu'il venait d'endurer, Jar acquiesça sans dire un mot et se dirigea d'un pas de somnambule vers la salle des transmissions.

Barnum se tourna vers l'écran radar et examina l'écho qui, il en était convaincu, signalait l'hôtel à vingt-six milles à l'est. Puis il programma sa route sur l'ordinateur et confia de nouveau les commandes au contrôle informatisé. Enfin il s'épongea le front avec un vieux foulard rouge en marmonnant :

— A supposer que nous arrivions avant qu'ils se fracassent sur les récifs, et après ? Nous n'avons pas de canots, de toute façon, les vagues les feraient chavirer. Et nous ne disposons pas d'un gros cabestan avec un câble solide.

— Triste perspective, conclut Maverick, que de regarder, impuissant, l'hôtel se fracasser sur les récifs avec tant de femmes et d'enfants à bord.

— Triste perspective en effet, soupira Barnum.

11

Heidi n'était pas rentrée chez elle depuis trois jours ; elle se contentait de petites siestes sur le divan de son bureau, buvait des litres de café noir et se nourrissait de sandwiches. Si elle évoluait comme une somnambule dans les couloirs du Centre des ouragans, ce n'était pas tant par manque de sommeil qu'à cause de l'angoisse qui l'étreignait devant une catastrophe titanesque inéluctable. Elle avait estimé très tôt la force terrifiante de *Lizzie* et tout de suite donné l'alerte mais elle éprouvait malgré tout un sentiment de culpabilité : elle aurait peut-être pu faire plus.

Elle étudiait fébrilement ses écrans de contrôle tandis que *Lizzie* fonçait vers la terre la plus proche.

Grâce aux alertes météo qu'elle avait lancées, plus de trois cent mille personnes avaient été évacuées vers les collines du centre de la République dominicaine et de sa voisine, Haïti. Malgré cela, les pertes seraient épouvantables. Heidi craignait en outre que la tempête ne virât au nord pour frapper Cuba avant de s'abattre sur le sud de la Floride.

Son téléphone se mit à sonner et elle souleva le combiné d'une main lasse.

— Pas de changement dans tes prévisions quant à la direction ? lui demanda son mari Harvey.

— Non, *Lizzie* fonce toujours droit vers l'est, comme sur des rails.

— Il est extrêmement rare qu'un ouragan parcoure des milliers de milles en ligne droite.

— Extrêmement rare. Sans précédent même. Tous les ouragans connus zigzaguaient.

— Donc, l'ouragan parfait ?

— Non, contesta Heidi. *Lizzie* est loin d'être parfaite. Je la cataloguerais plutôt comme un cataclysme d'une ampleur sans égale : une flottille entière de bateaux de pêche a déjà disparu ; huit navires – pétroliers, cargos ou yachts – ont cessé d'émettre. On ne reçoit plus leurs signaux de détresse : rien que le silence. Il faut nous attendre au pire.

— Et l'hôtel flottant ?

— D'après les derniers rapports, ses amarres ont cédé et la tempête le pousse vers les récifs de la côte dominicaine. L'amiral Sandecker a envoyé des navires de recherche de la NUMA pour tenter de le remorquer.

— Ça m'a l'air sans espoir.

— J'ai peur que nous n'ayons à faire face à une catastrophe maritime sans précédent, soupira Heidi.

— Si tu soufflais un peu ? Si tu passais un moment à la maison ? J'ai préparé un bon petit dîner.

— Je ne peux pas, Harley. Pas maintenant. Pas avant d'en savoir plus sur ce que nous réserve *Lizzie*.

— Ça prendra peut-être des jours, voire des semaines.

— Je sais, murmura Heidi. C'est ce qui m'effraie. Si cette violence ne s'atténue pas en passant au-dessus de la République dominicaine et de Haïti, elle heurtera le continent de plein fouet.

Summer avait six ans quand sa mère lui avait appris à plonger ; sa fascination pour la mer ne l'avait pas quittée depuis. On lui avait fabriqué des bouteilles et un régulateur d'air sur mesure et, comme son frère Dirk, elle avait suivi les leçons des meilleurs moniteurs. Elle était devenue une vraie créature de la mer dont elle étudiait les habitants, les caprices et les sautes d'humeur. Elle avait nagé dans le calme de ses eaux bleues, elle en avait découvert la force colossale lors d'un typhon dans le Pacifique. Mais, comme une femme mariée depuis vingt ans à un homme et qui soudain découvre chez lui un affreux côté sadique, elle constatait tout d'un coup combien la mer pouvait être cruelle et malfaisante.

Assis à l'avant du *Poisson,* le frère et la sœur regardaient par la grosse bulle transparente les eaux qui tourbillonnaient au-dessus d'eux. Seule, la lisière de l'ouragan déferlait sur le banc de la Navidad, aussi sa fureur semblait-elle lointaine ; mais quand sa violence s'accentua, il devint vite évident que leur petit habitat douillet courait de graves dangers et qu'il n'était pas préparé à les affronter.

Les vagues passaient sans mal au-dessus d'eux, installés à douze mètres de profondeur, mais quand elles prirent des dimensions impressionnantes et que les creux atteignirent le fond de la mer, le *Poisson* se trouva exposé au martelage incessant des énormes lames. La station était construite pour supporter la pression des profondeurs et sa coque d'acier repoussait sans problème les assauts des vagues. Mais l'incroyable force exercée sur le *Poisson* ne tarda pas à le déplacer ; les quatre pieds qui le soutenaient n'étaient reliés à aucune base, chacun ne reposant que sur quelques centimètres carrés de corail. Seule la masse du *Poisson* – soixante-cinq tonnes – empêchait l'habitat d'être soulevé et projeté contre le récif.

C'est à ce moment-là que les énormes vagues qui s'étaient succédé sur le *Sea Sprite,* à seulement vingt milles de là, vinrent frapper le banc de la Navidad, broyant impitoyablement les coraux et faisant voler la délicate infrastructure en millions de petits éclats. La première frappa le *Poisson* sur le flanc et le fit rouler comme un tonneau sur un désert rocailleux. Les occupants eurent beau se cramponner de toutes leurs forces, ils furent violemment secoués.

Leur habitat fut projeté à plus de deux cents mètres avant de s'immobiliser dans un équilibre précaire au bord d'une étroite crevasse de corail dans laquelle la vague suivante, aussi monstrueuse, le poussa. Le *Poisson* chuta sur plus d'une trentaine de mètres, heurtant les parois de corail, et toucha le fond dans un grand jaillissement de particules de sable. Il atterrit sur son flanc droit et resta coincé entre les parois de la crevasse. A l'intérieur, tout ce qui n'était pas attaché – vaisselle, provisions, matériel de plongée, literie, vêtements – s'était répandu partout.

Sans se soucier d'une cheville foulée et d'une douzaine de meurtrissures, Dirk rampa aussitôt vers sa sœur roulée en boule entre leurs couchettes renversées. Il lut la frayeur dans ses grands yeux gris, pour la première fois depuis qu'ils étaient en âge de marcher. Il prit doucement sa tête entre ses mains et parvint à sourire.

—Eh bien, quelle secousse !

Elle le regarda, vit son sourire courageux et prit une profonde inspiration.

—Je n'ai pas arrêté de penser que nous étions nés ensemble et que nous mourrions ensemble.

—Toujours optimiste ! Nous aurons encore soixante-dix ans au moins pour nous taquiner. Tu es blessée ? reprit-il avec inquiétude.

—Je me suis coincée sous les couchettes, dit-elle en secouant la tête, et je n'ai pas été trimbalée aussi violemment que toi. (Puis elle regarda par la vitre.) Et l'habitat ?

—Toujours solide au poste et étanche. Aucune vague si gigantesque soit-elle ne pourrait briser le

Poisson. L'acier de son enveloppe fait dix centimètres d'épaisseur.

— Et l'ouragan ?

— Toujours déchaîné, mais ici nous sommes en sûreté. Les vagues passent au-dessus du canyon sans causer de turbulences.

— Mon Dieu, quel fatras, bougonna-t-elle en regardant autour d'elle.

Rassuré sur l'état de sa sœur, Dirk partit inspecter les respirateurs artificiels. Summer, de son côté, commença à ramasser les débris. Impossible de tout remettre en place puisque l'habitat gisait sur le côté ; elle se contenta donc de faire des piles régulières et de disposer des couvertures sur tout ce qui dépassait des instruments : robinets, jauges et appareillages. Curieux effet que d'évoluer dans un environnement qui avait pivoté de quatre-vingt-dix degrés.

Elle se sentait un peu rassurée puisqu'ils avaient, jusqu'à présent, survécu. L'ouragan ne pouvait plus rien contre eux, réfugiés dans leur gouffre de corail aux parois abruptes où ne parvenaient ni les hurlements du vent ni les rafales. Ils attendraient à l'abri le moment où le *Sea Sprite* reviendrait après avoir bravé l'ouragan. Et puis que craindrait-elle auprès de ce frère qui avait hérité le courage et la vigueur d'un héros de légende, leur père.

Mais elle ne trouva pas sur son visage l'expression confiante à laquelle elle s'attendait quand il vint s'asseoir auprès d'elle en palpant ses membres endoloris.

— Tu as l'air sinistre, dit-elle. Qu'est-ce qu'il y a ?

— La chute dans la crevasse a arraché les canalisations reliant nos bouteilles d'air au respirateur. D'après les jauges de pression, les quatre réservoirs intacts ne nous fourniront que quatorze heures d'air avant d'être à sec.

— Et les bouteilles de plongée qu'on a laissées dans le sas d'entrée ?

— A l'intérieur il n'y a que celle dont il faut réparer la valve, et elle contient à peine quarante-cinq minutes d'air pour nous deux.

— Nous pourrions nous en servir pour sortir et rapporter les autres, suggéra Summer. Ensuite nous attendrons un jour ou deux que la tempête s'apaise, nous quitterons le *Poisson* et nous remonterons à la surface avec le canot gonflable jusqu'à ce qu'on vienne nous repêcher.

— La mauvaise nouvelle, déclara-t-il en secouant gravement la tête, c'est que nous sommes piégés. Le panneau du sas d'entrée est coincé contre le corail. Il faudrait de la dynamite pour l'ouvrir suffisamment afin de nous glisser dehors.

— Notre sort est donc entre les mains du capitaine Barnum, conclut Summer en poussant un profond soupir.

— Il pense à nous, j'en suis sûr. Il ne nous oubliera pas.

— Il faudrait l'informer de notre situation.

Dirk se redressa et posa ses mains sur ses épaules.

— La radio s'est brisée quand nous avons plongé dans la crevasse.

— Nous lâcherons notre balise Argos ; ils sauront que nous sommes en vie, suggéra-t-elle encore.

— Elle était montée sur le côté de l'habitat qui a heurté le fond. Elle doit être en miettes. Même si elle avait tenu le coup, pas moyen de la larguer, expliqua-t-il d'une voix douce.

— Ils vont avoir du mal à nous retrouver au fond de la crevasse, poursuivit-elle, un peu tendue.

— Tu peux compter sur Barnum pour envoyer tous les canots et rameuter tous les plongeurs ; il leur fera balayer les récifs.

— A t'entendre, on croirait que nous avons assez d'air pour tenir des jours et non quelques heures seulement.

— Ne t'inquiète pas, assura Dirk. Pour l'instant nous sommes à l'abri de la tempête et, dès l'instant où la mer se calmera, l'équipage du *Sea Sprite* fondra sur nous comme une bande d'ivrognes sur une caisse de scotch tombée d'un camion. Après tout, ajouta-t-il, nous sommes leur première priorité.

12

Pour l'instant, Barnum ne se souciait pas du *Poisson* et de ses deux occupants ; sanglé dans son fauteuil, il ne quittait pas des yeux l'écran radar. Les vagues étaient passées de gigantesques à énormes. Avec une régularité d'horloge, elles dévalaient en formation sur le *Sea Sprite* et le projetaient vers le ciel puis vers le fond dans un mouvement continu qui devenait monotone. La crête et le creux n'étaient plus distants que d'une douzaine de mètres, comme si la mer avait admis qu'elle n'avait pas réussi, malgré tous les coups qu'elle lui avait assenés, à anéantir le navire.

Les heures s'écoulaient et le *Sea Sprite* avançait aussi vite que Barnum osait le pousser. Lui, d'ordinaire affable et plein d'humour, contemplait avec un détachement glacial la tâche désespérée qu'il devait affronter. Il ne voyait aucun moyen de fixer une amarre sur l'*Ocean Wanderer*. La grande grue de son câble de remorquage gros comme le bras avait été démontée lorsqu'on avait transformé le *Sea Sprite* en navire océanographique de la NUMA. Il ne disposait plus maintenant que d'un treuil sur la plage arrière pour mettre à l'eau et remonter les engins d'exploration en profondeur, tout à fait insuffisant, en tout cas, pour remorquer un tonnage supérieur à celui d'un cuirassé.

Le regard de Barnum essayait de percer les rideaux de pluie qui battaient le pare-brise.

—Nous le verrions certainement sans cette bouillasse, bougonna-t-il.

—A moins de deux milles, d'après le radar, confirma Maverick.

Barnum passa dans la salle des transmissions et
demanda à Mason Jar :

—Aucun message de l'hôtel ?

—Rien, capitaine. Silencieux comme une tombe.

—Mon Dieu, j'espère que nous n'arrivons pas trop
tard.

—Je préfère ne pas y penser.

—Essayez de les contacter par satellite.

—Laissez-moi d'abord tenter la radio marine, capitaine. A cette distance, il y a moins d'interférences et
l'hôtel doit être pourvu d'un équipement extrêmement
sophistiqué pour communiquer avec les autres navires
quand on le remorque comme une péniche.

—Branchez-moi sur les haut-parleurs de la passerelle pour que je puisse leur parler s'ils se manifestent.

—Bien, capitaine.

Juste au moment où Barnum regagnait la timonerie,
il entendit la voix de Jar dans les haut-parleurs.

—*Ocean Wanderer,* ici le *Sea Sprite.* Nous sommes
à deux milles au sud-est ; nous approchons. Répondez,
je vous prie.

Il y eut un crépitement de parasites puis une voix
retentit dans les haut-parleurs.

—Paul, prêt à te mettre au boulot ?

En raison des interférences, Barnum ne reconnut pas
tout de suite la voix. Il décrocha la radio de la passerelle
et demanda :

—Qui me parle ?

—Ton vieux camarade de bord, Dirk Pitt. Je suis sur
place, à l'hôtel, avec Al Giordino.

—Au nom du ciel, s'exclama Barnum abasourdi,
comment se fait-il que vous vous retrouviez tous les

deux sur un hôtel flottant au beau milieu d'un hurricane ?

—Ça se présentait si bien que nous n'avons pas
voulu manquer ça.

—Tu sais que nous n'avons pas l'équipement pour
remorquer le *Wanderer*.

—Tout ce que je te demande, ce sont tes grosses
machines.

Son expérience de la NUMA avait enseigné à Barnum que Pitt et Giordino ne se trouvaient jamais
quelque part sans de bonnes raisons.

—Quelle idée tordue as-tu derrière la tête ?

—Nous avons déjà formé des équipes pour nous
aider à utiliser les amarres de l'hôtel comme câbles de
remorque. Quand tu les auras remontées à bord du *Sea
Sprite*, tu les réuniras et tu les fixeras à ton cabestan
arrière.

—Ton plan est complètement dingue, lâcha Barnum, incrédule. Comment comptes-tu diriger jusqu'à
mon navire des tonnes de câbles qui traînent au fond de
la mer au milieu d'un ouragan ?

Il y eut un silence et, quand la réponse arriva,
Barnum crut deviner le sourire diabolique de Pitt.

—Nous avons de sérieux espoirs.

La pluie diminuant, la visibilité passa de deux cents
mètres à près d'un mille. Soudain l'*Ocean Wanderer*
surgit dans la tempête droit devant.

—Mon Dieu, regardez-moi ça, s'exclama Maverick.
On dirait une cascade de verre dans un conte de fées.

L'hôtel se détachait, magnifique, sur fond de vagues
déchaînées qui semblaient l'escorter.

—Que c'est beau, murmura une blonde, petite et
menue, spécialiste en chimie marine. Je ne m'attendais
pas à une architecture aussi inventive.

—Moi non plus, reconnut un de ses collègues.

Barbouillé d'embruns, on pourrait le prendre pour un
iceberg.

Barnum braqua ses jumelles sur l'énorme masse qui
oscillait sous les coups de boutoir des vagues.

— On dirait que le toit a été balayé par l'ouragan.

— C'est un miracle qu'il ait tenu le coup, murmura
Maverick.

Barnum abaissa ses jumelles.

— Manœuvre pour présenter notre arrière au vent.

— Quand nous aurons essuyé d'autres vagues pour
nous mettre en position de recevoir un câble
d'amarrage, capitaine, qu'est-ce qu'on fera ?

Barnum contempla l'*Ocean Wanderer* d'un air pensif.

— On attendra, articula-t-il lentement. On attendra
de voir ce que Pitt nous tire de sa manche quand il aura
sorti sa baguette magique.

Entouré de Giordino, de Morton et d'Emlyn Brown,
Pitt étudiait les plans détaillés des câbles d'amarrage
que lui avait fournis Morton.

— Il va falloir haler les câbles pour connaître leur
longueur avant qu'ils aient été sectionnés.

— Nous avons déjà remonté ce qui restait, dit Emlyn
Brown. Je craignais que, en se coinçant dans les
rochers, ils ne fassent pivoter l'hôtel.

— A quelle distance depuis leur point d'attache les
câbles trois et quatre ont-ils cassé ?

— Ce n'est qu'une estimation, mais je dirais qu'ils
ont claqué à deux cents, peut-être deux cent vingt
mètres du point d'amarrage.

Il se tourna vers Giordino.

— Ça ne laisse pas à Barnum une marge de manœuvre suffisante. Et si jamais l'*Ocean Wanderer* devait
couler, l'équipage de Barnum n'aurait pas le temps de

couper le câble. Le *Sea Sprite* serait entraîné au fond avec l'hôtel.

—Connaissant Paul, commenta Giordino, je suis sûr qu'il n'hésitera pas à prendre le risque quand il y a tant de vies en jeu.

—Dois-je comprendre que vous avez l'intention d'utiliser les câbles d'amarrage pour le remorquage ? intervint Morton. On m'avait dit que votre navire de la NUMA était un remorqueur de haute mer.

—Il l'était autrefois, répondit Pitt. Mais plus maintenant. De brise-glace, on l'a transformé en navire de recherche. La grande grue et le câble de remorque ont été enlevés quand on l'a réaménagé. Il ne dispose plus que d'un treuil pour haler des engins submersibles. Il va falloir improviser avec ce que nous avons.

—Alors à quoi nous sert-il ? interrogea Morton avec agacement.

—Faites-moi confiance, fit Pitt en le regardant droit dans les yeux. Occupons-nous d'accrocher le câble, les machines du *Sea Sprite* sont assez puissantes pour remorquer cet hôtel.

—Comment allez-vous amener les bouts de câble jusqu'au *Sea Sprite* ? insista Brown. Une fois déroulés, ils tomberont au fond.

—On va les faire flotter, répliqua Pitt.

—Flotter ?

—Vous devez bien avoir à bord des barils de deux cents litres.

—Très habile, monsieur Pitt. Je vois où vous voulez en venir, dit Brown d'un air songeur. Nous en avons pas mal, ils contiennent du carburant pour les générateurs, de l'huile pour la cuisine ou du savon liquide pour la toilette du personnel.

—Nous utiliserons autant de barils vides que vous pourrez en rassembler.

Brown se tourna vers quatre de ses hommes.

—Rassemblez-moi tous les barils vides et videz les autres le plus vite possible.

—Tandis que vos gens dérouleront les câbles, expliqua Pitt, vous y attacherez un baril tous les six mètres. Ainsi les câbles flotteront et nous les halerons jusqu'au *Sea Sprite*.

—Considérez, fit Brown, que c'est chose faite…

—Si quatre de nos câbles ont lâché précédemment, interrompit Morton, qu'est-ce qui vous fait croire que ces deux-là vont tenir ?

—D'abord, expliqua patiemment Pitt, la tempête s'est considérablement apaisée. Les longueurs seront plus courtes et donc soumises à une tension moindre. Ensuite, nous remorquerons l'hôtel par sa plus petite largeur. Quand il était amarré, c'est tout le devant qui a subi les assauts de la tempête.

Sans attendre les observations de Morton, Pitt se retourna vers Brown.

—J'aurai besoin d'un bon mécanicien pour épisser les extrémités des câbles de façon qu'on puisse les attacher ensemble quand on les aura passés au cabestan du *Sea Sprite*.

—Je m'en charge, déclara Brown. J'espère, reprit-il, que vous avez un plan pour transporter les câbles sur le bateau de la NUMA ? Ils ne vont pas flotter tout seuls, certainement pas par une mer pareille.

—Ça, répondit Pitt, c'est la partie amusante. Il va nous falloir quelques dizaines de mètres de cordage, de préférence pas trop gros et qui tienne le coup, un câble d'acier par exemple.

—J'ai deux rouleaux de cent cinquante mètres Falcron au magasin. C'est un cordage mince, finement tissé, léger et capable de soulever un char Patton.

—Attachez à chaque extrémité du câble deux cents mètres de fil Falcron.

—Je comprends l'intérêt du Falcron pour haler les

câbles jusqu'à votre navire, mais comment comptez-vous les apporter là ?

Pitt et Giordino échangèrent un regard entendu.

— Ce sera notre boulot, répondit Pitt avec un grand sourire.

— J'espère que ça ne sera pas trop long, fit Morton en désignant la baie vitrée. Le temps, c'est ce qui nous manque le plus.

Comme les spectateurs d'un match de tennis, toutes les têtes se tournèrent d'un même mouvement vers le rivage menaçant, distant d'à peine deux milles. Aussi loin que portait le regard, un ressac sans fin battait une ceinture de récifs interminable.

Installé dans un coin de l'hôtel, Pitt étala sur le sol le contenu de l'un des deux gros paquets. Il commença par enfiler sa combinaison de plongée en mer chaude qui laissait les bras et les jambes dégagés et lui donnait une plus grande liberté de mouvement. Puis il se munit de son compensateur de flottaison et de son masque de plongée, passa sa ceinture de lest et vérifia l'arrivée d'air.

Ensuite il s'assit pour que les hommes de la maintenance l'aident à endosser un respirateur à recyclage d'air. Puis il vérifia son système de communication sous-marin avec un récepteur fixé à la courroie de son masque.

— Al, tu m'entends ?

Occupé à effectuer la même procédure à l'autre extrémité de l'hôtel, Giordino répondit d'une voix un peu étouffée :

— Parfaitement.

— Tu m'as l'air anormalement cohérent.

— Si tu me casses les pieds, je démissionne et je vais m'installer au bar.

— Prêt quand tu le seras, répondit Pitt en souriant.

— A ta disposition.

— Monsieur Brown ?

—Oui.

—Postez vos gens auprès des treuils ; au signal laissez filer les câbles et les barils.

De la salle où étaient montés les treuils actionnant les grands câbles d'amarrage, Brown répondit :

—Paré.

—Croisez les doigts, recommanda Pitt en enfilant ses palmes.

—Dieu vous bénisse, les gars, et bonne chance, répondit Brown.

Pitt fit signe à l'un des hommes de Brown planté auprès du rouleau de Falcron, qui insistait pour qu'on l'appelle « Machin ».

—Laissez filer doucement. A la moindre tension, donnez tout de suite du mou pour ne pas freiner ma progression.

—J'irai très doucement, lui assura Machin.

Pitt appela alors le *Sea Sprite.*

—Paul, tu es prêt à ramasser les câbles ?

—Dès que tu me les enverras, répondit calmement Barnum.

—Nous ne pouvons haler que soixante mètres de filin sous l'eau. Il va falloir que tu te rapproches.

Pitt et Barnum savaient qu'il suffirait par une mer pareille d'une seule vague monstrueuse pour précipiter le *Sea Sprite* contre l'hôtel et les envoyer tous les deux par le fond.

Barnum n'hésita pourtant pas à prendre le risque.

—D'accord, allons-y.

Pitt lança une boucle du filin par-dessus son épaule comme un harnais. Puis il essaya de pousser la porte donnant sur un petit balcon à six mètres au-dessus de l'eau, mais la violence du vent qui soufflait de l'autre côté l'en empêchait. Avant même qu'il ait eu le temps de demander de l'aide, l'homme de la maintenance était à ses côtés.

Ils pesèrent de tout leur poids contre la porte. Dès l'instant où elle s'entrebâilla, le vent s'engouffra par l'ouverture et la plaqua contre les taquets. L'homme de la maintenance fut rejeté dans le magasin comme par une catapulte.

Pitt réussit à rester debout mais quand, levant les yeux, il aperçut une énorme vague qui déferlait sur lui, il sauta immédiatement par-dessus la balustrade et plongea dans l'eau.

Le pire de la tempête était passé. L'œil de l'ouragan avait disparu depuis des heures et l'*Ocean Wanderer,* Dieu sait comment, avait survécu à la fureur de *Lizzie.* Les vents étaient tombés à quarante nœuds et les creux à huit ou dix mètres. La mer restait forte mais bien moins qu'auparavant. Le hurricane *Lizzie* s'était déplacé vers l'ouest, pour continuer à semer mort et destruction sur la République dominicaine et Haïti avant de déferler sur la mer des Caraïbes.

Chaque nouvelle minute semblait rapprocher le ressac ; l'hôtel avait dérivé suffisamment près pour que les clients et les employés voient les embruns projetés dans le ciel et la houle se brisant sur les falaises. La mort attendait à un mille de là, et l'*Ocean Wanderer* dérivait rapidement. Tous les regards scrutaient le *Sea Sprite* distant seulement de quelques centaines de mètres et qui flottait dans les creux comme un gros canard.

Enveloppé de la tête aux pieds dans son ciré jaune, Barnum bravait les rafales de pluie qui balayaient l'arrière de son navire et restait planté au pied de la grue. Il se remémorait l'énorme treuil qui se trouvait autrefois sur le pont et regrettait les services qu'il aurait pu rendre. Tant pis, il fixerait le câble manuellement.

Quatre hommes étaient, comme lui, sanglés à la balustrade pour ne pas être précipités par-dessus bord ; ils regardaient Pitt et Giordino disparaître sous les vagues. De sa place, il devinait seulement les hommes cramponnés devant les portes ouvertes battues par la tempête et qui délivraient peu à peu le filin aux plongeurs aux prises avec la houle.

— Envoyez deux filins avec des bouées, ordonna-t-il, et préparez les grappins.

Barnum priait le ciel de ne pas avoir à les utiliser pour repêcher les plongeurs au cas où ils perdraient connaissance ou ne parviendraient pas à grimper sur la plage arrière du bateau. Impossible de distinguer Pitt et Giordino dans ces eaux tourbillonnantes et inutile de chercher à repérer les bulles de leur respirateur puisque, avec leur système de recyclage, ils n'expulsaient pas l'air.

— Stoppez les machines, ordonna-t-il à son chef mécanicien.

— Vous avez bien dit : stoppez les machines, capitaine, demanda-t-on depuis la salle des machines.

— Oui, des plongeurs apportent les câbles. Il faut laisser les vagues nous rapprocher à deux cents mètres et réduire la distance pour qu'ils puissent nous atteindre, expliqua Barnum avant de braquer ses jumelles vers la côte hérissée d'écueils ; elle se rapprochait avec une rapidité terrifiante.

Pitt nagea une trentaine de mètres puis fit brièvement surface pour s'orienter. L'*Ocean Wanderer* se dressait comme un gratte-ciel de Manhattan. Quant au *Sea Sprite,* Pitt ne l'apercevait que quand il arrivait à la crête d'une vague. Le navire roulait dans les creux à un mille de là, semblait-il, mais en réalité à moins de cent mètres. Il nota sa position sur sa boussole et replongea.

Mais plus le filin s'allongeait, plus la charge que Pitt avait à traîner s'alourdissait ; il dut alors, pour offrir le moins de résistance possible à l'eau, garder la tête baissée et les mains nouées derrière son dos sous le respirateur.

Il s'efforçait de rester à une profondeur suffisante au-dessous des creux pour ne pas être entravé par la houle. Plus d'une fois, il se trouva désorienté, mais d'un bref coup d'œil à sa boussole, il retrouvait le cap. Il battait des palmes de toute la force de ses jambes, tirant obstinément le filin qui s'enfonçait dans son épaule.

Ses muscles douloureux commençaient à ralentir Pitt qui se sentait un peu étourdi à force d'avaler trop d'oxygène ; son cœur battait à tout rompre et il avait le souffle de plus en plus court. Mais il n'osait pas s'arrêter pour se reposer de crainte que le courant ne lui fasse perdre les quelques mètres qu'il avait parcourus. Au bout de dix minutes d'efforts désespérés, toujours déterminé mais à bout, il se mit à nager avec les mains et les bras pour soulager ses jambes qui s'engourdissaient.

Il se demanda si Giordino était dans le même état mais il savait qu'Al mourrait avant de renoncer ; d'ailleurs, il était bâti comme un taureau et si quelqu'un pouvait traverser une mer déchaînée avec une main liée derrière le dos, c'était bien Al.

Pitt ne voulut pas gaspiller son souffle, aussi ne s'enquit-il pas par radio de l'état de son ami et, puisant dans ses dernières réserves, il chassa ses idées défaitistes ; un nouveau coup d'œil à sa boussole lui apprit que, par bonheur, il ne s'était pas laissé déporter par le courant et avait réussi à tenir le cap en direction du *Sea Sprite*.

Pourtant l'effort exigé commençait à avoir raison de Pitt quand il entendit une voix prononcer son nom.

— Continue, Dirk, criait Barnum dans son casque. Je t'aperçois sous l'eau. Refais surface maintenant et regarde à gauche !

A moins de trois mètres de lui flottait une bouée orange reliée par un cordage au *Sea Sprite*. Pitt nagea les cinq ultimes brasses au-delà desquelles il n'aurait pu continuer et, avec un immense soulagement, il se détendit enfin en s'abandonnant à la manœuvre salvatrice de Barnum et de ses hommes qui le tiraient vers l'arrière du bateau ; grâce à un grappin précautionneusement accroché au cordage, ils le halèrent ensuite jusqu'au pont.

Pitt leva les mains et Barnum se saisit de la boucle du filin accroché à son épaule pour l'attacher au treuil avec celui de Giordino. Deux hommes d'équipage débarrassèrent Pitt de son embout et de son masque. Aspirant l'air salin à pleins poumons, il aperçut devant lui le visage souriant de Giordino.

— Quel lambin, murmura son ami encore épuisé. J'avais parié que tu arriverais deux bonnes minutes plus tôt.

— J'ai déjà de la chance d'être ici, souffla Pitt entre deux hoquets.

Désormais simples spectateurs, ils s'affalèrent en attendant de retrouver une respiration normale. Barnum donna le signal à Brown et les barils de deux cents litres commencèrent à jaillir à la surface et le câble solidaire de ces flotteurs à se dérouler comme les anneaux d'un serpent. Cinq minutes plus tard, les premiers barils heurtaient la coque. Le treuil les hala sur la plage arrière avec les extrémités des deux câbles. L'équipage attacha les deux extrémités aux œilletons noués par Brown puis, aidé de Pitt et de Giordino remis de leurs épreuves, les enroula autour de la grosse bitte d'amarrage montée devant le treuil.

— *Ocean Wanderer*, prêt pour le remorquage ? interrogea Barnum.

— Plus que jamais, répondit Brown.

— Prêt dans la chambre des machines ? lança Barnum à son chef mécanicien.

— A vos ordres, capitaine, répondit une voix au fort accent écossais.

Puis, s'adressant à son second dans la timonerie :

— Monsieur Maverick, je vais prendre les commandes.

— A vos ordres, capitaine.

Barnum, encadré par Pitt et Giordino, se planta devant une console montée à l'avant du gros treuil, jambes écartées, l'air déterminé. Empoignant les deux leviers chromés, il les tira doucement tout en se tournant pour regarder l'hôtel qui se dressait comme un géant devant le petit navire de recherche.

Indifférents à la pluie, retenant leur souffle, les membres de l'équipage s'étaient massés sur la passerelle volante qui dominait les vagues pour observer l'*Ocean Wanderer*. Les deux puissants moteurs magnéto-hydrodynamiques produisaient une formidable poussée qui pompait l'eau par des propulseurs pour faire avancer le navire. A la place de l'habituelle masse bouillonnante d'eau verte jaillissant sous l'arrière, deux flots jumeaux tourbillonnaient dans l'eau, sortes de tornades horizontales.

Le *Sea Sprite* frémit sous l'effort ; l'arrière s'enfonça et se mit à zigzaguer, mais Barnum, en réglant aussitôt l'angle des propulseurs, le redressa. Pendant quelques minutes interminables, il ne se passa rien : l'hôtel semblait poursuivre obstinément sa course vers un naufrage inéluctable.

Sur la plage arrière on ne sentait plus ses pieds à cause des vibrations des diesels, les pompes alimentant les propulseurs hurlaient lugubrement, et Barnum, les mains crispées sur les manettes, s'inquiétait de l'intensité de l'effort que trahissaient jauges et cadrans.

— Je ne sais pas jusqu'où les machines peuvent tenir, cria Barnum au-dessus des rafales de vent et de la plainte des machines.

— Poussez-les à fond, répliqua froidement Pitt. Si elles sautent j'en prends la responsabilité.

Barnum, en tant que capitaine, détenait l'autorité à bord, mais Pitt occupait dans la hiérarchie de la NUMA un rang bien supérieur.

— C'est facile à dire, protesta Barnum. Mais si les machines sautent on se retrouve tous sur les rochers.

— Nous nous occuperons de cela le moment venu. (La situation à bord du *Sea Sprite*, il le savait, empirait à chaque seconde.) Vas-y ! lança Pitt au *Sprite*. Vas-y, tu en es capable !

Les passagers de l'hôtel, anxieux, regardaient les vagues se briser sur les récifs à quelques encablures de là, et la panique s'empara d'eux quand une violente secousse ébranla soudain l'édifice dont la base venait de racler le fond de la mer. Personne pourtant ne bougea comme lors d'un incendie ou d'un tremblement de terre. Où se réfugier ? Nulle part. Sauter à l'eau signifiait une mort horrible soit en se noyant soit en se fracassant sur les récifs de lave noire.

Les passagers, que Morton tentait de rassurer, ne prêtaient guère attention à ses propos. Il est vrai qu'il suffisait de regarder par les baies vitrées pour plonger dans l'effroi les cœurs les plus résolus. Les enfants lisaient la peur sur le visage de leurs parents et se mettaient à pleurer. Les femmes hurlaient, sanglotaient, ou restaient pétrifiées. Les hommes, pour la plupart, gardaient le silence, serrant dans leurs bras ceux qu'ils aimaient en essayant de paraître braves.

Les vagues se brisaient plus bas sur les rochers dans des roulements de tonnerre qui, pour beaucoup, retentissaient comme les tambours accompagnant un convoi funèbre.

Dans la timonerie, Maverick surveillait avec angoisse les chiffres rouges de l'indicateur de vitesse qui semblaient figés sur le zéro ; le repère du cadran du

GPS qui, à quelques mètres près, enregistrait la position exacte du système ne bougeait pas non plus. Seul l'anémomètre délivrait une infime lueur d'espoir : au cours de la demi-heure précédente, le vent avait faibli de façon significative.

—Enfin, murmura Maverick.

Il revint alors au GPS, les indications avaient changé. Il se frotta les yeux pour s'assurer qu'il n'était pas victime d'une hallucination ; mais non, les chiffres défilaient, lentement. Puis il se tourna vers l'indicateur de vitesse : il variait entre zéro et un nœud.

Il n'osait plus bouger de peur que ne s'évanouissent ces oscillations qu'il ne voyait que parce qu'il les espérait tant. Mais l'indicateur de vitesse ne mentait pas : si peu que ce fût, l'aiguille se déplaçait vers l'avant.

Maverick saisit un porte-voix et se précipita sur la passerelle volante.

—Ça y est ! cria-t-il fou d'excitation. On a bougé !

Personne ne réagit car, à l'œil nu, l'affirmation de Maverick n'était pas vérifiable. Puis, quelques interminables minutes après, Maverick lança :

—Un nœud ! Nous avançons à un nœud !

Il ne rêvait pas : la distance qui séparait l'*Ocean Wanderer* du rivage augmentait, lentement mais sûrement.

Le *Sea Sprite* avançait grâce à des machines qu'on faisait tourner bien au-delà des limites jamais imaginées par les ingénieurs. Sur la plage arrière, les regards avaient abandonné la côte menaçante pour fixer le cabestan et les gros câbles d'amarrage grinçant et gémissant sous l'effort. En effet, s'ils se brisaient, le spectacle était terminé ; plus question de sauver l'*Ocean Wanderer* et tous ceux qui s'entassaient derrière ses parois vitrées.

Mais, Pitt avait vu juste, les gros câbles tenaient le coup.

Presque imperceptiblement, le *Sea Sprite* atteignit une vitesse de deux nœuds, son étrave fendant l'eau dans un jaillissement d'embruns qui balayaient toute sa longueur. Ce fut seulement après avoir remorqué l'hôtel à près de deux milles des récifs que Barnum diminua la pression pour soulager les machines. Mètre après mètre, le danger diminuait et l'on eut enfin la certitude qu'une catastrophe majeure avait été évitée.

*
* *

L'équipage du *Sea Sprite* répondit aux vivats des occupants de l'*Ocean Wanderer* qui, derrière les parois vitrées, manifestaient leur joie. A la frayeur succéda le délire. Morton fit ouvrir les caves et bientôt dans tout l'hôtel on sabra le champagne. Les passagers et le personnel l'avaient promu homme du jour.

Echappant à cette joyeuse agitation, il regagna son bureau et se mit à envisager son avenir. Il regretterait beaucoup son poste de directeur de l'*Ocean Wanderer*, mais il ne supporterait plus la moindre relation avec le Spectre. Il ne pouvait pas travailler pour un homme capable d'abandonner des gens dont il avait la responsabilité.

Son rôle dans ce drame, dès l'instant où il serait connu, lui vaudrait d'être demandé par toutes les chaînes d'hôtels. Mais le problème n'était pas là; Morton voulait faire connaître la vérité.

Pas besoin d'être Nostradamus pour prévoir que le Spectre, dès qu'il serait certain du dénouement heureux, ordonnerait à sa clique des relations publiques de diffuser des communiqués, d'organiser des conférences de presse et des émissions de télévision où prévaudrait sa propre version des événements: comment lui, le Spectre, avait dirigé le sauvetage et comment il avait sauvé le célèbre hôtel et tous ses occupants.

Morton décida de profiter des circonstances pour prendre les devants; les téléphones fonctionnant de nouveau normalement, il appela un vieux camarade de collège à la tête d'une agence de relations publiques à Washington: il lui raconta l'incroyable épopée, rendit hommage à la NUMA et aux hommes qui avaient réussi le remorquage et salua au passage les courageuses interventions d'Emlyn Brown et de son équipe. Quant à son propre comportement dans cette affaire, Morton le traita sans la moindre modestie.

Quarante-cinq minutes plus tard, il reposa le combiné, croisa ses mains derrière sa tête et se mit à sourire. Bien sûr, le Spectre allait contre-attaquer. Mais dès l'instant où le récit de Morton et celui des passagers se répandraient dans les médias, sa riposte perdrait de son impact.

Il but une dernière coupe de champagne et ne tarda pas à s'endormir.

— Fichtre, on l'a échappé belle, murmura Barnum.

— Beau travail, Paul, le félicita Pitt en lui donnant une claque dans le dos.

— Deux nœuds, cria Maverick.

La pluie avait cessé, la mer s'était calmée et ses creux mesuraient moins de trois mètres. *Lizzie*, lasse apparemment de sévir en mer, tournait maintenant sa fureur vers la terre en République dominicaine. *Lizzie* abattit des arbres mais elle fit moins de trois cents victimes. En revanche en Haïti où les habitants, très pauvres – le plus faible revenu de l'hémisphère occidental –, avaient radicalement déboisé pour se chauffer et construire de piètres cabanes, *Lizzie* fit plus de trois mille victimes.

— Honte à toi, capitaine, fit Pitt en riant.

Barnum le regarda d'un air incrédule. Il était si épuisé que ce fut à peine s'il parvint à murmurer :

— Qu'est-ce que tu me dis ?

— Tu es le seul de ton équipage à ne pas porter un gilet de sauvetage.

— Je n'y ai même pas pensé, reconnut-il en regardant son ciré. Monsieur Maverick, ajouta-t-il dans son casque.

— Capitaine ?

— Le navire est à vous.

— A vos ordres, capitaine.

Barnum se tourna alors vers Pitt et Giordino.

— Messieurs, vous avez sauvé bien des vies aujourd'hui et tirer ces câbles jusqu'au *Sea Sprite* était tout simplement génial.

Pitt et Giordino le regardèrent, très gênés.

—Pas grand-chose en réalité, juste un exploit de plus à notre actif, plaisanta Pitt.

—Vous pouvez rigoler, mais je trouve que vous avez fait du sacrément bon boulot. Maintenant assez bavardé. Montons nous changer à la timonerie. Je prendrais bien une tasse de café.

—Tu n'as rien de plus fort ? s'inquiéta Giordino.

—Je crois pouvoir arranger ça. A la dernière escale, mon beau-frère m'a filé une bouteille de rhum.

—Depuis quand es-tu marié ? s'étonna Pitt en le regardant.

Barnum se contenta de sourire et se dirigea vers l'échelle qui accédait à la passerelle.

Avant de prendre un repos bien mérité, Pitt demanda à Jar d'appeler Dirk et Summer. Après quelques tentatives infructueuses, Jar leva les yeux en secouant la tête.

—Désolé, monsieur Pitt. Ils ne répondent pas.

—Je n'aime pas ça, marmonna Pitt.

—Un problème mineur, probablement, suggéra Jar avec optimisme. La tempête aura endommagé leurs antennes.

—Espérons qu'il ne s'agit que de ça, conclut Pitt avant de regagner la cabine de Barnum où celui-ci, en compagnie de Giordino, savourait un verre de rhum.

—Je n'arrive pas à joindre le *Poisson,* annonça Pitt.

Barnum et Giordino échangèrent un regard soucieux, mais ce dernier s'empressa de rassurer son ami.

—Le *Poisson* est bâti comme un char. Joe Zavala et moi en avons dessiné les plans. Impossible que la coque ait été perforée : pas à quinze mètres en dessous de la tempête. Rappelle-toi, Pitt, nous l'avons construit pour supporter une profondeur de cent cinquante mètres.

—Tu oublies les vagues de trente mètres, répliqua

Pitt. Le *Poisson* a pu, après le passage d'un creux, être arraché de ses amarres et précipité sur les rochers entourant les coraux. Un choc de cette violence aurait pu fracasser un hublot.

— C'est possible, reconnut Giordino, mais peu probable car j'ai conçu, pour le hublot, un plastique spécial ; il est renforcé et capable de repousser un obus de mortier.

Le téléphone de Barnum se mit à sonner : c'était Jar.

— Nous venons d'avoir un appel du capitaine d'un des remorqueurs de l'*Ocean Wanderer*. Ils ont quitté le port et devraient être sur zone dans une heure et demie.

Pitt s'approcha de la table des cartes et prit un compas. Il mesura la distance entre leur position actuelle et la croix tracée sur la carte à l'emplacement du *Poisson*.

— Une heure et demie pour l'arrivée des remorqueurs, calcula-t-il d'un ton songeur, plus une demi-heure pour décrocher les câbles d'amarrage et repartir, plus deux heures jusqu'à l'habitat, soit un peu plus de quatre heures pour arriver là-bas. Je prie le Ciel qu'il ne soit rien arrivé aux gosses.

— Tu me fais penser à un père inquiet parce que sa fille n'est pas rentrée à minuit, dit Giordino.

— C'est vrai, ajouta Barnum. Le récif de corail a dû les protéger du plus gros de la tempête.

Mais Pitt n'était pas convaincu.

— Vous avez peut-être raison tous les deux, déclarat-il en arpentant la timonerie, mais les prochaines heures vont être les plus longues de ma vie.

Summer était allongée sur la couchette qu'elle avait aménagée dans un angle de l'habitat. Le souffle un peu court, elle respirait lentement, ménageant ses efforts pour consommer le moins d'air possible. Son regard revenait sans cesse au hublot panoramique de l'autre côté duquel évoluaient des poissons multicolores profitant du retour du calme pour observer avec curiosité les occupants de l'habitat. Ma dernière vision avant de succomber à l'asphyxie ? ne pouvait-elle s'empêcher de se demander.

Dirk, quant à lui, passait en revue tous les scénarios d'évasion imaginables ; en vain. Utiliser la bouteille d'air restante pour atteindre la surface n'était pas faisable : même s'il parvenait, Dieu sait comment, à forcer la porte du sas – ce qui était improbable même avec un gros marteau – la pression de l'eau à près de quarante mètres de profondeur atteindrait plusieurs kilos par centimètre carré : elle jaillirait à l'intérieur de l'habitat avec la force d'un boulet de canon.

— Combien reste-t-il d'air ? demanda Summer.

Dirk examina les jauges.

— Deux heures, quelques minutes de plus peut-être.

— Qu'est-il arrivé au *Sea Sprite* ? Pourquoi Paul n'est-il pas venu nous chercher ?

— Il est probablement à notre recherche, répondit Dirk sans conviction. Mais difficile de nous repérer dans la crevasse.

— Et s'ils avaient fait naufrage ?

— Pas le *Sprite,* fit Dirk, rassurant.

Le silence retomba. Dirk reprit l'émetteur radio et, avec des gestes calmes, tenta de rétablir les connexions.

Deux heures s'écoulèrent qui leur parurent une éternité. Ils constataient que le soleil était revenu au-dessus d'eux, faisant étinceler la mer qui balayait inlassablement le banc de la Navidad. Malgré tous ses efforts, Dirk n'arrivait pas à réparer la radio.

Sa respiration devenait plus pénible. Pour la centième fois, il inspecta les jauges : toutes les aiguilles étaient bloquées sur zéro. Dirk secoua doucement Summer qui avait sombré dans une légère somnolence provoquée par la rareté de l'oxygène.

—Réveille-toi. Commençons à respirer sur la bouteille de plongée. (Il la posa entre eux et lui passa l'embouchure du régulateur.) Les dames d'abord.

Summer avait douloureusement conscience que Dirk et elle se trouvaient confrontés à une situation qui leur échappait, sentiment qu'elle connaissait mal, car elle avait jusqu'alors contrôlé les événements. Cette totale impuissance la plongeait dans un abattement profond.

Dirk, lui, ne cessait de se répéter que le moyen de sortir de là existait ; pourtant chacun de ses plans aboutissait à une impasse.

Une terrible certitude, celle de leur fin, commençait à s'imposer à son esprit.

14

Le soleil disparaissait à l'horizon et, dans quelques minutes, ce serait le crépuscule. Il ne soufflait plus qu'une brise un peu fraîche venant de l'est. A bord du *Sea Sprite,* on redoutait qu'il soit arrivé quelque chose à Dirk et à Summer.

Sur les trois canots gonflables à coque rigide que transportait d'ordinaire le *Sea Sprite*, le seul à ne pas avoir été balayé par les vagues était sérieusement endommagé. Pendant la course effrénée vers le banc de la Navidad, on lui avait fait des réparations suffisantes pour qu'il embarque trois plongeurs : Pitt, Giordino et Cristiano Lelasi, un professionnel venu d'Italie pour tester un nouveau robot sous-marin.

Les trois hommes étaient réunis dans la salle de conférences du navire avec la quasi-totalité de l'équipage et des savants de plus en plus inquiets. Tous écoutaient attentivement Barnum qui décrivait à Pitt et à Giordino la géologie sous-marine.

— Nous devrions être sur zone d'ici une heure, dit-il en s'interrompant pour jeter un coup d'œil à la grande horloge fixée à une cloison.

— Faute d'avoir établi le moindre contact radio, déclara Giordino, nous devons partir de l'hypothèse que le *Poisson* a été endommagé par l'ouragan. Et si la théorie de Dirk se confirme, nous avons toutes raisons de croire que des vagues gigantesques ont pu déplacer l'habitat de sa dernière position connue.

—Si, en arrivant sur place, nous constatons qu'il n'est plus là, intervint Pitt, nous lancerons notre exploration en utilisant les grilles de recherche programmées dans nos ordinateurs. Nous nous déploierons, moi au milieu, Al à ma droite et Cristiano à ma gauche en fouillant le banc vers l'est.

—Pourquoi l'est ? demanda Lelasi.

—Parce que c'est la direction que suivait la tempête quand elle a frappé le banc de la Navidad.

—J'approcherai le *Sprite* le plus près possible, précisa Barnum. Je ne jetterai pas l'ancre afin de me déplacer immédiatement si nécessaire. Dès que vous aurez repéré l'habitat et estimé sa position, signalez-moi son état.

—Une autre question ? demanda Pitt à Lelasi.

Le robuste Italien secoua la tête.

Tous regardaient Pitt le cœur serré. Ils ne recherchaient pas des étrangers mais des compagnons de bord qui, depuis deux mois, s'efforçaient avec eux de protéger la mer. Aucun n'osait concevoir l'idée que le frère et la sœur avaient pu être victimes de l'ouragan.

—Alors, allons-y, dit Pitt. Dieu vous bénisse tous pour votre assistance, ajouta-t-il.

Pitt ne demandait qu'une chose : retrouver ses enfants vivants. Ils avaient déjà vingt-deux ans quand ils lui étaient tombés du ciel ; mais son amour s'était rapidement épanoui comme pour rattraper le temps perdu. Il regrettait d'avoir été absent pendant leur enfance. Il songeait aussi avec une profonde tristesse à leur mère dont il avait ignoré si longtemps qu'elle vivait.

Giordino, la seule autre personne au monde à leur porter une telle affection, représentait aux yeux de Dirk et de Summer un oncle qui les chérissait et sur lequel ils pouvaient compter quand leur père faisait preuve d'entêtement ou d'un excès d'autorité.

L'équipe de plongée se dirigea vers la rampe qui pendait au-dessus de la mer. Un matelot avait mis à l'eau le canot gonflable réparé tant bien que mal et les deux moteurs hors-bord tournaient au ralenti.

Cette fois, Pitt et Giordino enfilèrent des combinaisons complètes renforcées aux genoux, aux coudes et aux épaules pour se protéger des protubérances des coraux. Ils avaient opté pour les bouteilles d'air plutôt que pour un appareil à recyclage. Ils passèrent leurs masques, testèrent leurs téléphones puis, tenant leurs palmes dans une main, embarquèrent dans le canot. Pitt prit la barre et mit doucement les gaz.

Il avait programmé dans son GPS les dernières coordonnées connues du *Poisson* et il fonça droit dans cette direction à moins d'un quart de mille de là.

— Nous y sommes, annonça-t-il après avoir lu les chiffres du GPS.

Il n'avait pas fini sa phrase que déjà Lelasi enjambait le bastingage et disparaissait. Trois minutes plus tard, il remontait à la surface et, s'agrippant à un bout fixé à bâbord, il se hissait d'une seule main, avec ses bouteilles d'air accrochées sur le dos, et roulait au fond du canot.

— Je me demande, s'extasia Giordino, si je pourrais encore le faire.

— Je m'en sais parfaitement incapable, reconnut Pitt en s'agenouillant auprès de Lelasi qui secouait la tête en parlant dans le téléphone de son casque.

— Désolé, *signore*, dit-il avec son accent italien, l'habitat a disparu. Je n'ai rien vu que quelques bouteilles éparpillées et des petits débris.

— Aucun moyen de connaître leur position exacte, murmura Giordino. Des vagues géantes peuvent les avoir emportés à plus d'un mille.

— Alors, on y va, déclara Cristiano. Vous aviez

raison, *signor* Pitt ; les coraux sont broyés suivant une
traînée qui s'oriente vers l'est.

— Pour gagner du temps, nous ferons les recherches
depuis la surface. Passez la tête par-dessus le plat-bord,
Al à tribord, Cristiano à bâbord. Guidez-moi à la voix
et montrez-moi la traînée.

Penchés au bord du canot gonflable, Giordino et
Lelasi suivirent la trace laissée par l'habitat. Pitt barrait
comme s'il était en transe. Il visait machinalement le
cap indiqué par ses compagnons tandis que son esprit
revenait aux deux années vécues depuis que son fils
et sa fille étaient venus meubler sa vie aventureuse
mais parfois solitaire. Il se rappelait le jour où il avait
rencontré leur mère au vieil hôtel Ala Moana de Wai-
kiki Beach ; assis au bar, il bavardait avec la fille de
l'amiral Sandecker quand, vision splendide, elle était
apparue, auréolée d'une chevelure flamboyante tombant en cascade sur son dos. Une robe chinoise de soie
verte fendue sur les côtés moulait son corps parfait.
Célibataire endurci qui ne croyait pas au coup de
foudre, il comprit à l'instant même qu'il serait capable
de mourir d'amour. Son cœur se déchira quand il la crut
noyée lors du tremblement de terre qui détruisit la
maison sous-marine de son père sur la côte Nord
d'Hawaii. Elle était remontée avec lui à la surface
pour replonger aussitôt à la recherche de son père ; il
n'avait pas pu l'arrêter. Il ne l'avait jamais revue.

— Les coraux fracassés s'arrêtent à quinze mètres
droit devant ! cria Giordino en soulevant sa tête de
l'eau.

— Et l'habitat ? interrogea Pitt.

— Aucune trace.

Pitt ne voulait pas le croire.

— Il n'a pas pu disparaître. Il doit être là.

Une minute plus tard, ce fut au tour de Lelasi de
crier :

— Je l'ai ! Je l'ai !

— Je le vois aussi, confirma Giordino. Il est tombé dans un canyon étroit, à une bonne trentaine de mètres de profondeur, on dirait.

Pitt coupa les moteurs et dit à Lelasi :

— Lancez une bouée pour marquer la position et surveillez le bateau. Je descends avec Al.

Il enfila ses palmes et plongea sans perdre un instant. Les parois de la crevasse étaient si étroites qu'il trouva étonnant que l'habitat fût tombé jusqu'au fond sans se coincer dans sa chute.

L'estomac crispé par une sourde appréhension, il s'immobilisa un instant et inspira profondément pour se préparer : il n'arrivait pas à chasser de son esprit l'idée qu'il arriverait peut-être trop tard.

Vu d'en haut, l'habitat semblait intact, ce qui n'était pas surprenant étant donné sa conception. Giordino lui montra le sas d'entrée endommagé bloqué contre les coraux. Pitt fit signe qu'il l'avait vu. C'est alors qu'il aperçut les dégâts subis par les réservoirs qui alimentaient en air l'intérieur de l'habitat. Oh, mon Dieu, non, dit-il dans une prière muette, faites qu'ils n'aient pas manqué d'air.

Il pressa son masque contre le plastique du hublot, s'efforçant de percer la pénombre qui régnait à l'intérieur. Avec difficulté, il distingua Summer allongée sur des couvertures au fond de l'habitat. Dirk auprès d'elle appuyé sur ses coudes. Le cœur de Pitt s'accéléra quand il vit son fils bouger : il faisait passer un régulateur d'air de sa bouche à celle de sa sœur. Pitt, fou de joie, frappa le hublot avec le manche de son couteau de plongée.

L'aiguille du manomètre du réservoir avait atteint le rouge, la fin n'était plus maintenant qu'à quelques minutes.

Summer et Dirk respiraient lentement pour faire

durer le plus longtemps possible leur maigre réserve
d'air. Le soleil couchant avait fait virer le vert bleuté de
l'eau au vert grisâtre. Il regarda le cadran de sa montre
de plongée : dix-neuf heures quarante-sept, ils étaient
seuls dans l'habitat, coupés de toute communication
avec le monde extérieur depuis près de seize heures.

Summer somnolait. Dirk n'ouvrait les yeux que
quand c'était son tour d'absorber quelques gorgées
d'air. Elle crut voir quelque chose bouger derrière le
hublot, « un gros poisson », lui souffla son esprit
embrumé ; mais quand elle entendit frapper sur la
vitre, elle se redressa brusquement pour regarder par-
dessus l'épaule de son frère.

Un plongeur nageait dehors ; il colla son masque
contre le hublot en faisant de grands gestes. Quelques
secondes plus tard, un autre plongeur le rejoignit. Leur
attitude trahissait leur joie de constater qu'il y avait de
la vie dans l'habitat.

Summer se disait qu'elle venait de sombrer dans le
délire quand elle réalisa peu à peu qu'elle n'était pas la
proie d'hallucinations.

— Dirk ! cria-t-elle. Ils sont ici, ils nous ont trouvés !

Il se retourna et reconnut subitement les deux plongeurs.

— Oh, mon Dieu, c'est papa et oncle Al !

Dirk et Summer appuyèrent leurs mains contre le
hublot, Pitt de son côté fit de même avant de prendre
une ardoise accrochée à sa ceinture ; il y écrivit deux
mots et la brandit :

VOTRE AIR ?

Cherchant frénétiquement dans le désordre qui
régnait à l'intérieur de l'habitat, Dirk finit par trouver
un feutre et un bloc de papier sur lequel il traça en gros
caractères avant de le plaquer contre le hublot :

RESTE 10 MINUTES, PEUT-ÊTRE 15.

— Fichtre, c'est juste, commenta Giordino dans son micro.

— Terriblement juste, renchérit Pitt.

— Impossible de briser le hublot avant la fin de leur réserve, murmura Giordino le cœur serré. Il faudrait un missile pour le faire sauter. Et même si c'était possible, la pression de l'eau à cette profondeur envahirait l'habitat comme un bâton de dynamite explosant à l'intérieur d'un tuyau. Ça les tuerait.

Comme toujours le sang-froid de Pitt sidéra Giordino ; un autre se serait affolé en sachant son fils et sa fille à quelques minutes d'une mort affreuse. Pas lui, pas Pitt. Il flottait dans l'eau comme s'il observait les mouvements alanguis d'un poisson tropical. Il resta ainsi quelques secondes apparemment imperturbable. Quand il parla, ce fut d'un ton uni et ferme.

— Paul, tu m'entends ?

— Je t'entends. Qu'est-ce que je peux faire ?

— Je suppose que tu as dans ta boîte à outils une perceuse sous-marine.

— Oui, je suis sûr que nous en avons une à bord.

— Tiens-la prête sur la rampe et assure-toi qu'on y a monté le plus gros foret.

— Rien d'autre ?

— Probablement deux bouteilles d'air supplémentaires avec leur régulateur.

— Tout sera prêt.

Là-dessus, il montra quelques mots sur son ardoise avant de remonter à la surface avec Giordino :

TENEZ BON. JE REVIENS DANS 10 MINUTES.

Cette disparition fit à Dirk et Summer l'effet d'une averse s'abattant sur un pique-nique d'anniversaire.

— Ils sont partis, regretta Summer dans un murmure.

— Ne t'inquiète pas. Maintenant ils connaissent la situation et ils ne tarderont pas à revenir.

— Comment vont-ils nous tirer de là ? demanda Summer.

— Papa et Al sont capables d'accomplir des miracles, tu le sais bien.

— Ils feraient mieux de se grouiller, soupira-t-elle, le regard posé sur l'aiguille de la jauge abominablement proche du zéro.

Pitt remercia Barnum qui, comme promis, avait préparé les bouteilles de réserve et la perceuse sous-marine.

— A ton service, répondit Barnum avec un sourire crispé à l'adresse de Pitt qui entassait déjà le matériel dans le canot.

Revenus à toute vitesse vers la bouée flottant au-dessus du *Poisson,* Pitt et Giordino ajustèrent leurs masques et se laissèrent entraîner dans l'eau par les dix kilos de la lourde perceuse. Pitt jeta un regard à l'intérieur : Summer semblait à demi inconsciente et Dirk agita faiblement une main. Il leur expliqua alors grâce à l'ardoise :

JE VAIS PERCER UN TROU
POUR INTRODUIRE LES BOUTEILLES.
RESTEZ À L'ÉCART DU TORRENT D'EAU.

Conscient de l'urgence de son intervention, Pitt s'ancra dans le fond sablonneux de la crevasse pour déclencher le foret, espérant contre toute attente que la mèche viendrait à bout d'un verre conçu pour être presque aussi résistant que l'acier. Les vibrations de la perceuse amplifiées par la réverbération sous le hublot et le crissement du foret effrayèrent tous les poissons à la ronde, mais Pitt s'arc-boutait contre la perceuse s'acharnant de toutes ses forces jusqu'à ce que Giordino le relaye.

Le temps s'écoulait, les deux hommes ne se parlaient pas. Inutile. Habitués depuis quarante ans à lire les pensées l'un de l'autre, ils travaillaient comme un couple de chevaux de trait.

Affolé, Pitt ne distinguait plus aucun mouvement dans l'habitat. Heureusement, plus la profondeur atteinte par la mèche augmentait, plus sa progression s'accélérait ; elle atteignit enfin l'autre côté et Pitt et Giordino retirèrent aussitôt la machine. Pitt l'avait à peine arrêtée que Giordino, aidé par l'eau qui se précipitait dans l'habitat, passait une bouteille d'air et un régulateur par le trou large d'une vingtaine de centimètres.

Pitt aurait voulu crier à ses enfants de réagir, mais ils ne l'auraient pas entendu ; il s'apprêtait à reprendre la perceuse pour agrandir l'orifice et pouvoir s'y glisser quand il vit Dirk saisir d'une main tremblante le régulateur et refermer les dents sur l'embouchure. Deux profondes aspirations et il retrouvait son état normal. Il glissa alors l'embout entre les lèvres de Summer.

Pitt aurait voulu crier sa joie quand il vit la poitrine de Summer se soulever. Malgré l'eau qui envahissait l'habitat, ils avaient maintenant assez d'air pour respirer.

— Paul, cria Pitt dans son casque.

— J'écoute, répondit Barnum.

— Le caisson hyperbare est prêt ?

— Il les attend.

— Depuis combien de temps sont-ils dans le *Poisson* ?

— Ils sont restés à une pression de dix-huit mètres pendant trois jours et quatorze heures.

—Il faut donc compter au moins quinze heures de décompression.

—Autant de temps qu'il faudra, dit Barnum. L'expert en médecine hyperbare du bord s'occupera de le calculer.

Giordino, de son côté, avait fini d'agrandir l'orifice ; l'habitat était maintenant presque empli d'eau, la pression de l'air freinant l'inondation. Il tendit le bras, prit Summer par la main pendant que Dirk lui faisait passer une bouteille d'air. Summer s'y accrocha et commençait à inhaler quand, brusquement, elle agita les mains comme pour leur dire d'attendre et replongea à l'intérieur de l'habitat. Elle réapparut bientôt, serrant ses carnets, ses disques informatiques et la caméra digitale, le tout enfermé dans un sac en plastique étanche. Giordino la saisit par le bras et la guida jusqu'à la surface. Pitt serra brièvement dans ses bras Dirk qui suivait avec la seconde bouteille. A peine le frère et la sœur étaient-ils installés dans le canot pneumatique que Cristiano poussa la manette des gaz et fonça vers le navire de recherche. Pour gagner du temps Pitt et Giordino étaient restés dans l'eau, attentifs à ne pas se faire happer par le sillage de l'hélice. Et enfin, sans perdre une minute, on installa les deux rescapés dans la chambre hyperbare. Soumis à une pression atmosphérique normale, le corps rejette la plupart de l'excès d'azote qu'il absorbe. Toutefois, l'augmentation de la pression que subit un plongeur à la descente entraîne un accroissement de la proportion d'azote dans son sang ; quand il remonte, la pression de l'eau qui l'entoure diminue, et des bulles d'azote se forment dans le sang et deviennent trop grosses pour se diffuser dans le tissu pulmonaire. C'est pourquoi, afin d'éviter les troubles de la décompression – autrement dit le mal des caissons –, le plongeur doit rester dans un caisson où on diminue très lentement la pression tandis qu'on ne lui fait respirer que de l'oxygène.

Dirk et Summer y passèrent les longues heures imposées à lire et à rédiger des rapports sur leurs découvertes concernant les maladies des coraux et la présence de boue brune ; ils notèrent aussi leurs impressions sur la caverne et les objets antiques qu'elle recelait. Tout se déroula sous la surveillance du médecin.

Les étoiles scintillaient comme des diamants et les grands immeubles brillaient de toutes leurs lumières quand le *Sea Sprite* entra dans le port des Everglades à Fort Lauderdale, un des ports de plongée les plus fréquentés du monde. Tous feux allumés, le navire de recherche passa lentement devant les paquebots de croisière chargeant passagers et provisions en vue d'un départ matinal. Alertés par les garde-côtes, tous les bateaux de la rade saluèrent de trois coups de sirène le *Sprite* qui se dirigeait vers les installations portuaires de la NUMA.

Le sauvetage épique de l'*Ocean Wanderer* et de ses mille passagers quarante-huit heures plus tôt était maintenant connu du monde entier et Pitt redoutait l'affluence des médias qui les attendraient à quai. Penché à l'avant sur le bastingage, il contemplait l'eau noire quand il sentit une présence ; il se retourna et aperçut le visage souriant de son fils.

— A ton avis, qu'est-ce qu'ils vont en faire ? demanda Dirk.

— De quoi ? fit Pitt.

— Du *Poisson*.

— C'est à l'amiral Sandecker qu'appartient la décision de le renflouer ou non. Amener une péniche et une grue au-dessus du récif de corail s'avérera probablement impossible et, de toute façon, entraînerait des frais exorbitants : extirper soixante-cinq tonnes de poids mort du fond de la crevasse... Il y a de fortes chances pour que l'amiral passe cela en profits et pertes.

— J'aurais bien aimé vous aider, Al et toi, à tirer jusqu'au *Sea Sprite* les filins attachés aux câbles d'amarrage de l'hôtel.

— En tout cas, fit Pitt en souriant, cela m'étonnerait que tu nous trouves volontaires pour recommencer.

— Je parie que si, répliqua Dirk.

Pitt se retourna et s'adossa au bastingage.

— Vous avez récupéré, Summer et toi ?

— Nous avons passé tous les tests sans problème et il ne nous reste apparemment aucune séquelle.

— Les symptômes se manifestent parfois avec des jours, voire des semaines de retard. Ta sœur et toi avez intérêt à vous la couler douce quelque temps. En attendant, je vais quand même vous confier une tâche puisque vous tenez tant à faire quelque chose.

— Quoi donc ? fit Dirk en lançant à son père un regard méfiant.

— Je vous arrangerai un rendez-vous avec St. Julien Perlmutter pour travailler sur ces mystérieuses antiquités du banc de la Navidad.

— Nous aurions surtout besoin de retourner dans la caverne pour compléter nos recherches.

— Ça aussi, ça peut s'arranger, lui assura Pitt. Le moment venu. Rien ne presse.

— Et la boue brune qui anéantit la vie marine autour du banc ? insista Dirk. On ne peut pas l'ignorer.

— La NUMA prépare une nouvelle expédition qui, avec un autre équipage et sur un autre navire, retournera sur place étudier ce fléau.

— Je regrette que nous n'ayons pas plus de temps à passer ensemble, soupira Dirk en regardant les lumières du port danser sur l'eau.

— Que dirais-tu d'une partie de pêche dans le nord du Canada ? suggéra Pitt.

— C'est tentant.

— Je vais en toucher un mot à Sandecker. Après tout ce que nous avons fait ces derniers jours, je ne pense pas qu'il nous refuse un peu de détente.

Giordino et Summer les rejoignirent au moment où le *Sprite* amorçait son virage pour s'approcher du quai de la NUMA ; ainsi que Pitt le redoutait, il était envahi par les camions des chaînes de télévision et par les journalistes.

Barnum accosta, lança les amarres qu'on enroula sur les bittes. Puis on abaissa la passerelle. L'amiral James Sandecker se précipita à bord, aussi rapide qu'un renard – qu'il rappelait d'ailleurs un peu avec son visage étroit, ses cheveux roux et sa barbiche – à la poursuite d'un poulet. Il était suivi du directeur adjoint de la NUMA, Rudi Gunn, le génie administratif de l'agence.

— Bienvenue à bord, amiral, fit Barnum. Je ne m'attendais pas à vous voir.

— Je n'aurais voulu manquer ça pour rien au monde, répondit Sandecker en désignant le quai noir de monde. Puis il secoua vigoureusement la main de Barnum : Beau travail, capitaine, la NUMA est fière de vous et de votre équipage.

— Nous n'étions pas seuls, rectifia Barnum. Sans l'exploit de Pitt et de Giordino pour haler jusqu'à nous les câbles d'amarrage, l'*Ocean Wanderer* se serait fracassé sur les récifs.

— Eh bien, bougonna-t-il en s'approchant des deux amis, on ne peut pas vous tenir, tous les deux.

L'amiral venait de leur décerner, Pitt le savait, le plus beau compliment dont il fût capable.

— En fait, nous avons eu de la chance : nous nous trouvions au large de Porto Rico quand Heidi Lisherness a appelé du Centre des ouragans de Key West pour décrire la situation.

— Tout s'est joué dans la rapidité de votre arrivée

sur les lieux, à temps pour éviter une catastrophe majeure, dit Gunn. (Cet homme de petite taille, aux grosses lunettes d'écaille et aux manières affables, attirait d'emblée la sympathie.)

— La chance a joué un rôle capital, assura Giordino.

Puis Sandecker s'intéressa à Dirk et Summer qui approchaient.

— Vous me paraissez bien remis de vos épreuves.

— Si Papa et Al ne nous avaient pas tirés du *Poisson* au moment où ils l'ont fait, répondit Summer, nous ne serions pas ici.

— Ma foi, fit Sandecker en s'efforçant de dissimuler l'orgueil qui brillait dans son regard, on dirait que les exploits se succèdent.

— Ce qui m'amène à vous présenter une requête, tenta Pitt.

— Refusée, répondit Sandecker comme s'il avait lu dans ses pensées. Vous vous reposerez dès que vous en aurez terminé avec le projet suivant.

— Quel sale type vous faites, lança Giordino en regardant l'amiral d'un air mauvais.

Sandecker poursuivit sans relever.

— Dès que vous aurez rassemblé vos affaires, Rudi vous conduira à l'aéroport. Un avion de la NUMA vous y attend pour vous conduire à Washington. Il est pressurisé, ce qui évitera des complications à Dirk et Summer. On se retrouve tous dans mon bureau demain à midi.

— J'espère qu'il y a des couchettes dans l'avion, répliqua Giordino, sinon je me demande quand nous dormirons.

— Vous prenez l'avion avec nous, amiral ? demanda Summer.

— Moi ? fit-il avec un grand sourire. Non, je vous suivrai sur un autre appareil. (Il désigna la foule des journalistes.) Il faut bien que quelqu'un se sacrifie sur l'autel des médias.

Giordino tira de sa poche un cigare qui ressemblait à s'y méprendre à ceux de la réserve de Sandecker. Tout en l'allumant, il murmura pour ne pas être entendu de l'amiral :

— Veillez à ce qu'on ne fasse pas de fautes d'orthographe sur nos noms.

Heidi Lisherness promenait son regard éteint sur les écrans de contrôle montrant l'agonie de l'ouragan *Lizzie*. Après avoir viré au sud-est et décimé les navires voyageant dans les Caraïbes, il s'était abattu sur la côte Ouest – heureusement peu habitée – du Nicaragua entre Puerto Cabezas et Punta Gorda. Sa force avait diminué de moitié quand il s'enfonça de quatre-vingts kilomètres dans les marécages des basses terres et jusqu'au pied des collines. Il avait fini par mourir, mais le bilan qu'il laissait derrière lui était lourd : dix-huit navires perdus corps et biens, trois mille morts, dix mille blessés et sans-abri.

Quelles auraient été les pertes, se demandait Heidi, si je n'avais pas donné l'alerte dès la naissance de *Lizzie* ? Elle était affalée derrière son bureau jonché de photos, d'analyses informatiques et d'une forêt de gobelets en carton quand son mari, Harley, entra.

— Heidi, fit-il en posant une main sur son épaule.

— Oh, Harley, bredouilla-t-elle en levant des yeux rougis par le manque de sommeil. Comme je suis contente que tu sois venu.

— Allons, ma vieille, tu as fait un boulot extraordinaire ; maintenant je te ramène à la maison.

Heidi se leva et s'appuya contre son mari qui l'entraîna. Sur le pas de la porte, elle se retourna pour jeter un dernier coup d'œil ; son regard s'arrêta sur une grande bande de papier punaisée sur un mur ; quel-

qu'un avait écrit en majuscules énormes : IF YOU
KNEW LIZZIE LIKE WE KNOW LIZZIE, OH, OH,
OH WHAT A STORM ! (« Si vous aviez connu Lizzie
comme nous connaissons Lizzie, oh, oh, oh, quelle
tempête ! »)

En souriant, elle éteignit les lumières, plongeant
dans l'obscurité la grande salle du Centre des ouragans.

DEUXIÈME PARTIE

Et maintenant ?

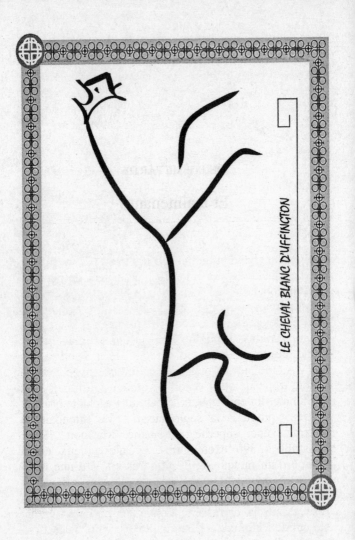

LE CHEVAL BLANC D'UFFINGTON

15

Il faisait chaud et humide. Il n'y avait pas un souffle d'air et quelques rares nuages ponctuaient de blanc le bleu de cobalt du ciel. Le Congrès sautait sur toutes les excuses pour se mettre en vacances afin d'échapper à cette chaleur étouffante et ne tenait séance que quand il fallait absolument montrer aux électeurs l'image d'une ruche au travail. En descendant de l'avion de la NUMA, Pitt ne vit guère de différence avec l'atmosphère tropicale qu'il venait de quitter. Giordino, Dirk et Summer lui emboîtèrent le pas sur l'asphalte brûlant.

Une voiture – la seule aussi – les attendait au parking, une superbe limousine Marmon 1931 : construit à 390 exemplaires, ce merveilleux engin équipé d'un moteur de 7 cylindres en V d'une technique très supérieure à celle de son époque et développant 192 chevaux était puissant et silencieux. D'un rose éteint, la carrosserie convenait parfaitement au slogan de Marmon : « L'automobile la plus perfectionnée du monde. »

La femme, grande, séduisante et radieuse, qui les attendait debout auprès de la voiture méritait elle aussi tous les compliments : ses cheveux aux reflets de cannelle étincelant au soleil ruisselaient sur ses épaules et encadraient un visage de mannequin où brillaient des yeux presque violets ; vêtue d'un corsage de dentelle blanche qui soulignait ses formes et d'un pantalon blanc aux jambes évasées tombant juste sur des chaussures de tennis blanches, Loren Smith, membre du Congrès, fit en souriant un petit geste de la main et se précipita vers Pitt pour déposer un léger baiser sur ses lèvres.

— Bienvenue, matelot.

— Si je recevais un dollar chaque fois que tu m'accueilles ainsi...

— Tu serais riche, poursuivit-elle avec un petit rire moqueur. Il paraît que vous revenez d'une grande aventure, ajouta-t-elle en embrassant Giordino, Summer et Dirk.

— Sans Papa et Al, déclara Dirk, Summer et moi aurions des petites ailes aujourd'hui.

— Dès que vous serez installés, vous me raconterez tout, j'y tiens.

Ils jetèrent leurs bagages dans le grand coffre et contre la banquette arrière. Loren se glissa au volant, Pitt s'installa à la place du passager et les autres occupèrent la cabine séparée de l'avant par une glace.

— On dépose Al à son appartement d'Alexandria ? demanda-t-elle.

— Oui, acquiesça Pitt. Ensuite nous irons faire un brin de toilette au hangar. L'amiral nous veut dans son bureau à midi.

Loren jeta un coup d'œil à la pendule du tableau de bord : dix heures vingt-cinq. Fronçant les sourcils tout en manipulant d'une main experte le changement de vitesse, elle observa d'un ton caustique :

— Même pas le temps de se détendre avant de se remettre au travail ? Après ce que vous venez de vivre tous les quatre, tu ne trouves pas qu'il pousse un peu ?

—Tu sais aussi bien que moi que sous ses airs de bouledogue il dissimule un cœur d'or. Il ne nous presserait pas ainsi si ce n'était pas important.

—Quand même, insista Loren en passant devant la sentinelle en armes qui surveillait la grille de l'aéroport, il aurait pu vous donner vingt-quatre heures pour récupérer.

—Nous n'allons pas tarder à savoir ce qu'il veut, murmura Pitt en faisant de son mieux pour ne pas s'assoupir.

Un quart d'heure plus tard, Loren arrivait devant le grand immeuble où habitait Giordino. Célibataire endurci, celui-ci ne semblait pas pressé de sauter le pas ; Loren l'avait rarement vu servir deux fois de suite de cavalier à la même femme. Elle l'avait présenté à quelques-unes de ses amies qui l'avaient toutes trouvé charmant et passionnant mais, au bout d'un moment, il allait papillonner ailleurs. Il récupéra son sac et leur lança :

—A bientôt… à très bientôt.

Jusqu'au hangar situé à l'extrémité de l'aéroport Ronald-Reagan que Pitt avait aménagé en appartement, ils ne rencontrèrent pas de circulation. Là aussi, le garde, reconnaissant Pitt, leur fit signe de passer. Loren s'arrêta devant la vieille remise utilisée jadis dans les années 30 par une compagnie aérienne depuis longtemps disparue. Pitt l'avait achetée pour abriter sa collection de voitures anciennes et avait transformé les bureaux du premier étage en appartement. Dirk et Summer partageaient le rez-de-chaussée avec les cinquante voitures de Dirk, un vieil avion et un wagon Pullman récupéré dans une cave de New York.

Loren arrêta la Marmon devant l'entrée principale tandis que Pitt actionnait sa télécommande pour débrancher le système d'alarme compliqué qui protégeait les lieux. La porte s'ouvrit et la jeune femme se

gara parmi d'incroyables voitures anciennes allant
d'une Cadillac V-8 1918 jusqu'à la plus récente, une
Silver Dawn Rolls Royce carrossée par Hooper.

Dirk et Summer se retirèrent dans leurs compartiments respectifs du wagon Pullman, Pitt et Loren dans
l'appartement ; il prit une douche et se rasa tandis
qu'elle préparait un brunch pour eux quatre. Trente
minutes plus tard, Pitt, vêtu d'un pantalon de flanelle
et d'un polo, s'asseyait à la table de la cuisine ; Loren
lui tendit un gin-fizz.

—As-tu entendu parler de la société Odyssée ?
demanda-t-il soudain à Loren.

—Oui, répondit-elle après l'avoir regardé un
moment. Je fais partie de la Commission du Congrès
qui s'est penchée sur ses opérations. Ce ne sont pas des
problèmes que couvrent habituellement les médias.
Que sais-tu de notre enquête ?

—Absolument rien, fit-il en haussant les épaules. Je
ne savais même pas que le Congrès s'intéressait au
Spectre.

—Au mystérieux fondateur de la société ? Alors,
pourquoi me posais-tu la question ?

—Par curiosité, rien de plus. Le Spectre est le
propriétaire de l'hôtel qu'Al et moi avons dérouté des
récifs sur lesquels l'ouragan *Lizzie* le précipitait.

—A part le fait qu'il est à la tête de vastes installations de recherche scientifique au Nicaragua et qu'il
dirige d'énormes chantiers de construction et des
exploitations minières à travers le monde, on ne sait
pas grand-chose de lui. Certaines de ses tractations
internationales sont parfaitement régulières, d'autres
très louches.

—De quels projets s'occupe-t-il aux Etats-Unis ?

—De la construction de canaux dans les déserts du
sud-ouest et de quelques barrages. C'est à peu près tout.

— A quel genre de recherche scientifique se consacre Odyssée ? poursuivit Pitt.

— Ses activités sont très mystérieuses et comme ses installations se trouvent au Nicaragua, aucune loi ne l'oblige à publier ses travaux. Il mènerait, dit-on, des recherches sur la structure cellulaire des carburants, mais personne n'en est certain. Nos services de renseignements n'estiment pas prioritaire une enquête sur Odyssée.

— Et les chantiers de construction ?

— Essentiellement des salles et des entrepôts en sous-sol, répondit Loren. La CIA aurait entendu dire qu'il creuse des cavernes pour abriter des armes biologiques et nucléaires clandestines fabriquées dans des pays comme la Corée du Nord, mais on n'en a aucune preuve. Un certain nombre de ses projets concernent les Chinois qui gardent le secret sur leur programme de recherche militaire. Les entrepôts souterrains dissimuleraient aux satellites espions des activités militaires et des ateliers de fabrication d'armes.

— Et pourtant, le Spectre a fait construire cet hôtel flottant.

— Un jouet pour recevoir des clients, expliqua Loren. L'hôtellerie de luxe n'est pour lui qu'une distraction.

— Qui est donc le Spectre ? Le directeur de l'*Ocean Wanderer* ne disait rien de bon sur lui.

— Probablement parce que son poste ne lui plaît pas.

— Au contraire. Mais il ne veut plus travailler, m'a-t-il confié, pour un lascar capable, pour fuir l'ouragan, de quitter l'hôtel à bord de son avion personnel et d'abandonner clients et employés sans se soucier du fait qu'ils risquaient tous de mourir.

— Le Spectre est un personnage très mystérieux. Sans doute le seul PDG d'une énorme entreprise qui n'ait pas recours à un agent de publicité ou à un cabinet de relations publiques. Il n'a jamais accordé d'interview et on le voit rarement en public. On ne sait rien non plus de son passé, de sa famille ou de ses études.

— Même pas un acte de naissance ?

— Non, fit Loren en secouant la tête, on n'a trouvé aucune trace de sa naissance aux Etats-Unis ni dans les archives d'aucun autre pays du monde. Malgré tous les efforts de nos services de renseignements, on ignore encore sa véritable identité. Le FBI a essayé voilà quelques années, mais a fait chou blanc. On ne possède aucune photographie intéressante parce qu'il masque toujours son visage par une écharpe et de grosses lunettes de soleil ; même ses plus proches collaborateurs n'ont jamais vu ses traits. On a également essayé de se procurer ses empreintes digitales ; en vain car il porte constamment des gants. Tout ce qu'on connaît avec certitude c'est son obésité : il pèse sans doute plus de cent quatre-vingts kilos.

— Comment peut-on tenir aussi secrètes la vie et les affaires de quelqu'un ?

Loren eut un geste d'impuissance. Pitt se versa une tasse de café.

— Où se trouve le siège de sa société ?

— Au Brésil, répondit Loren. Il a aussi des bureaux au Panamá ; il y a d'ailleurs fait des investissements tels que le président de la République l'a nommé citoyen d'honneur, lui offrant même le fauteuil de directeur de l'Autorité du canal de Panamá.

— Qu'est-ce qui a déclenché l'enquête du Congrès ? demanda Pitt.

— Ses affaires avec les Chinois. Les relations du Spectre avec la république populaire de Chine remontent à une quinzaine d'années. En tant que directeur de l'Autorité du canal, il a aidé la société Whampoa de Hong Kong à obtenir une option de vingt-cinq ans pour le contrôle des ports de Balboa et de Cristobal, respectivement des côtés Atlantique et Pacifique du canal. Whampoa assurera aussi le chargement et le déchargement des cargaisons ; il contrôlera la voie ferrée destinée au transport des marchandises entre les deux ports et entamera bientôt la construction d'un pont suspendu réservé aux conteneurs de dimensions exceptionnelles.

—Comment notre gouvernement réagit-il ?

—A ma connaissance, il ne fait rien. Le président Clinton a donné carte blanche aux Chinois pour se développer en Amérique centrale. Autre détail bizarre à propos de la société Odyssée, ajouta-t-elle, les cadres supérieurs sont presque tous des femmes.

—Le Spectre, fit Pitt en souriant, doit être l'idole des féministes.

Dirk et Summer les rejoignirent pour une brève collation avant de partir pour le bureau de Sandecker. Pitt conduisait un véhicule de la flotte de l'agence, une Navigator.

—On dîne ensemble ce soir ? proposa-t-il en déposant Loren devant sa maison.

—Avec Dirk et Summer ?

—Je réussirai à les traîner, fit Pitt en souriant, mais seulement si tu insistes.

—J'insiste.

Loren lui pressa affectueusement la main, se glissa hors de la Navigator et monta d'un pas léger les marches de son perron.

Les bureaux de la NUMA occupaient un immeuble de trente étages sur une colline dominant le Potomac et jouissaient d'une vue imprenable sur la ville. Sandecker en avait lui-même choisi l'emplacement et le Congrès avait fourni les fonds. Les locaux, bien plus somptueux que ne les avaient prévus les fonctionnaires, avaient nécessité une rallonge de plusieurs millions de dollars par rapport au budget initial.

Pitt s'engagea dans le parking souterrain et gagna la place qui lui était réservée. Un ascenseur les emmena au dernier étage, celui du bureau de Sandecker ; sa secrétaire leur demanda de bien vouloir attendre un instant, l'amiral étant en réunion.

Elle finissait à peine de parler que la porte du bureau s'ouvrit, livrant passage à deux vieux amis : Kurt Austin avec ses cheveux prématurément grisonnants, l'homologue de Pitt à la direction des Projets spéciaux, et Joe Zavala, l'ingénieur qui travaillait souvent avec Giordino sur la conception et la construction des engins sous-marins. Tous deux s'avancèrent pour leur serrer la main.

— Où le vieux vous envoie-t-il ? leur demanda Giordino.

— Dans le nord du Canada où paraît-il certains lacs abritent des poissons mutants : l'amiral nous a demandé d'aller vérifier.

— Nous avons entendu parler de votre sauvetage de l'*Ocean Wanderer* au beau milieu de l'ouragan *Lizzie* et je ne m'attendais pas à vous voir reprendre le collier si vite, s'étonna Zavala.

— Avec Sandecker, jamais le temps de souffler, reconnut Pitt, un petit sourire aux lèvres.

— Un de ces jours, je vous inviterai avec les gosses à un barbecue, déclara Austin en désignant de la tête Dirk et Summer.

— Avec plaisir, répondit Pitt. J'ai envie depuis longtemps de voir votre collection de voitures anciennes.

— Et moi, je ne connais toujours pas la vôtre.

— Pourquoi ne pas organiser une visite ? Nous prendrions un verre et des amuse-gueule chez moi et puis nous irions chez vous pour le barbecue.

— Tope là !

— L'amiral est prêt à vous recevoir, intervint alors la secrétaire de Sandecker.

Ils se dirent au revoir, Austin et Zavala se dirigèrent vers les ascenseurs tandis qu'on faisait entrer le petit groupe de Pitt.

L'amiral était assis derrière un immense bureau construit à partir d'un panneau d'écoutille récupéré sur l'épave d'un forceur de blocus confédéré. Il se leva à l'entrée de Summer et lui désigna un fauteuil. A la surprise générale, Giordino était en avance et Rudi Gunn avait quitté son vingt-huitième étage pour les rejoindre.

— Nous avons, commença Sandecker sans préambule, deux problèmes à régler. Le plus important, c'est la boue brune qui se répand dans les Caraïbes. J'y viendrai plus tard. (Se tournant d'abord vers Summer puis vers Dirk, il reprit :) On peut dire que tous les deux vous avez vraiment ouvert une boîte de Pandore avec vos découvertes sur le banc de la Navidad.

— J'ai confié l'amphore au capitaine Barnum pour qu'il la porte au labo, dit Summer. Depuis je n'ai aucune nouvelle.

— On est encore en train de la nettoyer, expliqua Gunn, mais Hiram Yaeger a mis son génie de l'informatique à contribution et a réussi à dater et à préciser la culture à laquelle appartient votre trésor.

Sans laisser à Summer le temps d'intervenir, Sandecker enchaîna :

— L'amphore est un objet celte datant de 1100 avant notre ère, un peu antérieur même.

— Celte ? répéta Summer. Il en est sûr ?

— Elle correspond à toutes les autres pièces connues fabriquées par les Celtes voilà trois mille ans.

— Et le peigne que nous avons photographié ? voulut savoir Summer.

— Sans l'objet lui-même, répondit Sandecker, l'ordi-

nateur de Hiram n'a pu donner qu'un âge approximatif :
le même, trois mille ans.

— Selon Yaeger, d'où viennent ces objets ? interrogea Pitt.

— Les Celtes, expliqua Sandecker en contemplant le plafond, n'étaient pas un peuple de marins et, à notre connaissance, ils n'ont pas traversé l'Atlantique pour gagner le Nouveau Monde. Vos trouvailles ont donc certainement été jetées d'un navire.

— Mais, rétorqua Pitt, à moins de vouloir toucher une prime d'assurance, quel bateau s'aventurerait dans les parages du banc de la Navidad au risque de se fracasser sur les récifs coralliens ? Non, la seule possibilité est que le bateau ait été entraîné sur le banc par une tempête.

Gunn regardait le tapis d'un air songeur.

— D'après les archives des compagnies d'assurances, un vieux vapeur, le *Vandalia,* a fait naufrage à cet endroit.

— J'ai vu l'épave, je l'ai inspectée, confirma Summer en se tournant vers son frère.

— Nous avons découvert autre chose, ajouta Dirk en souriant.

— Ce que veut dire Dirk, c'est que nous avons trouvé aussi un labyrinthe de salles taillées dans le roc et dont les parois sont aujourd'hui recouvertes de coraux, déclara Summer. (Fouillant dans son sac, elle en tira son appareil photo numérique.) Nous avons pris des clichés de l'architecture et d'un grand chaudron sur lequel sont sculptés des guerriers antiques et qui contient de nombreux objets de la vie quotidienne.

— Une ville sous la mer dans l'hémisphère occidental, antérieure aux Olmèques, aux Mayas et aux Incas ? lâcha Sandecker incrédule. Ça paraît impossible.

— Nous n'obtiendrons pas de réponse sans une

exploration poussée, reprit Summer en brandissant son appareil. Cette structure ressemblait à un temple.

—Rudi ? lança Sandecker en se tournant vers Gunn.

Ce dernier pressa un commutateur : un panneau coulissa et révéla un grand téléviseur digital. Une fois le branchement effectué, commencèrent à défiler les images, une trentaine de clichés que Dirk et Summer commentaient : d'abord l'arc d'entrée, les marches, puis l'intérieur et le grand lit de pierre, enfin le chaudron et son contenu.

Quand l'écran s'éteignit, ils restèrent tous silencieux quelques instants.

Ce fut Pitt qui réagit le premier.

—Je pense que nous devrions alerter St. Julien Perlmutter.

—St. Julien n'est pas un archéologue, fit Gunn, sceptique.

—Exact, mais si quelqu'un a des théories sur les premiers navigateurs susceptibles de s'être aventurés dans cette partie de l'océan voilà trois mille ans, c'est bien lui.

—Pourquoi pas ? approuva Sandecker. (Il regarda Dirk et Summer.) Voici votre projet de recherche pour les deux semaines à venir. Trouvez des réponses. Considérez cela comme des vacances de travail. (Il pivota alors dans son grand fauteuil de cuir pour s'adresser à Pitt et à Giordino.) Venons-en maintenant à l'affaire de la boue brune. Nous savons pour l'instant ce qu'elle n'est pas : elle n'est pas causée par la présence d'une algue et ce n'est pas non plus une biotoxine liée au phénomène de la marée rouge. Nous savons aussi ce qu'elle fait : elle dévaste tout sur son passage en se déversant dans l'Atlantique où les courants équatoriaux la poussent vers le golfe du Mexique et la Floride. Des océanographes estiment qu'elle peut avoir déjà atteint les eaux américaines, et des rapports

provenant de Key West affirment que des bancs
d'éponges souffrent d'une maladie inconnue.

— Je regrette que la chute du *Poisson* ait entraîné la
destruction de mes échantillons d'eau et de cadavres
d'animaux marins, déplora Summer.

— Ne vous inquiétez pas. Echantillons et spécimens
arrivent tous les jours de cinquante sites différents dans
les Caraïbes.

— A-t-on ne serait-ce qu'une petite idée concernant
l'origine de cette boue ? s'informa Pitt.

Gunn ôta ses lunettes et essuya les verres avec un
petit chiffon.

— En fait, nos savants en confrontant les données
concernant les vents et les courants, les images satellite
et les observations rapportées par les navires estiment
que la boue proviendrait de quelque part au large de la
côte du Nicaragua. Mais ça n'est encore qu'une hypothèse.

— Un produit chimique déversé par un fleuve ?
suggéra Dirk.

— C'est possible, admit Sandecker en roulant entre
ses doigts un de ses énormes cigares sans l'allumer.
Mais nous ne savons rien de plus.

— En tout cas, intervint Gunn, sale affaire que ce
produit mortel pour la vie marine et pour le corail. Il
faut trouver une solution, gagner de vitesse le phénomène avant qu'il n'envahisse les Caraïbes et n'y
détruise toute vie.

— C'est inquiétant ce que tu racontes là, observa Pitt
en se tournant vers Gunn.

— Raison de plus pour trouver la provenance et
prendre des mesures, conclut Sandecker. Et c'est là où
vous intervenez avec Al. Votre mission consistera à
enquêter dans les eaux au large de la côte Ouest du
Nicaragua. J'ai réservé un des Neptune de la NUMA,
ces petits bateaux très rapides à l'équipage réduit –

jamais plus de cinq hommes – et pourvus de l'équipement nécessaire et d'un matériel de recherche dernier cri.

— Comme le *Calliope* que nous avons été contraints de saborder il y a quelques années sur le Niger.

— Exactement. Vingt-deux mètres de long et un aspect trompeur. Vous ne risquerez pas de vous faire remarquer car sa coque, son pont et sa timonerie sont copiés sur ceux d'un chalutier écossais.

— Un navire de recherche océanographique camouflé en bateau de pêche, une première certainement, siffla Pitt toujours admiratif devant l'esprit inventif de Sandecker.

— Un chalutier écossais dans les Caraïbes ? Aussi discret qu'un clochard au bal des débutantes, rétorqua Giordino.

— Ne vous inquiétez pas, répondit Sandecker. Les superstructures du *Poco Bonita* se modifient électroniquement pour s'intégrer dans n'importe quelle flottille de pêche du monde.

— Pourquoi tous ces subterfuges ? interrogea Pitt. Nous ne pénétrons pas dans une zone de guerre.

Sandecker lui lança un de ses regards en coulisse que Pitt ne connaissait que trop bien.

— Et si vous croisiez la route d'un vaisseau fantôme et de son équipage de revenants ?

— Un vaisseau fantôme ! ricana Pitt, légèrement narquois.

— Connaissez-vous la légende du Flibustier errant ?

— Vaguement.

— Leigh Hunt, un pirate sans scrupules, sévissait dans les Antilles à la fin du XVIIᵉ siècle, s'attaquant à tous les navires qu'il rencontrait, espagnols, anglais ou français. Il était gigantesque ; auprès de lui Barbe-Bleue faisait figure de mauviette. Dans toutes les Caraïbes on le citait pour sa cruauté, à tel point que des équipages entiers préféraient se donner la mort plutôt que de se rendre à Hunt. Son passe-temps favori consistait à traîner derrière son navire les malheureux captifs jusqu'au moment où les requins ne laissaient plus rien à remonter au bout des cordes.

—Comme un vieux loup de mer que je connais bien, murmura Giordino.

Sandecker poursuivit comme s'il n'avait rien entendu.

—Pendant plus de quinze ans, Hunt et son navire, le *Fléau*, firent ainsi régner la terreur jusqu'au jour où il décida de s'en prendre à un vaisseau de guerre britannique camouflé en bateau de commerce inoffensif. Trompé par les apparences, Hunt hissa son pavillon noir à tête de mort et tira un coup de canon par-dessus l'étrave de l'Anglais. Il approchait pour l'abordage quand les Britanniques soulevèrent leurs sabords et envoyèrent une terrible bordée sur le *Fléau*. A l'issue d'un violent engagement, les pirates furent anéantis.

—Hunt avait-il survécu à la bataille ? demanda Summer.

—Malheureusement pour lui, oui.

—Les Anglais, se renseigna Dirk, lui ont-ils rendu la pareille en le traînant derrière leur navire ?

—Non, répondit Sandecker. Deux ans auparavant, Hunt avait massacré le frère du capitaine et celui-ci était donc bien décidé à se venger. Il ordonna qu'on coupât les pieds de Hunt. On l'attacha alors à une corde qu'on fit pendre de manière que ses moignons ensanglantés ne fussent qu'à une vingtaine de centimètres de l'eau. Vous devinez la suite : flairant l'odeur du sang, les requins se précipitèrent en claquant des mâchoires ; il ne resta bientôt plus, accrochés à la corde, que les bras et les mains de Hunt.

—C'est dégoûtant, s'écria Summer en grimaçant.

—Pas du tout, protesta Dirk. Il a eu ce qu'il méritait.

— Eclairez ma lanterne, amiral, s'impatienta Giordino qui luttait désespérément contre son envie de dormir, que vient faire ce pirate là-dedans ?

— De même que le *Hollandais volant*, répondit Sandecker avec un petit sourire, Leigh Hunt et son équipage de pirates sanguinaires continuent d'écumer toujours les eaux où vous allez effectuer vos recherches.

— Allons donc !

— Au cours des trois dernières années, ils ont été vus par des cargos, des navires de plaisance et des bateaux de pêche. Certains avaient annoncé par radio avant de disparaître corps et biens qu'un vaisseau hanté et un équipage de fantômes s'apprêtaient à les attaquer.

— Vous plaisantez, déclara Pitt en regardant Sandecker.

— Absolument pas. Pour preuve je vous enverrai les rapports.

— Note bien, recommanda Giordino à Pitt, d'emporter épieux et balles d'argent en quantité.

— Un vaisseau fantôme manœuvré par des revenants sur une mer de boue brune, résuma Pitt tout en regardant le Potomac par la fenêtre. Enfin un spectacle qui devrait justifier le déplacement.

16

Pitt décida d'emmener tout le monde au restaurant dans sa superbe vieille Marmon. La soirée était tiède, aussi les trois hommes s'installèrent-ils sur la banquette avant découverte, tandis que les femmes s'asseyaient à l'arrière pour ne pas être décoiffées.

Giordino avait amené sa chérie du moment, Micky Levy, qui travaillait pour une société minière basée à Washington. Elle avait un visage au modelé délicat, la peau mate et de grands yeux marron. Ses longs cheveux noirs ramenés en couronne s'ornaient derrière son oreille gauche d'une petite fleur d'hibiscus. Elle parlait d'une voix douce avec un soupçon d'accent israélien.

La glace de séparation entre les sièges qui protégeait les femmes du vent leur permettait aussi de bavarder tout à leur aise. Loren et Summer apprirent que Micky était née à Jérusalem où elle avait grandi et qu'elle était diplômée de l'Ecole des mines du Colorado.

— Ainsi, dit Summer, vous êtes géologue.

— Géologue de structure, répondit Micky. Ma spécialité, c'est de mener les analyses préliminaires à des travaux d'excavation. J'étudie les infiltrations d'eau et les ruissellements de terrain pour tenir les ingénieurs en charge des projets informés des risques d'inondation.

— C'est rasoir, non ? compatit gentiment Loren. Je me rappelle le cours de géologie que j'ai dû suivre au collège pour valider ma licence de sciences économiques. Je croyais que ce serait intéressant, mais j'ai découvert que la géologie, c'est aussi fascinant que la comptabilité.

— Heureusement, fit Micky en riant, le travail sur le terrain n'est pas aussi assommant.

— Est-ce que tu sais où papa nous emmène dîner ? lui demanda Summer.

— Il ne m'a rien dit, fit Loren en secouant la tête.

Vingt-cinq minutes plus tard, Pitt s'engageait dans l'allée de Chez François, une auberge située à Great Falls, en Virginie. Dans la salle, Pitt aperçut quelques vieux amis dont Clyde Smith et sa charmante épouse Paula avec lesquels il échangea quelques mots. Smith travaillait à la NUMA – dans les services financiers – depuis presque aussi longtemps que Pitt. Quand tout le monde fut installé, Pitt commanda du vin et un plateau de charcuterie en guise de hors-d'œuvre.

Ils dînèrent tout en bavardant à bâtons rompus. Loren évoqua les dernières rumeurs des milieux politiques de Washington. Puis ce fut le tour de Dirk et Summer qui racontèrent leur découverte du temple englouti, et leur expérience de l'ouragan sur le banc de la Navidad qui avait failli leur coûter la vie. Pitt les interrompit pour leur faire part de son coup de fil à St. Julien Perlmutter à qui il avait signalé la visite de son fils et de sa fille qui souhaitaient profiter de ses connaissances encyclopédiques des bateaux et de la mer.

Après un dîner succulent et copieux, couronné par un somptueux dessert arrosé d'un verre de vieux porto, tous jurèrent de se mettre dès le lendemain à la diète. Entre deux gorgées de café, Summer demanda à Micky dans quelles parties du monde ses expéditions géologiques l'avaient entraînée. Celle-ci décrivit d'immenses cavernes au Brésil et au Mexique en évoquant les

difficultés qu'elle avait parfois rencontrées pour pénétrer dans leurs profondeurs.

— Vous n'avez jamais trouvé d'or ? demanda Summer en plaisantant.

— Si, une fois, de faibles traces dans une rivière
souterraine qui coule sous le désert de Gila avant de se
jeter dans le golfe de Californie.

A peine avait-elle prononcé le mot Gila que Pitt,
Giordino et Loren éclatèrent de rire. Micky fut très
surprise d'apprendre que Pitt et Giordino avaient
découvert cette rivière en arrachant Loren des griffes
d'une bande de trafiquants d'objets d'art dans le cadre
du projet de l'Or des Incas.

— Le Rio Pitt, s'extasia Micky impressionnée.
J'aurais dû faire le rapprochement. (Elle continua à
décrire ses voyages à travers le monde.) Ce qui m'a le
plus fascinée, c'est l'étude des niveaux de l'eau dans
les grottes calcaires du Nicaragua.

— Je connaissais, intervint Summer, l'existence au
Nicaragua de grottes où nichent des chauves-souris,
mais pas celle de cavernes de calcaire.

— On les a découvertes il y a dix ans et elles sont
très vastes. Certaines s'étendent sur des kilomètres
carrés. L'entreprise de construction qui m'avait engagée pour ces recherches projetait de construire un canal
réunissant les deux océans.

— Un canal à travers le Nicaragua ? s'étonna Loren.

— En fait, les ingénieurs parlaient, eux, d'un « pont
souterrain ».

— Un canal souterrain ? répéta Loren sceptique. J'ai
du mal à me représenter cela.

— Des installations portuaires abritant des porte-
conteneurs et des zones de libre-échange sur ce canal
reliant les Caraïbes au Pacifique qui reste à construire
seraient reliées par un chemin de fer à grande vitesse
fonctionnant par lévitation magnétique et passant par

d'énormes tunnels creusés sous la montagne et le lac Nicaragua, avec des rames capables de dépasser 500 kilomètres à l'heure.

—L'idée est valable, reconnut Pitt. Si elle était réalisable, elle permettrait de diminuer fortement les coûts de navigation.

—Mais quel investissement énorme ! observa Giordino.

—Le budget estimé, précisa Micky, atteignait sept milliards de dollars.

—Je trouve étrange, déclara Loren dont le doute persistait, que le ministère des Transports n'ait jamais eu connaissance d'une aussi vaste entreprise.

—Et que les médias n'en aient jamais parlé, renchérit Dirk.

—En fait le projet n'a jamais vu le jour, expliqua Micky. La société d'investissement qui le soutenait aurait décidé de se retirer. Pourquoi, je ne l'ai jamais su. Je m'étais engagée par écrit à ne jamais donner la moindre information à ce sujet, mais il y a quatre ans de cela et comme apparemment les choses ne sont pas allées plus loin, je m'estime en droit d'en parler à mes amis au cours d'un merveilleux dîner.

—C'est une histoire fascinante, reconnut Loren. Je serais curieuse de savoir qui devait apporter le soutien financier.

—J'ai cru comprendre, dit Micky en avalant une gorgée de porto, qu'une partie des fonds devait venir de la République de Chine qui a beaucoup investi en Amérique centrale. Si le système de transport souterrain avait été mené à bien, cela aurait donné aux Chinois un formidable pouvoir économique dans les deux Amériques.

Pitt et Loren échangèrent un regard, puis Loren demanda à Micky :

—Quelle était l'entreprise de travaux publics qui vous avait engagée ?

—Un gros consortium international, Odyssée.

—Oui, dit Pitt en pressant le genou de Loren sous la table. Oui, j'en ai entendu parler.

—Quelle coïncidence, reprit Loren. Dirk et moi en discutions ce matin même.

—Curieux nom pour une entreprise de travaux publics, fit Summer.

Loren eut un petit sourire et reprit, paraphrasant Winston Churchill :

—Un mystère enveloppé dans un labyrinthe de tractations secrètes à l'intérieur d'une énigme. Le fondateur et président de la société, qu'on appelle le Spectre, n'est pas un type ordinaire.

Dirk avait l'air songeur.

—Pourquoi à votre avis a-t-il renoncé au projet ? Par manque d'argent ?

—Certainement pas, répondit Loren. Des journalistes économiques estiment ses avoirs personnels à plus de cinquante milliards de dollars.

—Pourquoi, murmura Pitt, n'a-t-il pas fait creuser ces tunnels s'ils représentaient de tels enjeux ?

Loren hésitait, mais pas Giordino.

—Comment savez-vous qu'il a jeté l'éponge ? Comment savez-vous que, pendant que nous savourons notre porto, il n'est pas en train de creuser secrètement dans les entrailles du Nicaragua ?

—Impossible, rejeta Loren catégorique. Les photos satellite montreraient des traces de chantier. Il n'existe aucun moyen de pouvoir dissimuler des travaux d'excavation d'une pareille ampleur.

Giordino examinait son verre vide.

—Ce serait un joli coup s'il parvenait à escamoter les millions de tonnes de roche et de terre provenant des tunnels.

Pitt se tourna vers Micky.

— Pourriez-vous me fournir une carte de la région où le tunnel était censé commencer et finir ?

— Vous avez piqué ma curiosité, fit Micky. Donnez-moi votre numéro de fax et je vous ferai parvenir les plans du site.

— A quoi penses-tu, Papa ? demanda Dirk.

— Dans quelques jours, expliqua Pitt avec un sourire entendu, Al et moi partons faire une croisière du côté du Nicaragua. Pourquoi ne flânerions-nous pas un peu dans la région ?

17

Pour se rendre à la résidence de St. Julien à Georgetown, Dirk et Summer empruntèrent à leur père sa Météore 1952, un puissant cabriolet carrossé sur mesure en fibre de verre avec un V-8 de Fire Dome DeSoto dont le moteur gonflé développait 270 chevaux. La voiture arborait les couleurs des écuries de course américaines, blanche avec une bande bleue. A vrai dire, ce prétendu cabriolet n'avait jamais eu de capote : quand il pleuvait, Dirk se contentait d'étendre à l'avant un morceau de plastique avec un trou pour passer la tête.

La Météore s'engagea dans l'allée qui contournait le grand manoir de trois étages qu'elle desservait ; l'auto s'arrêta devant des écuries très vastes qui avaient abrité jadis dix chevaux et cinq attelages et, à l'étage, les chambres des palefreniers et des cochers. St. Julien Perlmutter avait acheté ces bâtiments quarante ans auparavant pour y entreposer des archives ; sur des kilomètres d'étagères s'entassaient des livres, des documents et des papiers personnels concernant l'histoire de près de trois cent mille navires et naufrages. A proximité, le fin gourmet qu'il était disposait d'une armoire réfrigérée contenant un assortiment de produits gastronomiques provenant des quatre coins du monde, et d'une cave où sommeillaient quatre mille bouteilles.

Pas de sonnette à l'entrée, mais un heurtoir en forme

d'ancre sur la grande porte. Summer frappa trois fois et attendit. Quelques minutes plus tard, un imposant personnage d'un mètre quatre-vingt-dix et environ cent quatre-vingts kilos – surtout des muscles – vint ouvrir.

Des cheveux embroussaillés, une grande barbe et une longue moustache aux extrémités recourbées, un visage rond et rougeaud, un nez en trompette et des yeux bleus auraient pu sans sa corpulence le faire passer aux yeux des enfants pour le Père Noël. Il était vêtu de son habituelle robe de chambre en soie avec un motif de cachemire rouge et or. Un petit teckel dansait autour de lui en jappant.

— Summer ! Dirk ! s'exclama-t-il en soulevant les jeunes gens dans ses énormes bras. Summer, les côtes écrasées, et Dirk, le souffle coupé, apprécièrent quand Perlmutter, qui ne connaissait pas sa force, les reposa pour les inviter à entrer.

— Entrez donc. Vous ne savez pas quelle joie votre visite me procure. (Puis, se tournant vers le chien :) Fritz ! Si tu aboies encore je te supprime ton allocation de chien gourmet !

— J'espère, fit Summer en se massant le sein, que papa vous a annoncé notre visite.

— Mais oui, tout à fait, confirma Perlmutter avec entrain. Quel plaisir ! (Il s'interrompit, le regard embué.) Dirk me rappelle l'époque où votre père, peut-être un peu plus jeune que vous l'êtes, venait bouquiner dans ma bibliothèque.

Dirk et Summer avaient souvent accompagné Pitt chez Perlmutter ; pourtant ils restaient chaque fois médusés par les innombrables archives qui faisaient crouler les étagères, et les volumes qui s'entassaient partout dans les couloirs, dans les pièces, jusque dans les salles de bains. Il possédait la plus vaste collection d'ouvrages d'histoire maritime du monde et, si jamais Perlmutter décidait un jour de vendre sa collection, toutes les bibliothèques des Etats-Unis surenchériraient à qui mieux mieux.

La mémoire incroyable de Perlmutter fascinait aussi Summer qui pensait qu'une telle masse de données aurait dû être classée, indexée dans un système informatique ; or il prétendait être incapable de raisonner dans l'abstrait et n'avait jamais acheté d'ordinateur. Ce qui ne l'empêchait pas de retrouver dans ce labyrinthe n'importe quels information, livre, auteur ou source ; mieux encore, il se vantait d'y arriver en soixante secondes.

Perlmutter les mena dans sa magnifique salle à manger lambrissée de bois de santal, la seule pièce de la maison où on ne voyait aucun livre.

— Asseyez-vous, claironna-t-il. (Il désignait une grande table ronde qu'il avait fait sculpter dans le gouvernail de la *Mary Celeste*, le célèbre vaisseau fantôme dont on avait retrouvé l'épave en Haïti.) J'ai préparé une collation à base de crevettes sautées aux goyaves que nous arroserons d'un petit chardonnay de Martin Ray.

— Alors, fit Perlmutter quand ils furent rassasiés, que puis-je faire pour vous, mes enfants ? Votre père m'a dit que vous aviez découvert des objets celtes.

Summer ouvrit son porte-documents et en tira le rapport qu'elle avait rédigé avec son frère dans l'avion ainsi que les photos des objets découverts dans le temple.

— Voici qui illustre assez bien nos trouvailles ainsi que les conclusions de Hiram Yaeger en ce qui les concerne.

Perlmutter se versa un verre de vin, abaissa ses lunettes sur son nez et se mit à lire. De temps en temps il s'interrompait pour contempler le plafond d'un air songeur puis reprenait sa lecture. Quand il eut terminé, il reposa le rapport sur la table et se tourna vers les jeunes Pitt.

— Réalisez-vous ce que vous venez de faire ?

Summer eut un petit haussement d'épaules.

— Probablement une découverte archéologique d'une certaine importance.

— D'une certaine importance, répéta Perlmutter d'un ton railleur. Si l'authenticité est avérée, vous aurez balayé un millier de thèses archéologiques unanimement admises.

— Mon Dieu, fit Summer. C'est si grave que ça ?

— Tout dépend du point de vue que l'on adopte, déclara Perlmutter entre deux gorgées de vin. On ne sait pas grand-chose de la culture celtique avant l'an 500 de notre ère. Les Celtes n'ont laissé aucune trace écrite avant le Moyen Age ; ce qui a filtré à travers le temps, c'est qu'aux alentours de l'an 2000 av. J.-C., les Celtes se sont dispersés dans l'Europe de l'Est après avoir quitté leurs terres d'origine, au bord de la mer Caspienne. Certains historiens avancent la théorie que les Celtes et les habitants de l'Inde avaient des ancêtres communs, car ils parlaient des langues similaires.

— Jusqu'où s'étendaient leurs territoires ? demanda Dirk.

— Ils ont envahi le nord de l'Italie et la Suisse, ont continué vers la France, l'Allemagne, la Grande-Bretagne et l'Irlande, puis au nord jusqu'au Danemark et au sud jusqu'en Espagne, en Grèce, et même de l'autre côté de la Méditerranée, au Maroc où des archéologues ont retrouvé des objets celtes. On a également découvert dans le nord de la Chine, à Ouroumtsi, des tombes abritant des momies bien conservées : leur peau blanche, leurs cheveux blonds ou roux et le tissu à carreaux de leurs vêtements incitent à penser qu'il s'agissait très certainement de Celtes.

— J'ai entendu parler d'Ouroumtsi, dit Dirk. Mais

j'ignorais totalement que les Celtes avaient atteint la Grèce. Les Grecs ne constituaient-ils pas la population indigène ?

—C'est vrai pour certains d'entre eux, mais on admet en général que la plupart sont venus d'Europe centrale. Les Celtes ont fini par régner sur des territoires presque aussi vastes que l'Empire romain. Chassant les peuplades néolithiques auxquelles l'Europe doit des monuments mégalithiques comme ceux de Stonehenge, ils ont poursuivi les traditions de mysticisme de la religion druidique. « Druide » signifie d'ailleurs les « très sages ».

—Ils ont laissé bien peu de traces dans l'histoire, s'étonna Summer. C'est étrange.

—Contrairement aux Egyptiens, aux Grecs et aux Romains, développa Perlmutter, ils n'ont jamais constitué une unité nationale, seulement une vague confédération de tribus qui luttaient souvent entre elles mais qui faisaient front contre un ennemi commun. Au bout de quinze cents ans, ils ont délaissé leurs villages au profit de places fortes édifiées sur des collines pour se protéger et qui ont fini par constituer des agglomérations. Zurich, Paris, Munich et Copenhague, entre autres villes d'Europe, sont construites sur d'anciennes localités celtes.

—Ils n'ont construit aucun édifice remarquable et pourtant ils deviendront la civilisation dominante en Europe de l'Ouest.

—Les Celtes s'adonnaient essentiellement à l'élevage et cultivaient leur terre uniquement pour nourrir leur famille. Ils n'étaient pas des nomades, sinon leur existence tribale aurait beaucoup ressemblé à celle des Indiens d'Amérique. Ils faisaient des razzias sur d'autres villages pour s'emparer de bétail et de femmes. Ce ne sera que vers 300 avant notre ère qu'ils se serviront de l'agriculture pour nourrir leurs bêtes en hiver. Ceux qui vivaient le long des côtes devinrent des marchands faisant commerce d'armes de bronze et vendant le précieux étain à d'autres peuples désireux de produire du bronze. La majeure partie de l'or destiné à la fabrication d'ornements exotiques pour les chefs et les classes dirigeantes était importée.

— Comment une culture disposant de si peu d'atouts s'est-elle imposée sur un territoire aussi vaste ?

— On ne peut pas dire que les Celtes n'avaient aucun atout, protesta Perlmutter. Ils ont préparé l'avènement de l'âge du bronze en mettant au point l'alliage du cuivre et de l'étain dont on trouvait de vastes réserves en Angleterre. Par la suite on a porté à leur crédit la fonte du fer et l'âge du même nom. Cavaliers magnifiques, ils ont généralisé l'usage de la roue en Europe et utilisé des chars de guerre ; ils ont été les premiers à se servir de charrettes à quatre roues et d'instruments métalliques pour labourer et moissonner. Nous nous servons encore aujourd'hui de pinces et de tenailles, outils qu'ils ont créés. Ils ont été les premiers à ferrer leurs chevaux avec du bronze et à fabriquer des jantes en fer. Le monde antique a connu le savon grâce aux Celtes. Ils n'avaient pas leur pareil pour travailler le métal et ils étaient passés maîtres dans l'utilisation de l'or pour la décoration des bijoux, des casques, des épées et des haches. Ils excellaient dans l'art de la céramique, de la poterie et de la verrerie, et ont enseigné celui de l'émaillage aux Grecs et aux Romains. Les Celtes, poètes et musiciens éminents, portaient à leurs artistes une plus grande estime qu'aux prêtres. Nous tenons d'eux l'habitude de faire commencer la journée à minuit.

— Comment s'explique alors leur déclin ? demanda Summer.

— Tout d'abord par une série de défaites devant les envahisseurs romains. Les Gaules – ainsi les Romains appelaient-ils le territoire des Celtes – commencèrent à s'affaiblir en même temps que d'autres cultures ; celles des Germains, des Goths et des Saxons, par exemple, se répandaient à travers l'Europe. Au fond, les Celtes, inconstants, impétueux et indisciplinés, n'avaient pas de pire ennemi que leur caractère indomptable et leur individualisme. Après la chute de Rome, les Celtes ont été repoussés de l'autre côté de la mer du Nord vers l'Angleterre et l'Irlande où leur influence reste sensible encore aujourd'hui.

— A quoi ressemblaient-ils et comment traitaient-ils les femmes ? demanda Summer avec un petit sourire.

— Je me demandais, soupira Perlmutter, quand vous en arriveriez là. (Il servit le reste de vin.) Les Celtes étaient courageux, grands et beaux avec des cheveux blonds, roux ou bruns. On les décrivait comme des gens turbulents dotés d'une voix sonore et rude. Tu seras heureuse d'apprendre, ma chère Summer, que la société celte plaçait les femmes sur un piédestal : elles pouvaient prendre le mari de leur choix, hériter et, contrairement à ce qui se passait dans la plupart des civilisations de leur époque, réclamer réparation en cas de mauvais traitements. Aussi grandes que leurs compagnons, elles luttaient, paraît-il, à leurs côtés dans les batailles. Une armée celte, reprit Perlmutter avec un sourire, devait offrir un drôle de spectacle.

— Pourquoi donc ? demanda Summer tombant droit dans le piège.

— Parce qu'ils combattaient nus.

Summer ne rougit pas, mais elle ouvrit quand même de grands yeux.

— Ce qui nous ramène à ce que nous avons découvert sur le banc de la Navidad, coupa Dirk, revenant aux choses sérieuses. Si on ne les a pas transportés à bord d'un navire trois mille ans plus tard, d'où venaient-ils ?

—Et la chambre funéraire et les salles taillées dans le roc ? ajouta Summer.

—Es-tu sûre qu'elles étaient taillées dans le roc ? Ne s'agissait-il pas plutôt de pierres entassées les unes sur les autres ? interrogea Perlmutter.

—Peut-être, fit Dirk en regardant sa sœur. Les coraux et les coquillages peuvent facilement masquer des fissures entre les pierres.

—Les Celtes utilisaient rarement la pierre, déclara Perlmutter. Peut-être n'y avait-il pas d'arbres dont on pût tirer du bois de construction quand le banc de la Navidad s'est élevé au-dessus du niveau de la mer : les palmiers, par exemple, au tronc incurvé et fibreux ne convenaient pas à des constructions durables.

—Mais comment auraient-ils réussi à franchir six mille milles d'océan en 1100 av. J.-C. ?

—Bonne question, reconnut Perlmutter. Ceux qui vivaient sur les rivages de l'Atlantique étaient marins – le « peuple des rames » ; on sait que partis de ports de la mer du Nord ils ont rallié la Méditerranée. Mais aucune légende n'évoque des Celtes traversant l'Atlantique, à l'exception peut-être de saint Brendan, ce prêtre irlandais dont beaucoup pensent qu'après un voyage de sept ans il aurait atteint la côte Est de l'Amérique.

—A quelle époque ? se fit préciser Dirk.

—Entre 520 et 530 de notre ère.

—Quinze cents ans trop tard pour notre découverte, calcula Summer. Où cela nous mène-t-il ?

—La première des énigmes qui se pose à vous, déclara Perlmutter, c'est de déterminer si le banc de la Navidad était émergé il y a trois mille ans.

—Donc un géomorphologue, qui étudie l'origine et l'âge des terres émergées, saurait répondre, suggéra Summer.

—Commence avec Hiram Yaeger ; sa banque de données sur tout ce qui touche à la mer est une des plus formidables qui soient. Si on a déjà procédé à une étude scientifique de la géologie du banc de la Navidad, il doit en avoir une trace.

— Et si elle avait été effectuée par une équipe de savants allemands ou russes ?

— Yaeger en aura une traduction, tu peux compter là-dessus.

Dirk se leva et se mit à arpenter le plancher.

— Notre première visite à la NUMA sera pour Hiram et ses dossiers.

— Et ensuite ? interrogea Summer en souriant.

— Prochain arrêt, décréta Dirk, le bureau de l'amiral Sandecker pour le persuader que tirer cette affaire au clair nécessite de mettre à notre disposition un navire de recherche ainsi que l'équipement indispensable pour explorer à fond les salles englouties et remonter les objets qui y dorment.

— Tu veux dire : retourner là-bas.

— Tu vois un autre moyen ?

— Non, reconnut-elle à contrecœur. (Elle sentait une peur sourde monter en elle.) Mais je crois que je ne supporterai pas de revoir le *Poisson*.

— Tel que je le connais, intervint Perlmutter, Sandecker combinera votre exploration avec un autre projet pour économiser les fonds de la NUMA.

— Ça me paraît une hypothèse vraisemblable, approuva Dirk. (Puis il se tourna vers sa sœur.) On y va ? Nous avons pris beaucoup de son temps à St. Julien.

— Merci pour ce somptueux déjeuner, fit Summer en embrassant Perlmutter avec précaution.

— Un vieux célibataire comme moi se réjouit toujours de la compagnie d'une jolie jeune fille.

— Au revoir et merci, fit Dirk en serrant la main de Perlmutter.

—Fais mes amitiés à ton père et dis-lui de passer me voir.

—Je n'y manquerai pas.

Après le départ des jeunes gens, Perlmutter resta perdu dans ses pensées. Ce fut Pitt qui l'en détourna par un coup de téléphone.

—Dirk ! Tes enfants viennent juste de partir.

—Les as-tu aiguillés dans la bonne direction ?

—J'ai seulement un peu aiguisé leur appétit sans les aider beaucoup car on ne sait pas grand-chose des exploits maritimes des Celtes.

—J'ai une question à te poser.

—Je t'écoute.

—As-tu déjà entendu parler d'un pirate, un certain Hunt ?

—Oui, un flibustier célèbre à la fin des années 1600. Pourquoi me demandes-tu cela ?

—On a prétendu qu'il hanterait la mer des Antilles. On l'appellerait le flibustier errant.

—J'ai lu les rapports, soupira Perlmutter. Ça ressemble au *Hollandais volant*. Ce qui est certain, c'est que plusieurs des bateaux qui ont annoncé par radio avoir vu son vaisseau ont disparu sans laisser de trace.

—Il y a donc lieu de se faire des cheveux quand on navigue dans les eaux du Nicaragua ?

—J'imagine. Qu'est-ce qui te fait demander ça ?

—La curiosité.

—Aimerais-tu que je te communique ce que j'ai au sujet de Hunt ?

—Je te serais reconnaissant de me l'envoyer par exprès au hangar, dit Pitt. J'ai un avion à prendre demain matin.

—Ça part tout de suite.

—Merci, St. Julien.

—Je donne une petite soirée dans deux semaines. Tu pourras venir ?

—Je ne manque jamais aucune de tes fêtes.

Après avoir raccroché, Perlmutter rassembla les documents promis, appela un service de courrier exprès et passa dans sa chambre où il se planta devant un rayonnage bourré de livres. D'une main sûre, il tira un volume d'une étagère et gagna d'un pas lourd son bureau ; il s'installa sur un canapé Récamier fabriqué à Philadelphie en 1840. Fritz sauta sur ses genoux et se cala sur son ventre en le regardant d'un air attendri.

Perlmutter ouvrit le livre d'Iman Wilkens intitulé *Le Véritable Site de Troie* et se mit à lire. Au bout d'une heure, il referma l'ouvrage et regarda Fritz.

—Tu crois que c'est possible ? murmura-t-il au teckel. Tu le crois vraiment ?

Puis il laissa le dernier verre de chardonnay l'entraîner dans le sommeil.

18

Le lendemain, un jet de la NUMA déposa Pitt et Giordino à Managua d'où ils repartirent à bord cette fois d'un appareil commercial. Ils survolèrent les montagnes du Nicaragua, les basses plaines bordant la mer des Caraïbes et enfin la côte des Moustiques. Ils auraient pu accomplir ce trajet – une heure à peine – avec le jet de la NUMA, mais Sandecker avait estimé préférable d'en faire des touristes ordinaires qu'on ne remarquerait pas.

Le soleil couchant baignait les sommets d'une lueur dorée avant de se perdre dans les ombres du versant oriental.

Pitt concevait difficilement un canal traversant un terrain aussi difficile ; pourtant pendant des siècles on jugea l'itinéraire nicaraguayen préférable à celui de Panamá : un climat plus sain, un tracé plus facile et les Etats-Unis plus proches – cinq cents kilomètres au lieu de mille.

Mais avant la fin du XIXe siècle, les politiciens sortirent de l'indécision pour rendre un verdict négatif : Panamá disposait en effet d'un puissant groupe de pression qui se donna beaucoup de mal pour faire avancer sa cause et envenimer les relations entre le Nicaragua et le gouvernement américain. Pendant quelque temps, on resta dans l'incertitude, mais Teddy Roosevelt intervint en coulisses dans la mise au point d'une fructueuse opération avec les Panaméens qui fit reculer d'autant les chances du Nicaragua. Là-dessus la montagne Pelée, un volcan de la Martinique, se réveilla et fit plus de trente mille victimes. Très mal à propos, les Nicaraguayens émirent une série de timbres décrivant leur pays comme la terre des volcans ; l'un d'eux illustrait même une éruption avec au premier plan un quai et une voie ferrée. Cela régla l'affaire : le Sénat des Etats-Unis choisit de construire le canal au Panamá.

L'avion venait à peine de décoller de Washington que Pitt se plongeait dans un rapport sur la côte des Moustiques. Les basses terres du Nicaragua donnant sur la mer des Caraïbes étaient isolées de la partie occidentale du pays, bien plus peuplée, par des montagnes abruptes et d'épaisses forêts tropicales. Cette région n'avait jamais fait partie de l'empire espagnol ; elle avait subi l'influence britannique jusqu'en 1905, date à laquelle toute la côte était tombée sous la juridiction du gouvernement nicaraguayen.

Pitt se rendait à Bluefields, le principal port du Nicaragua sur la mer des Caraïbes, ainsi baptisé en mémoire du pirate hollandais qui dissimulait son vaisseau dans le lagon proche de la ville. La population se composait de Miskitos – un groupe dont les ancêtres venaient d'Amérique centrale, d'Europe et d'Afrique –, de créoles descendant des esclaves de l'époque coloniale, et des Mestizos, des sang-mêlé d'Indiens et d'Espagnols. L'économie était basée sur la pêche : crevettes, homards et tortues. Une grosse conserverie préparait les poissons pour l'exportation et quelques autres entreprises se partageaient l'entretien, l'approvisionnement en carburant et les divers besoins des flottes de pêche internationales.

Pitt ne leva les yeux de son rapport qu'à la nuit tombée. Regardant le ciel noir par le hublot et bercé par le ronronnement des turboréacteurs, il s'abandonna à une rêverie nostalgique qui le ramena bien vite à cet endroit où tout avait commencé, sur cette plage isolée de Kaena Point, sur l'île d'Oahu à Hawaii. Allongé sur le sable, il contemplait distraitement les vagues quand il repéra un cylindre jaune à la surface de l'eau ; affrontant les rouleaux, il le récupéra et regagna le rivage. A l'intérieur, il découvrit le message du capitaine d'un sous-marin nucléaire disparu. Sa vie dès lors prit un nouveau tournant et lui offrit son premier amour, une femme sur laquelle il lui avait suffi de poser les yeux une seule fois. Puis il l'avait crue morte, n'apprenant qu'elle avait survécu que le jour où Dirk et Summer avaient sonné à sa porte.

Que de péripéties dans sa vie, que de circonstances au cours desquelles il avait nargué la grande faucheuse. La périlleuse descente de la rivière souterraine à la recherche de l'or inca, le combat inégal dans le vieux fort de la Légion étrangère au Sahara, la bataille dans l'Antarctique avec l'énorme auto-neige et le renflouement du *Titanic*. Une vie bien remplie somme toute.

Pourtant l'élan, l'attrait de défier l'inconnu avait disparu : il avait désormais une famille, des responsabilités. Il se tourna vers Giordino au sommeil de plomb. Ensemble, ils avaient accompli des exploits quasi surnaturels car, pas particulièrement proches dans la vie, dans l'adversité, ils ne faisaient plus qu'un, chacun jouant sur les qualités physiques et mentales de l'autre jusqu'à la réussite ou, plus rarement, l'échec.

Le train d'atterrissage se déploya, tirant Pitt de sa rêverie.

Il regarda par le hublot et vit les feux se refléter dans les rivières et les lagons entourant l'aéroport. L'appareil se posa sous une petite pluie fine et Pitt, une fois sur la passerelle de débarquement, eut la surprise de constater qu'il faisait frisquet.

Pitt et Giordino s'engouffrèrent dans le hall où ils durent patienter une vingtaine de minutes avant de récupérer leurs bagages et de retrouver la voiture qui, selon les instructions succinctes de Sandecker, les attendrait devant le terminal. Pitt tirant ses deux valises à roulettes et Giordino jetant sur son épaule un gros sac chargé de matériel de plongée écartèrent d'un geste les chauffeurs de taxi en quête de clients et se dirigèrent vers une vieille Ford Escort cabossée qui leur avait fait un appel de phares.

Pitt ne s'interrogea pas longtemps : Rudi Gunn en effet descendait pour leur serrer la main.

— Comme on se retrouve, fit-il en souriant.

— L'amiral ne nous avait pas parlé de vous pour ce projet.

— Comment se fait-il que vous soyez arrivé ici avant nous ? s'étonna à son tour Giordino.

— J'en avais assez d'être assis derrière un bureau, alors j'ai persuadé Sandecker de me laisser venir. Je suis parti pour le Nicaragua juste après votre réunion. Apparemment il ne s'est pas donné la peine de vous prévenir.

— Sans doute un oubli, ricana Pitt. Rudi, continua-t-il en passant un bras autour des épaules du petit homme, on en a vu, tous les deux ! C'est toujours un plaisir de travailler avec vous.

— Comme au Mali lorsque vous m'avez jeté dans le Niger ?

— Intervention nécessaire, pour autant que je me souvienne.

Pitt et Giordino éprouvaient du respect pour le directeur adjoint de la NUMA qui, sous ses airs d'universitaire, n'hésitait jamais à mettre la main à la pâte ; quant aux hommes, ils appréciaient surtout en lui le fait que, même s'ils se fourraient dans le pétrin, Gunn ne mouchardait jamais auprès de l'amiral.

Ils jetèrent leurs bagages dans le coffre et montèrent dans la Ford fatiguée que Gunn engagea sur la route menant de l'aéroport aux quais. Ils longèrent les vastes plages de la baie de Bluefields. Le delta de l'Escondido encerclait la ville dans ses multiples bras puis se perdait dans la mer par le détroit de Bluffs. Partout, silencieuses, abandonnées, des embarcations de pêche.

—Les bateaux ne sont pas sortis ? interrogea Pitt, intrigué.

—La boue brune ! lança Gunn. La pêche s'est pratiquement arrêtée : crevettes et homards se meurent, quant au poisson, il a émigré vers des eaux plus saines.

—Rude coup pour l'économie locale, constata Giordino.

—Un vrai désastre pour tous ceux qui vivent dans les basses terres et qui, d'une façon ou d'une autre, tirent leurs moyens d'existence de la mer. Pas de poisson, pas d'argent. Si la boue brune ne se dissipe pas ou n'est pas neutralisée, ils mourront tous de faim. (Il marqua un temps.) Sans oublier les ouragans qui balayent la côte ; avant le passage de *Lizzie*, le chômage atteignait soixante pour cent, aujourd'hui, il frise les quatre-vingt-dix. Avec Haïti la côte Ouest du Nicaragua est l'enfant pauvre de l'hémisphère occidental.

La Ford traversait la ville, cahotant d'ornières en nids-de-poule. L'architecture des immeubles croulants évoquait à la fois l'Angleterre et la France ; ils avaient jadis été peints de couleurs vives, mais cela faisait des décennies qu'ils n'avaient pas reçu le moindre coup de peinture.

—Vous ne plaisantiez pas en disant que l'économie était dans un état catastrophique, dit Pitt.

—Cette pauvreté s'explique en partie par la quasi-inexistence d'infrastructures et par l'incapacité des dirigeants locaux, précisa Gunn. Les filles n'ont pas d'autre choix que de se prostituer dès l'âge de quatorze ans, et les garçons de vendre de la cocaïne. L'électricité étant au-dessus de leurs moyens, les gens branchent des fils depuis leurs taudis jusqu'aux réverbères. Il n'y a pas non plus de tout-à-l'égout, le gouvernement ayant englouti la totalité du budget annuel dans la construction d'un palais parce qu'il croyait plus important de faire bonne figure devant les visiteurs de marque. Le commerce de la drogue est florissant mais les gens du pays ne s'enrichissent pas pour autant car le trafic s'effectue le plus souvent au large ou dans des criques à l'écart.

Gunn s'engagea sur les quais du port de commerce d'El Bluff, à l'entrée de la lagune, où régnait la puanteur insoutenable dégagée par les ordures flottant entre eaux crasseuses et flaques d'huile. Le déchargement des bateaux s'effectuait sur des quais défoncés vers des entrepôts sans toit pour la plupart. Un porte-conteneurs débarquait des caisses mentionnant MATÉRIEL AGRICOLE ; ces tracteurs aux chromes étincelants et ces semi-remorques semblaient déplacés dans un environnement aussi délabré. A peine visible sous les projecteurs du navire Pitt déchiffra *Dong He* et au milieu de la coque, COSCO : les initiales de la Chine Ocean Shipping Company.

Pitt se serait volontiers intéressé au contenu des caisses annonçant du MATÉRIEL AGRICOLE tandis que Giordino, incrédule, demandait :

— Ce sont leurs installations portuaires ?

— Plus exactement, ce qu'il en reste après le passage de *Lizzie*, répondit Gunn.

Quatre cents mètres plus loin, la Ford déboucha sur un vieux quai de bois bordé par les silhouettes sombres de bateaux de pêche abandonnés, et s'arrêta devant le seul qui fût éclairé. Il avait probablement connu des jours meilleurs : la lueur jaune des feux de bord révélait sa peinture noire, passée, et des traînées de rouille sur les ferrures du pont et de la coque. Dans un coin s'entassait du matériel de pêche : une embarcation parmi toutes celles qui mouillaient là.

En tournant la tête, Pitt aperçut une camionnette de couleur lavande garée un peu plus loin dans l'ombre d'un entrepôt : elle n'était pas vide car on distinguait une forme sombre au volant et le rougeoiement d'une cigarette derrière le pare-brise luisant de pluie.

— Alors, c'est le *Poco Bonito* ? s'informa-t-il en désignant le bateau.

— Il ne paie pas de mine, hein ? fit Gunn en ouvrant le coffre pour les aider à en sortir leurs bagages. Mais il est équipé de deux diesels de mille chevaux et d'un matériel scientifique que bien des labos lui envieraient.

— Curieux, déclara soudain Pitt.

— Comment ça ?

— La couleur ; c'est probablement la seule unité de la NUMA qui ne soit pas turquoise.

— Je connais bien les petits patrouilleurs de la NUMA, intervint Giordino ; celui-ci est construit comme une voiture blindée et tient remarquablement la mer. (Il inspecta les autres bateaux.) Beau travail de camouflage.

— De quand date-t-il ? interrogea Pitt.

— Six mois.

— Comment nos ingénieurs ont-ils réussi à lui donner un air si… si usé ?

— Des effets spéciaux, répondit Gunn en riant. La peinture écaillée et la rouille sont obtenues grâce à une formule particulière.

Pitt sauta sur le pont et se retourna pour attraper les bagages que lui tendait Giordino. Le bruit alerta les occupants qui surgirent du rouf. Un homme guère plus grand que Giordino et légèrement voûté, la cinquantaine, s'approcha ; il portait une barbe grise soigneusement taillée, ses sourcils étaient en broussaille, et son crâne rasé brillait de sueur.

L'autre membre de l'équipage, une femme, aurait pu être mannequin de mode : elle en avait la taille, près d'un mètre quatre-vingts, et la silhouette quasi décharnée. De longs cheveux blonds encadraient un visage hâlé aux pommettes hautes, au sourire éblouissant et dont la grande beauté rendait tout maquillage superflu. Une seule concession, remarqua Pitt, à la coquetterie féminine, ses ongles de pieds vernis.

Vêtu d'une chemise en cotonnade rayée locale sur un short kaki, l'homme portait des baskets en piteux état et la femme des sandalettes.

Gunn fit les présentations.

—Dr Renée Ford, notre ichtyologiste, et le Dr Patrick Dodge, éminent géochimiste maritime. Je crois que vous connaissez Dirk Pitt, directeur des Projets spéciaux, et Al Giordino, ingénieur maritime.

—Nous n'avons jamais travaillé ensemble, répondit Renée d'une voix un peu rauque, mais nous avons participé plusieurs fois aux mêmes conférences.

—Moi aussi, confirma Dodge en leur serrant la main.

Pitt retint la mauvaise plaisanterie qui lui brûlait les lèvres – Ford et Dodge faisaient-ils garage commun ? – et se contenta de déclarer :

—Enchanté de vous revoir.

—Espérons que nous ferons bon voyage, conclut Giordino avec un grand sourire.

Pitt écouta quelques instants l'eau clapoter contre les piliers du quai qui semblait – semblait seulement – désert.

Il descendit dans sa cabine à l'arrière, tira de sa valise le discret étui d'une caméra et se posta sur l'échelle du côté opposé au quai. Dissimulé par le rouf, il mit l'appareil en fonction. Puis, s'abritant sous une couverture, il se redressa lentement jusqu'à ce que son regard passât au-dessus d'un rouleau de cordage entassé sur le pont. L'œil collé à l'oculaire de vision nocturne, il régla l'amplification de la lumière pour scruter les ténèbres.

La camionnette Chevrolet n'avait pas bougé ; le chauffeur, grâce à l'éclairage ambiant intensifié vingt mille fois, était maintenant parfaitement visible : une femme qui, d'après la façon dont elle manipulait ses jumelles de vision nocturne, ne se doutait pas qu'elle était repérée ; elle avait les cheveux mouillés.

Ce n'est pas une professionnelle, se dit Pitt, elle ne prend aucune précaution. Sans doute une ouvrière qui espionne pour se faire un peu d'argent puisque le nom de son employeur s'affichait en lettres d'or sur le panneau de la portière :

ODYSSÉE

Rien que le nom, sans « Société » ni « Compagnie ».

Au-dessous, l'image stylisée d'un cheval au galop, qui parut vaguement familière à Pitt ; il ne réussit pourtant pas à se rappeler où il l'avait vue.

En quoi une expédition de recherche de la NUMA intéresse-t-elle Odyssée ? se demanda Pitt. Une équipe d'océanographes représenterait-elle une menace ? Rien ne justifie qu'une organisation de cette envergure exerce une telle surveillance.

Il ne résista pas à l'envie de se relever et de faire de grands gestes ; la femme braqua aussitôt sa longue-vue sur lui et confirma son manque d'entraînement en démarrant précipitamment quand elle le vit approcher.

Le crissement des pneus fit lever les yeux à tous.

— Qu'est-ce que c'était ? demanda Renée tout en larguant les amarres sous le regard de ses compagnons.

—Quelqu'un de pressé, fit Pitt d'un ton amusé.

Gunn se mit aux commandes et les vibrations des puissants moteurs firent frémir le pont. Le *Poco Bonito* s'éloigna du quai et s'engagea dans le chenal.

Pitt descendit dans sa cabine, rangea sa caméra et la remplaça par un téléphone satellite Globalstar. Puis il remonta sur le pont et s'allongea dans un vieux transat.

—Café ? lui proposa Renée en tendant une tasse par le hublot de la cuisine.

—Vous êtes un ange, fit Pitt. Merci.

Entre deux gorgées, il pianota un numéro sur son téléphone. Sandecker répondit à la quatrième sonnerie.

—Sandecker, annonça sèchement l'amiral.

—Vous n'auriez pas oublié de me dire quelque chose, amiral ?

—Je vous entends mal.

—Odyssée.

Un silence. Puis :

—Pourquoi me demandez-vous cela ?

—L'un des leurs nous épiait quand nous avons embarqué. Ça m'intéresserait de savoir pourquoi.

—Vous le saurez toujours assez tôt, lâcha Sandecker, on ne peut plus énigmatique.

—Un rapport avec le projet d'excavation d'Odyssée au Nicaragua ? suggéra Pitt, innocemment.

Nouveau silence, puis :

—Pourquoi me le demandez-vous ?

—Simple curiosité.

—Où avez-vous obtenu vos renseignements ?

Pitt ne résista pas :

—Vous le saurez bien assez tôt.

Puis il coupa la communication.

19

Toujours piloté par Gunn, le *Poco Bonito* fendait l'eau noire entre les hautes falaises. Assis dans son transat, Pitt ne réussissait pas à chasser de son esprit l'idée qu'on les épiait sur le quai ; cette surveillance ne l'inquiétait pas, en revanche la hâte avec laquelle le chauffeur avait démarré l'intriguait. Rien ne justifiait une telle fuite. Elle avait été repérée par l'équipage de la NUMA ? Et alors ? Personne n'avait tenté de l'aborder. La réponse se trouvait donc ailleurs.

Soudain il se rappela les cheveux mouillés de la conductrice, et tout s'éclaira. Gunn, la main droite posée sur les manettes jumelles actionnant les puissants moteurs, s'apprêtait à les pousser pour lancer leur bateau dans la houle des Caraïbes quand Pitt se redressa brusquement en criant :

— Rudi, arrêtez !

— Quoi ? s'étonna Gunn en se retournant.

— Stoppez le bateau ! Immédiatement ! (La voix de Pitt claquait comme un coup de fouet et Gunn s'empressa d'obtempérer. Pitt cria alors à Giordino qui buvait un café en compagnie de Ford et Dodge :) Al, apporte-moi mon matériel de plongée !

— Que se passe-t-il ? reprit Gunn, abasourdi.

Tout aussi surpris, Renée et Dodge s'étaient précipités sur le pont pour s'informer.

— Je n'en suis pas certain, expliqua Pitt, mais il se pourrait bien que quelqu'un ait posé une bombe à bord.

— Qu'est-ce qui vous fait croire ça ? demanda Dodge, plutôt sceptique.

— La femme de la camionnette est partie comme une flèche. Pourquoi ? Elle devait avoir une bonne raison.

— Dans ce cas, déclara Dodge, mieux vaudrait la trouver.

— C'est exactement ce que je pense, fit Pitt. Rudi, Renée et Patrick, fouillez les cabines dans les moindres recoins. Al, tu te charges de la salle des machines, et moi je plonge pour vérifier la coque.

— Ne traînons pas, les exhorta Al, au cas où un mécanisme d'horlogerie déclencherait l'explosion dès notre sortie du port.

— Je ne pense pas, fit Pitt en secouant la tête. Nous aurions pu rester à quai jusqu'au matin. Impossible de prévoir l'heure exacte de notre départ. A mon avis, un émetteur fixé à une bouée du chenal activera un récepteur attaché à la bombe quand nous arriverons à la passe.

— Votre matière grise s'emballe, ironisa Renée peu convaincue. Qui donc chercherait à nous tuer et à détruire le bateau ?

— Quelqu'un qui a peur de ce qu'il y a à découvrir, insista Pitt. Et pour l'instant, nos principaux suspects, ce sont les gens d'Odyssée, avec un service de renseignements redoutable puisqu'il a eu vent du projet de l'amiral et de notre arrivée à Bluefields.

Giordino apporta son équipement de plongée à Pitt ; nul besoin de réfléchir pour adhérer à la théorie de son ami : il le connaissait depuis l'école communale et l'avait rarement vu se tromper dans l'interprétation des événements.

— Nous avons intérêt à faire vite, déclara Pitt, car plus nous traînons plus nos amis se sauront démasqués :

ils s'attendent en effet à un feu d'artifice dans les minutes qui viennent.

Chacun se précipita pour fouiller la partie du bateau qu'on lui avait attribuée tandis que Pitt se déshabillait et accrochait ses bouteilles sur son dos sans même prendre le temps d'enfiler une combinaison. Il glissa l'embouchure du régulateur entre ses dents, attacha à sa jambe gauche une petite trousse à outils, saisit un projecteur et enjamba le bastingage.

L'eau lui parut plus chaude que l'air ambiant. La visibilité était parfaite : sous lui, à une vingtaine de mètres, il apercevait le fond sablonneux. Jusqu'à la ligne de flottaison, le bateau présentait une coque parfaitement lisse car il était passé en cale sèche et on l'avait gratté avant que Sandecker l'envoie au Nicaragua.

Pitt nagea vers l'avant en se guidant grâce au faisceau de son projecteur malgré le risque de tomber sur un requin curieux, risque limité au demeurant car Pitt n'en avait pour ainsi dire jamais croisé. Il se concentra plutôt sur l'objet qu'éclairait sa torche et qui faisait saillie au milieu de la quille, confirmant ainsi ses soupçons : plus le moindre doute, à moins de vingt centimètres de son masque, un engin explosif.

Loin d'être un expert en déminage, Pitt savait seulement qu'on avait fixé à la coque d'aluminium à l'endroit où s'accrochait la quille un récipient ovale de près d'un mètre de long sur une vingtaine de centimètres de large. On l'avait maintenu en place avec du ruban adhésif imperméable à l'eau et assez solide pour résister à la poussée.

Impossible de préciser la nature de l'explosif, mais il y en avait largement assez pour réduire en miettes le *Poco Bonito* et ses occupants.

Bloquant la torche de plongée sous son aisselle, il posa les deux mains sur la boîte métallique et après une profonde inspiration tenta de l'arracher de la coque. Rien à faire. Il redoubla son effort, mais en vain. Faute d'un point d'appui solide, Pitt n'arrivait pas à forcer suffisamment pour décoller le ruban adhésif. Il recula, fouilla parmi ses outils et en tira un petit couteau de pêcheur à la lame incurvée.

Il jeta un rapide coup d'œil au cadran orange de sa vieille montre de plongée : quatre minutes déjà, il lui fallait faire vite avant que l'agent du Spectre sur le quai ne comprenne qu'il se passait quelque chose. Introduisant très prudemment le tranchant de la lame sous la boîte, Pitt le fit glisser sur le ruban comme s'il sciait un morceau de bois. L'installateur avait utilisé assez de ruban pour étouffer une baleine. Pitt remit le couteau à sa place et saisit le récipient à deux mains tout en repliant les jambes de manière que ses palmes soient solidement plaquées contre la quille ; puis il tira, priant le Ciel que le déclencheur soit un signal électronique. La boîte se détacha brusquement de la coque, renvoyant Pitt à près de deux mètres en arrière. Seulement alors il réalisa qu'il pompait furieusement l'air de sa bouteille tandis que son cœur lui donnait l'impression de vouloir jaillir de sa cage thoracique.

Sans attendre, Pitt nagea le long de la quille et refit surface à côté du gouvernail. Il n'y avait personne sur le pont et il dut crier pour alerter ses compagnons occupés à fouiller l'intérieur du bateau.

— Un coup de main s'il vous plaît !

Il ne fut pas surpris que Giordino fût le premier à réagir. Le petit Italien jaillit par le panneau de la chambre des machines et se pencha vers lui.

— Qu'est-ce que tu as trouvé ?

— Assez d'explosif pour faire sauter un cuirassé.

— Tu veux que je le monte à bord ?

— Non, fit Pitt. Attache une longue corde à un canot de sauvetage et lance-le à l'arrière.

Sans poser de question, Giordino se précipita vers le toit du rouf. Il en arracha fébrilement une des embarcations et la fit glisser sur le pont aux pieds de Renée et Dodge.

— Que se passe-t-il ? demanda Renée.

Giordino désigna du menton la tête de Pitt qui dansait sur l'eau à l'arrière.

— Dirk a découvert un engin explosif fixé à la coque.

— Pourquoi ne le laisse-t-il pas tomber au fond ? murmura-t-elle en apercevant la boîte éclairée par la torche de Pitt.

— Parce qu'il a un plan, répondit Giordino. Maintenant donnez-moi un coup de main pour mettre ce canot à l'eau.

Sans commentaire, Dodge vint les rejoindre et à eux trois ils firent passer le lourd canot par-dessus le bastingage ; Pitt, agitant furieusement ses palmes, émergea jusqu'à la ceinture, souleva par-dessus sa tête le lourd récipient et le déposa avec précaution au fond du canot, terriblement conscient du fait qu'il sollicitait peut-être trop sa chance.

Giordino accrocha l'échelle, aida Pitt à remonter et lui enleva ses bouteilles.

— Répands du carburant dans le canot et laisse filer le cordage le plus loin possible, lui indiqua Pitt.

— Nous allons remorquer un canot bourré d'explosifs et plein d'essence. C'est bien ça ? demanda Dodge, un peu hésitant.

— Exactement.

— Qu'arrivera-t-il quand il passera devant la bouée avec l'émetteur ?

Pitt regarda Dodge avec un grand sourire.

— Alors, ça fera bang !

20

Quand on rentre dans un port, la bouée qui signale le chenal est généralement peinte en vert, surmontée d'une lumière de la même couleur et affiche un numéro impair. La bouée de tribord, à l'opposé, est rouge avec une lumière également rouge et marquée d'un chiffre pair. Mais le *Poco Bonito* sortait du port de Bluefields, aussi les bouées du chenal semblaient-elles inversées : rouge à bâbord, verte à tribord.

A l'exception de Giordino qui tenait la barre, tous les autres étaient blottis sur la plage arrière et guettaient le moment où l'étrave du *Poco Bonito* passerait à la hauteur des bouées.

Ils avaient beau avoir vu Pitt déposer la boîte métallique dans le canot de sauvetage qui filait derrière eux, Ford et Dodge redoutaient quand même une violente explosion. Tapis derrière le bastingage, ils observaient prudemment la tache orange qui flottait sur l'eau noire à cent cinquante mètres par l'arrière.

Plus le canot approchait, plus la tension montait. Encore cinquante mètres, vingt-cinq... Renée se baissa instinctivement et se boucha les oreilles. Dodge s'accroupit en tournant le dos, quant à Pitt et à Giordino, ils scrutaient calmement l'eau comme s'ils attendaient le passage d'une étoile filante.

—Dès que ça sautera, dit Pitt à Dodge, éteignez nos

feux de bord. Qu'ils croient que nous nous sommes désintégrés.

A peine cette instruction donnée, le canot de sauvetage se volatilisait.

Le fracas de l'explosion se répercuta d'une falaise à l'autre tandis que les ondes de choc déferlant sur l'eau assaillaient le navire. Les ténèbres s'embrasèrent et une gerbe liquide fusa à cinq ou six mètres dans les airs. Du carburant déversé dans le canot jaillit une colonne de flammes. Des débris de toutes sortes retombèrent sur le pont mais ne blessèrent personne.

Puis, tout aussi brusquement, le silence retomba sur la nuit et les eaux se refermèrent sur le cratère qui s'était creusé à cent cinquante mètres d'eux.

La femme assise dans la camionnette avait vérifié sa montre une douzaine de fois depuis le moment où le navire de la NUMA avait quitté le quai et elle poussa un profond soupir de satisfaction quand elle entendit enfin le grondement lointain de la déflagration et qu'elle aperçut à près de deux milles de là un bref éclair trouer l'obscurité. Cela avait été plus long qu'elle ne l'avait prévu, huit minutes de retard d'après ses calculs. Peut-être le barreur était-il prudent et avançait-il lentement dans les eaux noires de l'étroit chenal. Peut-être un problème mécanique avait-il obligé l'équipage à stopper pour une brève réparation. De toute façon, peu importait maintenant. Elle pouvait annoncer à ses collègues que l'opération avait réussi.

Plutôt que de gagner directement l'aéroport où l'attendait un jet d'Odyssée, elle décida d'aller prendre un verre de rhum dans un bistrot du port. Après tout, elle l'avait bien mérité.

La pluie s'étant remise à tomber, elle actionna les essuie-glaces puis se dirigea vers la ville.

Ils gagnèrent la haute mer par un chenal dégagé et mirent le cap sur Punta Perlas et les îles de Cayos Perlas. Le ciel se dégageait et les étoiles apparaissaient au-dessus des nuages tandis que se levait une légère brise soufflant du sud. Pitt, qui s'était proposé pour assurer le quart de minuit à trois heures du matin, se tenait dans la timonerie. Ses pensées vagabondaient tandis que le bateau suivait le cap enregistré sur l'ordinateur.

Sa rêverie se concentra d'abord sur Loren Smith et les relations épisodiques qu'ils entretenaient depuis presque vingt ans. A deux reprises, ils avaient failli se marier, mais chacun d'eux était en fait déjà lié : Pitt à la NUMA, Loren au Congrès. La situation allait peut-être changer désormais car Loren ne semblait pas prête à briguer un cinquième mandat. Le moment paraissait venu pour lui de se consacrer à des tâches moins absorbantes et qui ne l'entraîneraient plus dans les océans lointains. La mort en le frôlant trop souvent lui avait laissé des traces, physiques et morales. Sa chance ne durerait pas indéfiniment. S'il ne s'était pas méfié de la femme assise dans la camionnette d'Odyssée et s'il n'avait pas soudain pensé aux explosifs, lui, son copain Giordino et les deux autres seraient morts, à présent. L'heure de la retraite avait peut-être sonné pour lui.

Mais son amour pour la mer, en surface et dans ses profondeurs, l'empêchait d'y renoncer. Il lui fallait trouver un compromis.

Ses pensées revinrent au problème actuel de la boue brune. Les instruments de détection chimique n'enregistraient plus maintenant que de faibles traces de sa présence. Bien qu'aucun feu de navire ne brillât à l'horizon, il prit des jumelles et scruta les ténèbres devant lui.

A la vitesse confortable d'une vingtaine de nœuds, le *Poco Bonito* avait dépassé voilà une heure les îles de

Cayos Perlas. Reposant les jumelles pour examiner la carte, Pitt estima leur position à environ trente milles de la ville de Tasbapauni sur la côte nicaraguayenne. Nouveau coup d'œil aux instruments : les aiguilles bloquées sur le zéro commençaient à le faire douter : se seraient-ils engagés sur une fausse piste ?

Giordino le rejoignit ; il lui apportait une tasse de café.

— J'ai pensé que cela t'aiderait à te tenir éveillé.

— Merci. Tu es en avance d'une heure.

— Je me suis réveillé, fit Giordino en haussant les épaules, et je n'ai pas pu me rendormir.

— Al, interrogea soudain Pitt, comment se fait-il que tu ne te sois jamais marié ?

— Pourquoi me demandes-tu cela maintenant ? Il y a une formule, reprit-il en haussant les épaules. Ah oui : « Je n'ai jamais trouvé la femme de mes rêves. »

— Tu es passé bien près pourtant, une fois.

— Pat O'Connell, admit-il en hochant la tête. Pourtant, à la dernière minute, nous avons eu des doutes.

— Si je te disais que j'envisage de prendre ma retraite et d'épouser Loren ?

Giordino se retourna et regarda Pitt comme s'il avait reçu une flèche en pleine poitrine.

— Répète-moi ça.

— Tu as très bien compris.

— J'y croirai le jour où je verrai le soleil se lever à l'ouest.

— Tu n'as jamais envisagé de plier bagages et de commencer à te la couler douce ?

— Pas vraiment, répondit Giordino, songeur. Je n'ai jamais nourri de grandes ambitions. Je suis content de ce que je fais. Les rôles de mari et de père, ça ne m'a jamais excité. D'ailleurs, je suis absent de chez moi huit mois par an. Quelle femme supporterait ça ? Non, je pense que je vais continuer ainsi jusqu'au moment où j'entrerai dans une maison de retraite.

— Je ne t'imagine pas finissant tes jours dans une maison de retraite.

— C'est ce qui est arrivé à Doc Holliday, le bandit du Far West. Ses derniers mots ont été « Merde alors » quand il a regardé ses pieds nus et qu'il s'est aperçu qu'il ne mourrait pas les bottes aux pieds.

— Quelle épitaphe souhaiterais-tu sur ta tombe ? se renseigna Pitt.

— C'était formidable tant que ça a duré. J'espère que ça continuera ailleurs. »

— Je tâcherai d'y penser le moment venu…

Pitt s'interrompit soudain car les cadrans des instruments s'animaient : les palpeurs décelaient des traces de pollution chimique dans l'eau.

— On dirait qu'on enregistre quelque chose.

Giordino se tourna vers l'escalier qui descendait aux cabines.

— Je vais réveiller Dodge.

Quelques minutes plus tard, celui-ci arrivait en bâillant dans la timonerie ; il examina longuement les écrans de contrôle et les enregistrements. Quand il finit par se redresser, il avait l'air perplexe.

— Cela ne ressemble à aucune des pollutions d'origine humaine que je connais.

— Qu'en pensez-vous ? interrogea Pitt.

— Je n'ai aucune certitude tant que je n'aurai pas procédé à quelques analyses, mais je dirais qu'il s'agit d'un cocktail de minéraux sortis du tableau des éléments.

Réveillés par la soudaine activité qui régnait dans la timonerie, Gunn et Renée vinrent les rejoindre tandis que Dodge commençait calmement à rassembler les données et à analyser les chiffres.

Le soleil ne se lèverait pas avant trois heures. Pitt

sortit sur le pont pour scruter l'eau noire ; il s'allongea, laissa sa main pendre dans l'eau, puis la remonta pour l'observer : ses doigts étaient couverts d'un limon brunâtre. Regagnant la timonerie, il brandit sa main en annonçant :

— On est maintenant en pleine bouillasse, dans une boue brun sale, comme si on brassait la vase du fond.

— Vous êtes plus près de la vérité que vous ne l'imaginez, fit Dodge qui n'avait rien dit depuis une demi-heure. C'est la concoction la plus insensée que j'aie jamais vue.

— Une idée de la recette ? demanda Giordino.

— Les ingrédients ne sont pas ceux auxquels vous pourriez penser.

— De quel type de polluant chimique parlons-nous ? demanda Renée, intriguée.

— Cette boue, déclara gravement Dodge, n'est pas provoquée par des produits chimiques toxiques.

— L'homme ne serait pas le coupable ? interrogea Gunn.

— Non, répondit lentement Dodge, le coupable en l'occurrence, c'est Dame Nature.

— Si ce ne sont pas des produits chimiques, insista Renée, alors qu'est-ce que c'est ?

— Un cocktail, développa Dodge. Un cocktail constitué des minéraux parmi les plus toxiques ; des éléments – baryum, antimoine, cobalt, molybdène et vanadium, par exemple – extraits de minerais toxiques comme le sulfate d'antimoine, l'oxyde de baryum et la pyrite d'arsenic.

— Qu'est-ce que c'est ? poursuivit Renée en haussant les sourcils.

— Des minerais dont on extrait l'arsenic.

Pitt regarda Dodge d'un air songeur.

— Comment s'accomplit cette accumulation puisque ses constituants ne peuvent pas se reproduire ?

—Parce qu'ils sont fournis en continu, expliqua Dodge. A signaler aussi de fortes traces de magnésium et des soupçons de calcaire dolomitique dissous à une concentration inouïe.

—Ce qui signifie ? interrogea Rudi Gunn.

—Considérons cette présence de calcaire (Dodge s'arrêta quelques instants pour surveiller une sortie d'imprimante) et la force de gravitation s'exerçant en eau alcaline entre minéraux ou produits chimiques et le pôle magnétique : les premiers s'attirent entre eux pour former, par phénomène d'oxydation, la rouille ; les seconds font de même entre eux pour donner des déchets ou des gaz toxiques. Voilà pourquoi cette masse brunâtre a dérivé dans sa quasi-totalité vers le nord, en direction de Key West.

—Ça n'explique pas, rétorqua Gunn en secouant la tête, les échantillons de cette boue prélevés par Dirk et Summer sur le banc de la Navidad, de l'autre côté de l'Atlantique, en République dominicaine.

—Une partie, poussée probablement par les courants dans le canal de la Mona qui sépare la République dominicaine et Porto Rico, aura dérivé jusqu'au banc de la Navidad.

—Quel qu'il soit, déclara Renée en brandissant la bannière de l'écologie, ce cocktail a rendu ces eaux dangereuses pour toute forme de vie – humains, animaux, reptiles, poissons, même les oiseaux qui s'y posent, sans parler du monde microbien.

—Ce qui m'intrigue, murmura Dodge comme s'il n'avait pas entendu Renée, c'est que cette nappe qui a la consistance de la vase puisse s'agglomérer en une masse solide flottant à moins d'une quarantaine de mètres de la surface et dériver sur une grande distance. J'imagine, reprit-il en prenant des notes sur un carnet, que la salinité de l'eau de mer joue un rôle dans cette diffusion, et qu'elle empêche la boue de couler jusqu'au fond.

— Ce n'est pas l'unique bizarrerie de cette énigme, intervint alors Giordino.

— Précise, lui dit Pitt.

— La température de l'eau : cinq degrés Celsius environ, donc anormalement froide dans cette partie des Caraïbes.

— Une différence pareille n'est pas courante, en effet. Encore un problème à résoudre, soupira Dodge.

— Vous nous avez déjà appris beaucoup, dit Gunn au chimiste. Rome ne s'est pas bâtie en un jour. Nous allons recueillir des échantillons ; au labo de la NUMA à Washington de résoudre ce qui ne l'est pas encore, et à nous de remonter jusqu'à la source.

— Nous n'y arriverons qu'en suivant une piste partant du plus haut degré de concentration, dit Renée.

— C'est pourquoi nous sommes venus ici, expliqua Pitt. (Il s'interrompit soudain, se crispa un peu et regarda par le pare-brise.) Et aussi, poursuivit-il calmement, à Disneyland.

— Va dormir un peu, suggéra Giordino, tu commences à battre la campagne.

— On n'est pas à Disneyland, fit Renée en étouffant un bâillement.

— Alors, expliquez-moi pourquoi nous sommes sur le point de pénétrer dans le royaume des Pirates des Caraïbes ? interrogea Pitt en désignant la mer devant eux.

D'un seul mouvement toutes les têtes se tournèrent et tous les regards scrutèrent l'eau sombre : ils aperçurent une faible lueur jaune dont l'éclat se précisait au fur et à mesure que le *Poco Bonito* s'en approchait. Silencieux, ils virent la lueur prendre peu à peu les contours nébuleux d'un vieux vaisseau à voiles.

Un moment, ils crurent avoir perdu contact avec la réalité, jusqu'à ce que Pitt déclare d'un ton calme et détaché :

—Je me demandais quand ce vieux Leigh Hunt se déciderait à se montrer.

21

L'ambiance à bord avait brusquement changé. Pendant près d'une minute personne ne bougea. Envahi par un sentiment de malaise, chacun contemplait en silence ce phénomène bizarre. Ce fut Gunn qui parla le premier.

— Hunt ? Le pirate dont nous a parlé l'amiral ?

— Non, Hunt le flibustier.

— Impossible, déclara Renée refusant de croire ce que voyaient ses yeux, qu'il s'agisse vraiment d'un vaisseau fantôme.

— Il faut y croire pour le voir, dit Pitt avec un petit sourire.

— Qui était ce Hunt ? interrogea Dodge.

— Un flibustier qui a écumé les Caraïbes entre 1665 et 1680 jusqu'à sa capture par un navire de la Marine royale britannique ; on l'a jeté aux requins.

Se détournant de cette apparition, Dodge murmura, complètement désorienté :

— Quelle est la différence entre un pirate et un flibustier ?

— Elle est ténue, répondit Pitt. « Pirate » s'applique aux marins anglais, hollandais et français qui capturaient des navires marchands pour s'emparer de leur cargaison. « Boucanier » vient du français « boucan » qui désigne une façon de griller la viande ; les premiers boucaniers grillaient leur viande et la faisaient sécher.

Contrairement aux corsaires, qui étaient dûment man-
datés par leur gouvernement, les boucaniers faisaient
main basse sans aucun document sur n'importe quel
navire, principalement les espagnols ; on les appelle
aussi des flibustiers.

Le vaisseau fantôme se rapprochait rapidement.
L'étrange lumière jaune dans laquelle il baignait lui
donnait un aspect surréaliste. Les détails se précisaient
et l'eau commençait à répercuter la voix des marins.

C'était un trois-mâts à voilure carrée et à faible tirant
d'eau, le navire favori des pirates à la fin du XVIe siècle.
Un vent inexistant gonflait les voiles et on apercevait
dix canons. Sur la plage arrière, des hommes, un
foulard noué autour de la tête, brandissaient des épées.
Tout en haut du grand mât, flottait le grand drapeau
noir à tête de mort.

Les passagers du *Poco Bonito* réagissaient de diverses façons : Giordino contemplait l'apparition comme
on considère une pizza froide, alors que Pitt la fixait
dans ses jumelles avec l'expression d'un amateur de
science-fiction ; puis il reposa soudain ses jumelles et se
mit à rire.

— Vous devenez fou ? s'énerva Renée.

— Regardez, l'homme en costume cramoisi avec le
cordon doré, suggéra-t-il en lui tendant l'appareil, et
dites-moi ce que vous voyez.

— Un homme avec un chapeau à plume.

— Quoi d'autre encore ?

— Il a une jambe de bois et un crochet en guise de
main droite.

— N'oubliez pas le bandeau sur l'œil.

— C'est vrai.

— Il ne lui manque qu'un perroquet sur l'épaule.

— Je ne comprends pas, fit-elle en lui rendant les
jumelles.

— Ça fait un peu cliché, vous ne trouvez pas ?

Gunn avait servi quinze ans dans la marine, et devina le changement de cap du vaisseau fantôme presque avant que celui-ci ne vire de bord.

—Il va croiser notre route.

—J'espère qu'il ne compte pas tirer une bordée, plaisanta Giordino.

—Mettez les gaz à fond et prenez-le par le travers, ordonna Pitt.

—Non ! s'écria Renée. C'est du suicide.

—Je suis d'accord avec Dirk, approuva Giordino, il faut lui foncer dedans.

Un sourire se dessina sur le visage de Gunn qui commençait à comprendre ce que Pitt voulait dire. Tenant toujours la barre, il poussa les moteurs et l'étrave se souleva à un mètre au-dessus de l'eau. Le *Poco Bonito* bondit comme un pur-sang : il filait à cinquante nœuds droit vers le bâbord du bateau pirate. Les gueules des canons pointaient déjà par les sabords : les pirates ouvrirent le feu, les bouches crachèrent des flammes et un sourd grondement retentit sur l'eau.

Pitt jeta un bref coup d'œil à l'écran radar et se précipita dans sa cabine pour reprendre ses jumelles à vision nocturne. Il fit signe à Giordino de le suivre sur le toit de la timonerie où ils s'allongèrent, les coudes bien calés, pour regarder chacun à son tour par les jumelles. Curieusement, ils ne regardaient pas le vaisseau fantôme mais l'obscurité derrière et devant lui.

Persuadés que les deux hommes de la NUMA avaient complètement perdu la tête, Dodge et Renée se blottirent instinctivement à l'abri de la timonerie. Au-dessus d'eux, Pitt et Giordino ne semblaient pas se soucier de la catastrophe imminente.

—J'ai repéré le mien, déclara Giordino, une petite barge à environ trois cents mètres à l'ouest.

—Je tiens ma cible aussi, annonça Pitt, un gros yacht de plus de trente mètres de long, à l'est.

Cent mètres, cinquante, en plein cap avec l'inconnu, le *Poco Bonito* plongea dans la forme opaque du vieux trois-mâts. L'espace d'un instant, la lueur jaune éclata comme les faisceaux laser d'un concert de rock, enveloppant de ses rayons le petit bateau de la NUMA. Renée et Dodge voyaient les pirates se démener au-dessus d'eux sur le pont principal et tirer dans tous les sens. Chose étrange, aucun d'eux ne semblait se soucier du navire qui fonçait sur eux.

Le *Poco Bonito* se retrouva alors à foncer tout seul sur une mer lisse et noire. Dans son sillage, la lueur jaune s'éteignit brusquement et disparut, le fracas des canons se fondit dans la nuit, comme si cette vision fantomatique n'avait jamais existé.

—Continuez de foncer, recommanda Pitt à Gunn. Ça n'est pas très sain par ici.

—Avons-nous été victimes d'une hallucination? murmura Renée pâle comme un linge. Avons-nous réellement traversé un vaisseau fantôme?

—Ce que vous avez vu, ma chère enfant, proclama Pitt en la prenant par les épaules, était une image à quatre dimensions – hauteur, profondeur, largeur et mouvement – enregistrée et projetée sous forme d'hologramme.

Encore abasourdie, Renée scrutait les ténèbres.

—Ça m'a paru si réel, si convaincant.

—A peu près aussi réel que le capitaine avec sa jambe de bois style *Ile au trésor*, son crochet en guise de main et son bandeau à la Nelson. Sans parler du drapeau.

—Mais pourquoi? s'étonna Renée. Pourquoi tout ce cinéma en pleine mer?

Par la porte de la timonerie, Pitt regardait l'écran radar.

—Il s'agit d'un exemple de piraterie contemporaine.

—Mais qui a projeté l'hologramme?

—J'ai marché à fond, reconnut Dodge. Je n'ai vu aucun autre bateau.

—Parce que vous étiez concentré sur l'apparition, expliqua Giordino. Dirk et moi avons repéré un gros yacht à bâbord et une barge à tribord, mouillés tous feux éteints à trois cents mètres environ.

—Les rayons de l'hologramme en venaient ?

—Oui, acquiesça Pitt, pour faire croire à un vaisseau fantôme condamné avec son équipage à courir les mers à jamais. Mais ça faisait vraiment trop cliché, trop film d'Errol Flynn.

—A en croire le radar, le yacht nous donne la chasse, lança Giordino.

—L'autre, la barge certainement, est stationnaire, ajouta Gunn qui suivait les deux échos sur l'écran. Le yacht nous suit à environ un demi-mille mais perd du terrain. Ça doit les rendre fous de se faire semer par un vieux bateau comme le nôtre.

Mais Giordino tempéra leur enthousiasme.

—Pourvu qu'ils n'aient ni mortiers ni lance-roquettes.

—Ils nous auraient déjà tiré dessus, commençait Gunn, quand un projectile l'interrompit soudain en sifflant au-dessus du *Poco Bonito,* frôlant son antenne radar pour s'enfoncer dans l'eau à cinquante mètres devant.

—C'est malin, tu n'aurais pas dû le leur suggérer, dit Pitt en regardant Giordino.

Gunn, cramponné à la barre, entama une série de zigzags brutaux pour éviter les roquettes qui pleuvaient maintenant toutes les trente secondes.

—Eteignez les feux ! cria Pitt à Gunn.

Celui-ci abaissa le commutateur, plongeant aussitôt le bateau dans l'obscurité.

—De quel armement disposons-nous ? demanda calmement Giordino.

— Deux carabines M4 avec des lance-grenades de quarante millimètres.

— Rien de plus gros ?

— L'amiral n'a autorisé que des armes légères faciles à dissimuler au cas où un patrouilleur nicaraguayen nous arrêterait.

— Aurions-nous des têtes de trafiquants de drogue ? s'inquiéta Renée.

— Et selon vous, à quoi ressemblent des trafiquants de drogue ? ironisa Dodge.

— J'ai mon vieux Colt 45, dit Pitt. Et toi, Al ?

— Un Aigle du Désert automatique de calibre 50.

— Si nous ne sommes pas capables de les couler, nous pourrons au moins repousser un abordage, résuma Pitt.

— A moins qu'ils ne nous aient réduits en petits morceaux d'ici là, grommela Giordino en suivant la chute d'un nouveau projectile à moins de quinze mètres du *Poco Bonito*.

— Leurs roquettes ne sont pas équipées d'un système de guidage, ils auront donc du mal à toucher ce qu'ils ne peuvent pas voir.

Dans les ténèbres derrière eux, les armes automatiques commencèrent à crépiter et des balles traçantes frôlèrent la surface de l'eau à cinquante mètres à tribord. Gunn vira alors brièvement à bâbord avant de reprendre la ligne droite. Les projectiles suivants sillonnèrent en vain la nuit : ils cherchaient leur proie là où le *Poco Bonito* aurait dû être mais n'était plus.

Deux autres roquettes déchirèrent la nuit, filant vers l'écho que leur renvoyait leur radar. C'était bien vu, mais ils tirèrent au moment où Gunn fonçait un instant tout droit avant de feinter brièvement à bâbord et de virer tout d'un coup à tribord. Les roquettes plongèrent de chaque côté du bateau à moins de quinze mètres en faisant jaillir des gerbes d'eau sur le pont.

Là-dessus, le tir s'arrêta. On n'entendit plus que le rugissement des puissants moteurs, le grondement de l'échappement et l'eau qui giclait sur l'étrave.

— Ils ont renoncé ? murmura Renée, pleine d'espoir.

Les yeux fixés sur le radar, Gunn leur lança de la timonerie :

— Ils font demi-tour, ils repartent.

— Mais qui sont-ils ?

— Les pirates locaux en tout cas, déclara Giordino d'un ton définitif, ne connaissent pas la technique de l'hologramme et ne tirent pas de roquettes depuis des yachts.

— Nos amis d'Odyssée sont les suspects les plus probables, fit Pitt d'un ton pensif. Ils ne pouvaient absolument pas savoir que nous n'avions pas été réduits à l'état de cadavres. Ils avaient préparé une embuscade et notre bateau a simplement été le premier à s'aventurer dans le coin.

— Quand ils apprendront que nous nous en sommes tirés non seulement une mais deux fois, observa Dodge, ça ne leur fera pas plaisir.

— Mais pourquoi nous ? Pourquoi veut-on nous liquider ? s'insurgea Renée qui avait du mal à suivre.

— Probablement parce que nous empiétons sur leur terrain de chasse, déclara Pitt, et qu'il y a dans cette région des Caraïbes quelque chose qu'ils ne veulent laisser voir ni par nous ni par personne.

— Trafic de drogue ? suggéra Dodge.

— Peut-être, dit Pitt. Mais, d'après le peu que je sais, Odyssée tire d'énormes bénéfices de travaux d'excavation et de construction et, même en complément, le trafic de drogue ne vaudrait pas la peine. Non, cette histoire va bien au-delà du trafic de drogue ou de la piraterie.

Gunn régla la barre en pilotage automatique, sortit

de la timonerie et s'affala, visiblement fatigué, dans le transat.

— Alors quel cap programme-t-on dans l'ordinateur ?

La question de Gunn fut suivie d'un long silence. Pitt ne s'apprêtait pas de gaieté de cœur à risquer une nouvelle fois la vie de ses compagnons, mais ils étaient venus pour accomplir une mission.

— Sandecker nous a chargés de découvrir ce qui se cache derrière la boue brune. Nous allons donc continuer à rechercher la zone de plus forte concentration dans l'espoir que cela nous conduira à la source, répondit-il enfin.

— Et s'ils nous reprennent en chasse ? interrogea Dodge.

Pitt eut un grand sourire.

— On vire de bord et on file, puisque ça nous a si bien réussi.

22

Le jour se leva sur une mer vide : le radar ne décelait aucun navire dans un rayon de trente milles ; seul un hélicoptère les avait survolés une heure plus tôt. Tous feux éteints, ils avaient poursuivi la nuit entière leurs recherches sur l'origine de la boue brune, se laissant guider par la toxicité croissante de l'eau. Ils voguaient maintenant dans la baie de Punta Gorda, à deux milles seulement de la côte nicaraguayenne. Les basses terres se profilaient à l'horizon comme tracées au cordeau à l'encre noire par une main géante. Une légère brume voilait le rivage et dérivait à l'ouest jusqu'aux premiers contreforts des collines.

— C'est très curieux, observa Gunn qui regardait dans ses jumelles.

— Quoi donc ? interrogea Pitt.

— Les cartes de la baie ne signalent qu'un petit village de pêcheurs, le Barra del Rio Maiz.

— Et alors ?

— Regardez, fit Gunn en tendant les jumelles à Pitt, et dites-moi ce que vous voyez.

Pitt inspecta la côte.

— Pas le moindre village de pêcheurs, mais de grosses installations portuaires pour porte-conteneurs. J'en compte deux en train de décharger avec des grues et deux autres à l'ancre qui attendent leur tour.

— Il y a aussi toute une série d'entrepôts.

—Cela donne l'impression d'une ruche en pleine activité.

—Qu'est-ce que vous en pensez ? demanda Gunn.

—A mon avis, on débarque tout ce qui est nécessaire pour mener à bien ce projet de train à grande vitesse entre les deux océans.

—Ils ont été fichtrement discrets là-dessus, siffla Gunn. Je n'ai rien lu concernant le financement et le démarrage d'un tel chantier.

—Deux des navires arborent le drapeau rouge de la République populaire de Chine, dit Pitt. Voilà qui répond à la question des crédits.

Dans la grande baie de Punta Gorda où ils s'étaient engagés, la mer vira soudain au brun sale. Pétrifiés, ils regardaient tous cette boue brunâtre qui s'épaississait de plus en plus.

A la barre, mâchonnant un cigare qu'il n'avait pas encore allumé, Giordino ralentit les machines tandis que Dodge procédait fébrilement à des analyses chimiques.

Les dernières heures avaient été longues ; Pitt en profita pour faire plus ample connaissance avec Renée et Dodge. Elevée en Floride, Renée avait commencé à plonger très tôt ; devenue experte et fascinée par la vie sous-marine, elle avait passé un doctorat de biologie marine. Quelques mois avant d'embarquer sur le *Poco Bonito,* elle avait subi le traumatisme d'un divorce douloureux : à son retour des îles Salomon où l'avait longtemps retenue l'une de ses expéditions, Renée n'avait pas retrouvé l'amour de sa vie, parti vivre avec une autre femme. Les hommes désormais ne faisaient plus partie de ses priorités.

Pitt se donnait beaucoup de mal pour lancer quelques plaisanteries dont certaines provoquaient un rire poli chez elle mais qui tombaient à plat avec le taciturne Dodge : il avait vécu trente années de mariage heureux, il avait cinq enfants et quatre petits-enfants. Nanti d'un doctorat de chimie et spécialisé dans la pollution de l'eau, il travaillait pour la NUMA – au laboratoire. Mais, depuis la mort de sa femme, un an auparavant, il s'était porté volontaire pour travailler sur le terrain. Les tentatives de Pitt lui arrachaient parfois un pâle sourire, mais jamais plus.

Le soleil éclairait la mer et la nappe de boue brune dont la densité, supérieure à celle du pétrole, gommait les effets de la houle. Giordino réduisit à dix nœuds la vitesse du *Poco Bonito*.

L'explosion devant Bluefields puis l'attaque du yacht pirate avaient fait monter la tension à bord, la rendant presque palpable. Pitt et Renée avaient remonté plusieurs seaux de boue ; ils y prélevaient des échantillons, qu'ils destinaient aux laboratoires de la NUMA à Washington, ainsi que des restes de végétaux et d'animaux marins que Renée étudierait.

— A l'avant, à bâbord ! Il se passe quelque chose dans l'eau ! cria soudain Giordino de la timonerie.

La mer en effet s'agitait violemment comme si, dans ses profondeurs, se débattait désespérément une baleine à l'agonie.

Giordino mit le cap sur le secteur pendant que Pitt entrait dans le kiosque pour vérifier la sonde : le fond remontait rapidement, comme s'ils se trouvaient devant une pente abrupte.

— Incroyable, murmura Dodge, hypnotisé. D'après la carte, nous devrions enregistrer une profondeur de cent quatre-vingts mètres.

Sans rien dire, Pitt se posta à l'avant, les yeux collés à ses jumelles.

— On dirait que la mer est en ébullition, expliqua-t-il à Giordino par le hublot ouvert, et ça n'est pas d'origine volcanique parce qu'il n'y a ni vapeur ni vagues de chaleur.

—Le fond remonte à une allure inouïe, renchérit Dodge, comme soulevé par une éruption volcanique, mais sans lave.

A l'approche de la côte – moins de deux milles – l'eau s'agita de plus en plus et les vagues secouèrent leur bateau. La boue brune avait pris une consistance presque pâteuse. Giordino s'avança vers la porte pour crier à Pitt :

—La température de l'eau a grimpé en flèche. En moins d'un mille, elle est montée à 28° C.

—Comment expliques-tu ça ?

—Je n'en sais pas plus que toi.

Dodge y perdait son latin : cette brusque élévation de la température de l'eau, ces fonds capricieux, cette boue brune jaillissant de nulle part, tout cela était inconcevable.

Pitt n'y comprenait rien non plus : balayées, toutes les lois connues de l'océanographie. Bien sûr, il avait déjà vu des volcans jaillir des profondeurs, mais dans un déferlement de boue et de vase, dans un foisonnement de poissons et de crustacés. Ici rien de toute cette vie, ni faune ni flore, seulement cette boue aux origines inconnues mais au pouvoir fatal.

Giordino, quant à lui, luttait pour maintenir la stabilité du bateau contre des vagues pourtant pas bien hautes – pas plus d'un mètre cinquante – mais qui, ne respectant aucun schéma de tempête classique, assaillaient le navire de tous les côtés à la fois. A deux cents mètres au-delà, la mer était démontée.

—Ce magma animé d'un mouvement démentiel, murmura Renée, va bientôt se transformer en un pan de continent...

—Plus tôt que vous ne le pensez, cria Giordino en faisant machine arrière. Cramponnez-vous. Le fond remonte au-dessous de nous !

Le navire fit une embardée, mais trop tard. L'étrave

pénétra les turbulences boueuses et le choc les projeta tous vers l'avant. Les hélices firent jaillir une écume jaunâtre dans leur effort pour arracher le *Poco Bonito* à cette mystérieuse rencontre avec le fond.

— Coupe les moteurs, ordonna Pitt à Giordino, et attendons la marée haute, dans une heure. On essaiera à ce moment-là. En attendant, transportons à l'arrière tout le matériel lourd.

— Vous croyez vraiment, demanda Renée, plutôt sceptique, qu'en déplaçant quelques centaines de kilos, vous arriverez à soulever suffisamment l'avant pour nous dégager ?

Pitt tirait déjà sur le pont un gros rouleau de cordage.

— En y ajoutant nos quelque trois cents kilos, qui sait ?

Au prix de durs efforts, ils entassèrent à l'arrière tout ce qu'ils purent de bagages, de provisions, d'équipement et de matériel non indispensables. Ils jetèrent par-dessus bord tout ce qui avait été prévu pour camoufler leur navire en bateau de pêche.

Pitt jeta un coup d'œil à sa montre.

— Bientôt l'heure de vérité : marée haute dans treize minutes.

— Tu ne crois pas si bien dire, fit Giordino, l'écran radar signale, au nord, un bateau qui approche rapidement.

Pitt saisit les jumelles et scruta l'horizon.

— On dirait un yacht.

Les mains en visière au-dessus de ses yeux, Gunn regarda à son tour.

— Celui qui nous a attaqués la nuit dernière ?

— Même avec les jumelles à vision nocturne, je ne le voyais pas bien dans le noir, mais il me semble bien qu'il s'agit de nos amis ; ils nous ont repérés.

— Ce n'est pas le moment de traîner, conclut Giordino. Il faut prendre de l'avance à tout prix.

Sur les indications de Pitt, tout le monde se rassembla à l'extrémité arrière du pont. Giordino prit la barre et s'assura que tous étaient solidement cramponnés au bastingage ; puis quand Pitt donna le signal, il fit marche arrière toute. Les puissants diesels se mirent à vibrer et le bateau pivota légèrement ; mais il était bien coincé par l'épaisse boue brune qui, agissant comme de la colle, adhérait à la quille du *Poco Bonito* et l'avant du navire ne se redressa que de cinq ou six centimètres, insuffisamment pour qu'il se dégageât.

Pitt espérait l'aide d'une vague, mais sous l'épaisse nappe, la mer demeurait plate comme un journal. En vain, les moteurs continuèrent de peiner et les hélices de battre la boue ; seul le yacht bougeait, approchant rapidement.

Maintenant Pitt le distinguait clairement : une cinquantaine de mètres de long, non pas blanc, la couleur habituelle des bateaux de plaisance, mais lavande comme la camionnette d'Odyssée aperçue sur le quai, le yacht transportait un canot à moteur de six mètres de long et un hélicoptère de six places.

Son nom était inscrit en lettres dorées : *EPONA* ; au-dessous, sur la cloison du second pont, un cheval au galop, le logo Odyssée, qu'on retrouvait aussi sur le pavillon flottant en haut de l'antenne.

Deux hommes d'équipage mettaient le canot à l'eau tandis que d'autres prenaient position sur le pont. Ils ne cherchaient pas à se mettre à l'abri, persuadés de ne courir aucun risque avec ce bateau de pêche ; Pitt repéra pourtant – non sans un frisson d'inquiétude – deux marins occupés à charger deux lance-roquettes.

— Ils foncent droit sur nous, murmura Dodge.

— Ils ne ressemblent absolument pas aux pirates de mes lectures, maugréa Giordino. Je te parie tout ce que tu veux qu'ils ont volé ce yacht.

— Pas volé, répliqua Pitt. Il appartient à Odyssée.

—Est-ce que je rêve, ou bien on rencontre vraiment ces gens-là partout ?

Pitt se retourna et appela :

—Renée !

Elle était assise contre le plat-bord.

—Qu'y a-t-il ?

—Descendez à la cuisine, videz toutes les bouteilles que vous trouverez et remplissez-les de l'essence contenue dans le réservoir du moteur actionnant le générateur.

—Pourquoi pas le carburant des machines ? suggéra Dodge.

—Parce que l'essence s'enflamme plus facilement que le fioul, expliqua Pitt. Une fois les bouteilles remplies, insérez un chiffon dans le goulot et tordez-le.

—Pour faire des cocktails Molotov ?

—Exactement.

Renée avait à peine disparu que l'*Epona* effectua un large virage pour foncer droit sur eux. Vu sous cet angle, le yacht révéla les coques jumelles d'un catamaran.

—Si nous ne nous dégageons pas de cette boue, s'agaça-t-il, nous allons au-devant de gros ennuis.

—C'est le moins qu'on puisse dire, riposta Giordino.

Là-dessus, sous le regard stupéfait de ses compagnons, il se rua hors de la timonerie, escalada l'échelle qui menait sur le kiosque et se dressa un instant tel un plongeur olympique avant de bondir sur la plage arrière entre Pitt et Gunn.

Coup de chance, calcul remarquable ou caprice du destin, le poids et l'élan de Giordino suffirent à ébranler le bateau qui, centimètre après centimètre, se dégagea peu à peu de sa gangue visqueuse. La quille finit par glisser dans l'eau et le navire plongea comme accroché à un énorme hameçon.

— Interdis-moi désormais de te conseiller un régime, déclara Pitt en riant.

— Promis, assura Giordino, tout sourire.

— Maintenant, en place pour le démarrage, lança Pitt. Rudi, prenez la barre et faites-vous le plus petit possible. Renée et Patrick, abritez-vous dans le matériel entassé à l'arrière, Al et moi nous nous cacherons sous un tas de filets.

Il terminait à peine de parler qu'un des marins du yacht actionna un lance-roquettes portable dont le projectile, traversant la porte bâbord de la timonerie, pour ressortir par le hublot tribord, plongea dans l'eau cinquante mètres plus loin avant d'exploser.

— Une chance que je n'aie pas encore été installé, remarqua Gunn d'un ton qu'il voulait détaché.

Il sauta aussitôt dans la timonerie, tourna la barre et réussit à arracher la coque à la boue qui s'élevait du fond. Mais il n'avait pas eu le temps de prendre assez de vitesse pour éviter la roquette suivante qui toucha le moteur tribord. Par miracle, l'engin n'explosa pas mais provoqua un début d'incendie en enflammant le mazout qui se répandait. Presque machinalement, Gunn ferma aussitôt la manette des gaz pour empêcher que le carburant ne s'échappât des canalisations endommagées.

De son côté, Dodge se rua dans la chambre des machines pour saisir un extincteur accroché à la cloison. Il tira le cran de sûreté, pressa la manette et aspergea les flammes qui se réduisirent rapidement en un panache de fumée noire.

— Est-ce que nous prenons l'eau ? se renseigna Pitt.

— Il y a pas mal de fatras dans la cale, mais elle est sèche ! cria Dodge entre deux quintes de toux.

Les pirates du yacht crurent certainement à la destruction du bateau de pêche en voyant de la fumée sortir de la coque. Persuadé que l'équipage était mort ou trop grièvement blessé pour opposer une résistance, le capitaine du yacht fit machine arrière pour dériver lentement par le travers du *Poco Bonito*.

— Vous reste-t-il un peu de puissance, Rudi ?

— Moteur bâbord HS, mais celui de tribord tourne encore.

— Alors, décréta froidement Pitt, ils viennent de commettre une erreur grossière.

— Laquelle ? s'enquit Gunn.

— Vous vous souvenez du vaisseau pirate ?

— Je pense bien !

Gunn coupa les gaz du moteur valide pour réamorcer la pompe ; le petit navire stoppa net. Le stratagème fonctionna : le capitaine du yacht, certain maintenant que sa victime était sur le point de couler, mordit à l'hameçon et se rapprocha.

En quelques secondes, le yacht se dressa devant eux, presque à portée de tir. L'absence de mouvement et la fumée les confortèrent dans l'idée qu'il était inutile de tirer, et un visage barbu se pencha par le hublot de la timonerie du yacht. Utilisant un porte-voix, on lança avec un fort accent sud-américain :

— A tous ceux qui peuvent m'entendre. Si vous n'abandonnez pas votre bateau, nous le réduirons en miettes. Ne cherchez pas à vous servir de vos moyens de communication. Je répète : n'envoyez aucun message ; notre matériel de détection le repérerait immédiatement. Vous avez exactement soixante secondes pour évacuer. Chacun pourra gagner sain et sauf le port le plus proche.

— Est-ce que je réponds ? demanda Gunn.

— Nous devrions peut-être faire ce qu'il dit, suggéra Dodge. Je tiens à revoir mes enfants et mes petits-enfants.

— Si la parole de ce pirate est fiable, déclara Pitt, je

vous cède ma mine d'or du New Jersey pour une bouchée de pain.

Et sans plus se soucier du yacht, Pitt émergea de son refuge à l'arrière et s'approcha du mât de pavillon au bout duquel flottait le drapeau nicaraguayen. Il l'abaissa, détacha les crochets et le roula. Puis il sortit un paquet de sa chemise pour hisser, quelques instants plus tard, un carré de soie d'un mètre sur un mètre cinquante.

— Maintenant, ils savent d'où nous venons, annonça Pitt tandis que tous les regards convergeaient vers la bannière étoilée qui claquait fièrement dans la brise.

Renée revint sur le pont, portant deux grands bocaux en verre et une bouteille de vin emplis d'essence. Comprenant soudain la situation, elle eut un brusque sursaut.

— Vous n'allez pas l'éperonner ? s'insurgea-t-elle.

— A vos ordres, cria Gunn, arborant les traits impassibles d'un joueur de poker prêt à bluffer pour remporter le pot.

— Non ! gémit Renée. Ce n'est plus un hologramme. C'est une réalité solide. Si vous l'éperonnez, nous allons nous replier comme un accordéon.

— J'y compte bien, répliqua Pitt. Patrick et vous allumez les mèches et soyez prêts à lancer les cocktails dès que nous entrerons en collision.

L'heure n'était plus aux hésitations. Le yacht glissait doucement devant l'étrave du *Poco Bonito*, à moins de trente mètres.

Giordino lança à Pitt une des carabines M4 et tous deux entreprirent de canarder le yacht, Giordino arrosant la timonerie tandis que Pitt visait le marin qui tenait le lance-roquettes ; il le toucha dès le second coup de feu ; de même pour le matelot qui se penchait pour ramasser l'engin.

Stupéfait par la réaction – totalement inattendue – du

Poco Bonito, l'équipage du yacht se précipita à couvert sans même riposter ; sans le savoir Giordino avait logé une balle dans l'épaule du capitaine qui s'était effondré sur le pont de la timonerie ; puis ce fut le tour du barreur ; le yacht se mit alors à dériver. Ne disposant plus que d'un moteur, le *Poco Bonito* n'avançait qu'à la moitié de sa vitesse normale mais il fendait l'eau résolument, avec assez de puissance pour mener à bien sa tâche.

Tous, sans qu'il fût besoin de le leur recommander, s'assirent contre la cloison en se protégeant la tête avec les bras. Renée et Dodge contemplaient avec appréhension les gilets de sauvetage orange que Gunn leur avait lancés. Celui-ci, installé dans la timonerie, tenait ses mains crispées sur la barre. L'unique hélice fouettait l'eau, poussant le petit bateau droit vers le gros yacht sous les yeux horrifiés des rescapés qui réalisaient subitement que ce petit bateau de pêche à l'aspect inoffensif, loin de jeter l'éponge, les attaquait avec l'intention de les éperonner. Leur surprise était totale : jamais aucun des navires qu'ils avaient capturés n'avait opposé de résistance. Autre surprise : l'apparition inattendue du pavillon américain.

Pitt et Giordino continuaient à balayer le pont d'un feu nourri qui forçait l'équipage à rester à l'abri alors que le *Poco Bonito* se rapprochait.

L'*Epona* avait beau paraître plus imposant que jamais, le *Poco Bonito*, lui, semblait surgir des enfers entouré des gaz d'échappement jaillissant de la chambre des machines et de la fumée que le vent rabattait sur l'avant. Pendant la guerre du Golfe, Gunn commandait un destroyer lanceur de missiles ; il avait éperonné un sous-marin irakien en Méditerranée dont il n'avait vu que le kiosque ; il avait maintenant devant lui un robuste navire qui le dominait de toute sa hauteur.

Encore dix secondes, et ce serait l'impact.

23

Pitt et Giordino posèrent leurs carabines pour se préparer à la collision ; ils présentaient à Renée, pelotonnée contre la cloison, un visage impassible.

Dans la timonerie, Gunn échafaudait sa manœuvre : frapper la salle des machines du yacht puis faire marche arrière pour dégager le *Poco Bonito* du trou qu'il viendrait de percer. Si les dieux l'accompagnaient, il resterait à flot tandis que l'*Epona* – si proche maintenant qu'il suffisait presque de tendre la main pour caresser le cheval au galop – coulerait.

La haute silhouette du yacht s'interposait entre le soleil et le petit bateau. Puis l'enfer se déchaîna dominé par le bruit terrifiant d'un interminable craquement : le *Poco Bonito* avait éventré son adversaire, fracassé les cloisons de la salle des machines et broyé tous ceux qui y travaillaient.

Renée et Dodge se précipitèrent alors pour lancer les unes après les autres leurs bouteilles pleines d'essence, mèches allumées, déclenchant un incendie qui embrasa le yacht, le transformant en cauchemar psychédélique.

Sans même laisser le navire courir sur son erre, Gunn avait fait machine arrière toute. Le *Poco Bonito*, l'avant coincé sur près de deux mètres dans le flanc de l'*Epona*, son hélice frappant convulsivement l'eau, resta immobile une vingtaine de secondes ; enfin, dans un terrible arrachement, il commença à dégager son étrave de la brèche ouverte dans la coque du yacht ; la boue brune y déferla avec la puissance d'une rivière en crue, le faisant gîter aussitôt.

Deux rescapés de l'*Epona* recouvrèrent alors leurs esprits et ouvrirent le feu ; mais l'inclinaison de leur coque les gênait et seules quelques balles atteignirent leur but, ouvrant autant de petites voies d'eau.

Pitt et Giordino ripostèrent à l'aveuglette dans le brasier jusqu'au moment où toute résistance cessa à bord du yacht. Les superstructures disparaissaient dans le tourbillon de l'incendie ; on entendait des hurlements ; poussées par une légère brise, des flammes venaient lécher l'énorme brèche. Le catamaran s'enfonçait lentement dans l'eau.

Les occupants du *Poco Bonito*, comme hypnotisés, suivaient l'agonie du yacht ; quelques membres de l'équipage grimpaient frénétiquement à bord de l'hélicoptère dont le pilote avait fait démarrer le moteur. Compensant tant bien que mal la gîte, le pilote parvint à décoller et vira en direction de la terre, condamnant des malheureux à périr carbonisés ou noyés.

— Rapprochez-vous, ordonna Pitt à Gunn.

— Jusqu'où ? demanda l'autre avec une certaine inquiétude.

— Je veux sauter à bord.

Sachant que toute discussion avec Pitt serait vaine, Gunn haussa les épaules et obtempéra.

Pendant ce temps, Giordino s'acharnait sur l'enchevêtrement des canalisations tentant d'effectuer les réparations indispensables pour maintenir le *Poco Bonito* à flot et en état de marche. Renée jeta par-dessus bord l'équipement inutile et Dodge, noir de suie et de fumée, se mit en devoir de pomper l'eau qui commençait à envahir le compartiment avant.

Quand les deux navires furent presque bord à bord, Pitt sauta sur la plage arrière encore épargnée par la fournaise. Il lui fallait faire vite pour retrouver d'éventuels survivants, avant que le superbe yacht ne sombrât.

La salle à manger et les cabines étaient désertes ; un mur de feu lui barra l'escalier recouvert d'une épaisse moquette, et l'accès à la timonerie. La fumée irritait ses voies respiratoires et le faisait pleurer, ses cheveux et ses sourcils commençaient à roussir, aussi s'apprêtait-il à renoncer quand il trébucha sur un corps gisant dans la cambuse, celui d'une femme succinctement vêtue d'un minuscule bikini. Il la jeta sur son épaule et déboucha, suffoquant et les yeux larmoyants, sur la plage arrière.

Gunn comprit tout de suite la situation et se rapprocha du yacht au point de le frôler. Surgissant alors de la timonerie, il saisit le corps inerte que Pitt tentait de faire passer par-dessus le bastingage. La chaleur dégagée par l'incendie était telle que la peinture du *Poco Bonito* se boursouflait déjà quand Gunn déposa avec précaution la femme sur le pont ; avant de reprendre la barre pour éloigner son navire des flammes, il eut juste le temps de remarquer des cheveux roux, longs et raides.

Pitt vérifia le pouls et constata qu'il battait régulièrement. Son souffle aussi était normal. Il écarta les mèches rousses de son front, révélant une bosse grosse comme un œuf. Il se dit qu'elle avait dû perdre connaissance lors de la collision. Son visage, ses bras et ses longues jambes au galbe parfait étaient uniformément bronzés. Elle avait des traits délicats, un teint sans défaut, des lèvres pleines et sensuelles et un charmant petit nez légèrement retroussé. Ses yeux fermés ne lui permirent pas d'en distinguer la couleur. Pour résumer, il s'agissait d'une très jolie personne au corps souple de danseuse.

Renée lança encore par-dessus bord une caisse de bouées et de filets puis se précipita vers la femme allongée sur le pont.

— Aidez-moi à la descendre, dit-elle. Je m'en occupe.

Pitt porta la blessée dans sa cabine et la déposa sur sa couchette.

— Cette vilaine bosse ne l'empêchera pas, je pense, de revenir à elle. Faites-la respirer un peu avec une bouteille de plongée, recommanda-t-il, pour dissiper toute la fumée qu'elle a inhalée.

Pitt remonta juste à temps pour assister à la fin du yacht.

La coque jadis lavande et les superstructures maintenant noircies et maculées de boue brune disparaissaient dans l'eau. Une bien triste fin pour ce beau navire. Il aurait regretté d'en être le responsable s'il ne s'était pas représenté le *Poco Bonito* connaissant le même sort et entraînant avec lui tout son équipage. Aussi céda-t-il sans remords à la joie de se savoir ainsi que ses amis sains et saufs.

La coque tribord du catamaran avait complètement disparu dans l'eau brune ; l'autre flotteur se dressa brièvement dans les airs, puis la mâture glissa dans les profondeurs, laissant derrière elle une spirale tourbillonnante de vapeurs et de fumées. Ses hélices de bronze poli étincelèrent un instant au soleil puis à leur tour s'enfoncèrent dans les vagues. A part le sifflement de l'eau étouffant les flammes, le yacht s'enfonça silencieusement, sans protester, comme s'il voulait dissimuler ses blessures. L'ultime détail visible fut le cheval doré du pavillon. Puis la mer indifférente l'engloutit à son tour.

Le mazout se répandit alors à la surface et s'étala sur la boue, la recouvrant d'une couche noire aux reflets irisés rivalisant avec ceux d'un arc-en-ciel. Des bulles venaient crever parmi les débris qui attendaient que courants et marées les entraînassent sur de lointains rivages.

Pitt détourna son regard de tant de désolation et se rendit dans la timonerie, ses chaussures crissant sur les éclats de verre qui jonchaient le plancher.

— Quelle est la situation, Rudi ? Vous pensez qu'on peut atteindre la côte ou faudra-t-il embarquer sur le canot de sauvetage ?

— Nous pouvons y arriver si Al continue à maintenir le moteur en marche et Patrick à ralentir la voie d'eau, mais c'est improbable car l'eau monte trop vite pour les pompes.

— Nous prenons l'eau aussi par les orifices percés par les balles au-dessous de la ligne de flottaison.

— Il y a une grande bâche dans le placard en bas. En la déployant contre la coque à l'avant ça ralentirait suffisamment les infiltrations et permettrait aux pompes de tenir le coup.

— Je vais m'en occuper, déclara Pitt découvrant une soixantaine de centimètres d'eau dans la partie avant.

— Ne traînez pas trop, lui lança Gunn. Je mets en marche arrière pour diminuer l'inondation.

Pitt se pencha par-dessus le panneau de la chambre des machines.

— Al, comment ça se passe en bas ?

Giordino se montra : dans la boue brune jusqu'aux genoux, vêtements trempés, mains, bras et visage maculés de mazout.

— On tient le coup, mais crois-moi, ça n'est pas du gâteau.

— Peux-tu me donner un coup de main là-haut ?

— J'ai besoin de cinq minutes pour déboucher la pompe de la cale. Si je ne les nettoie pas souvent, les filtres restent obstrués par la boue.

Pitt trouva la bâche et parvint, malgré son poids, à la transporter sur le pont. Giordino ne tarda pas à le rejoindre ; à deux ils déployèrent la toile et la fixèrent aux quatre extrémités par un cordon de nylon ; en outre, ils la lestèrent en deux endroits avec des pièces du moteur touché par le missile. Quand ils furent prêts, Pitt se retourna et fit signe à Gunn de ralentir.

Ils jetèrent la bâche dans l'eau sans lâcher les cordons qui la retenaient. Quand le panneau alourdi se fut enfoncé lentement dans la boue, Pitt cria à Gunn :

—Bon ! En avant, doucement !

La toile goudronnée étalée sur la partie endommagée de l'avant remplit bien son office : elle réduisait considérablement la voie d'eau. Une fois les cordons bien attachés, Pitt remonta sur le pont et demanda à Dodge :

—Qu'est-ce que ça donne, Patrick ?

—Ça a marché, répondit Dodge, fatigué mais rassuré. Vous avez réduit les dégâts d'au moins quatre-vingts pour cent. La pompe devrait maintenir le niveau.

—Il faut que je redescende dans la salle des machines, annonça Giordino.

—Tu veux un coup de main ? proposa Pitt.

—Tu ne ferais que m'encombrer. D'ici deux heures j'aurai maîtrisé la situation.

Pitt rentra alors dans la timonerie.

—On peut repartir maintenant, Rudi. Notre emplâtre a l'air de tenir.

—Par chance, les commandes de navigation informatisées ont survécu. J'ai programmé un cap sur Barra del Colorado au Costa Rica. Un de mes vieux copains de la marine a pris sa retraite là-bas et il habite près d'un chalet de pêche au gros. Nous utiliserons son ponton pour faire les réparations nécessaires et ensuite nous repartirons pour Fort Lauderdale et le chantier de la NUMA.

—Sage décision, approuva Pitt en désignant le mystérieux porte-conteneurs de l'autre côté de la rade. Nous risquerions des ennuis là-bas.

—Vous avez raison. Quand les autorités nicaraguayennes sauront que nous avons coulé un yacht devant chez eux, elles nous mettront tous en taule. (Avec un chiffon, il essuya le sang qui suintait d'une éraflure sur sa joue.) Que raconte votre rescapée ?

— Vous le saurez dès qu'elle aura repris connaissance.

— Voulez-vous contacter l'amiral et lui faire un rapport, ou préférez-vous que je le fasse ?

— Je vais m'en occuper.

Pitt entra dans la cambuse et s'assit devant un ordinateur qui servait essentiellement à l'équipage pour faire des jeux, envoyer des e-mails chez eux et, de temps en temps, à faire des recherches sur l'Internet. Il tapa *Epona*, le nom du yacht, et attendit. Une minute plus tard apparurent sur l'écran l'image d'un cheval et une brève description du bateau que Pitt enregistra avant de fermer l'ordinateur et de repartir.

Il croisa Renée dans la coursive séparant les cabines.

— Comment va-t-elle ?

— Si ça ne dépendait que de moi, je balancerais cette nana à la mer.

— Elle est si terrible que ça ?

— Pire. Elle avait à peine repris conscience qu'elle commençait à me casser les pieds. Non seulement elle est exigeante, mais elle ne s'exprime qu'en espagnol. (Renée marqua un temps avant d'afficher un sourire narquois.) Mais je l'ai démasquée, c'est un numéro.

— Comment pouvez-vous le savoir ?

— Ma mère était une Ybarra. Je parle mieux espagnol que notre invitée.

— Elle ne répond pas en anglais ? demanda Pitt.

— Je vous l'ai dit, fit Renée en secouant la tête, elle fait un numéro. Elle veut nous faire croire qu'elle n'était qu'une pauvre Mexicaine qui trimait à la cambuse. Mais son maquillage et son bikini la trahissent. Cette nana a de la classe. Ce n'est pas une fille de cuisine.

Pitt tira son vieux Colt 45 d'un étui qu'il portait à la ceinture.

—Laissez-moi jouer un peu au dur avec elle.

Il entra dans la cabine, s'approcha de la mystérieuse passagère et appuya doucement le canon de son arme contre son nez.

—Je regrette d'être obligé de vous tuer, ma jolie, mais vous comprendrez qu'on ne puisse pas garder un témoin.

Elle ouvrit tout grands ses yeux – au reflet ambré – en louchant sur le pistolet. En sentant sur son visage la froideur du canon, elle se mit à trembler.

—Non, non, je vous en prie, s'écria-t-elle en anglais. Ne me tuez pas. J'ai de l'argent. Laissez-moi la vie sauve et vous serez tous riches.

Pitt leva les yeux vers Renée qui était plantée là, bouche bée, un peu incertaine quant aux réelles intentions de Pitt.

—Renée, vous avez envie d'être riche ?

Renée comprit et entra aussitôt dans le jeu.

—Bof, avec la tonne d'or planquée dans le bateau.

—Sans oublier les rubis, les émeraudes et les diamants, renchérit Pitt.

—Si elle nous raconte l'histoire du vaisseau pirate bidon et si elle nous explique les raisons pour lesquelles ses complices nous ont pourchassés une partie de la nuit dans l'intention de nous exterminer, nous différerons peut-être de quelques jours le moment de la jeter en pâture aux requins.

—Oui ! tout ce que vous voudrez, s'écria la femme. Mais je ne pourrai vous dire que ce que je sais, se reprit-elle aussitôt avec, dans son regard, une lueur qui renforça la méfiance de Pitt.

—Nous vous écoutons.

—Mon mari et moi devions nous rendre de Savannah à San Diego à bord du yacht dont nous étions propriétaires, commença-t-elle. Nous venions de franchir le canal de Panamá quand un bateau de pêche des plus banals s'approcha de nous : son capitaine avait besoin de médicaments pour l'un de ses marins. David, mon mari, ne flaira malheureusement pas le piège et les pirates étaient montés à l'abordage sans que nous ayons eu le temps de réagir.

—Permettez-moi tout d'abord de nous présenter. Je m'appelle Dirk Pitt et voici Renée Ford.

—Pardonnez ma grossièreté, je ne vous ai pas remerciés de m'avoir sauvée. Mon nom est Rita Anderson.

—Que sont devenus votre mari et les membres de votre équipage ?

—Ils ont été massacrés et leurs corps jetés à la mer. Les pirates ne m'ont épargnée que pour servir d'appât aux bateaux de passage.

—Comment cela ? s'enquit Renée.

—La présence d'une femme en bikini sur le pont les inciterait à approcher suffisamment pour qu'on puisse les arraisonner.

—Ils vous auraient gardée en vie pour cette seule raison ? interrogea Pitt, quelque peu sceptique.

Elle acquiesça en silence.

—Savez-vous quelque chose de leur identité et de leur nationalité ?

—On nous avait parlé à mon mari et à moi de malfaiteurs nicaraguayens reconvertis dans la piraterie ; pourtant, les parages nous semblant très paisibles, nous n'avons pas tenu compte des mises en garde.

—Etranges, ces pirates locaux qui savent piloter un hélicoptère… murmura Renée, songeuse.

—Combien de bateaux ont-ils détruits en utilisant votre yacht ? insista Pitt.

—A ma connaissance, trois. Une fois l'équipage liquidé et le butin ramassé, ils sabordaient leur prise.

—Où vous trouviez-vous quand nous sommes entrés en collision avec votre yacht ? demanda Renée.

—C'était donc ça ? s'exclama Rita. De ma cabine où j'étais enfermée, j'ai entendu des explosions, une fusillade puis un choc très violent qui a ébranlé le bateau. Ensuite le feu s'est déclaré et ma dernière vision avant de m'évanouir a été celle d'une cloison s'écroulant sur moi. Quand j'ai repris conscience, vous m'aviez transportée sur votre bateau.

—Pas d'autres souvenirs antérieurs à la collision et à l'incendie ?

—Rien, fit Rita en secouant la tête. Ils me retenaient prisonnière dans ma cabine, ne me conduisant sur le pont que lorsqu'ils avaient une proie en vue.

—Pourquoi l'hologramme du vaisseau pirate ? demanda Renée. Cela ressemblait plus à un truc pour tenir les bateaux éloignés du secteur qu'à un acte de piraterie.

—Un hologramme, bredouilla Rita qui n'avait pas l'air de comprendre. Je ne suis même pas sûre de savoir ce que c'est.

Pitt réprima un sourire : Rita Anderson racontait des bobards. Renée avait raison : une femme dont les pirates viennent d'abattre sous ses yeux le mari et qu'ils traitent ensuite en prisonnière ne se préoccupe pas de son maquillage, or Rita Anderson avait appliqué son rouge à lèvres avec une grande précision, de même que le trait d'eye-liner qui soulignait ses yeux et le soupçon de crème qui protégeait son front. Autant de détails révélateurs. Il décida de l'attaquer de front tout en guettant avec attention sa réaction.

—Quels sont vos rapports avec Odyssée ? demanda-t-il brusquement.

Tout d'abord, elle ne réagit pas. Puis elle commença à réaliser qu'elle n'avait pas affaire à d'innocents pêcheurs.

—Je ne sais pas de quoi vous parlez, tenta-t-elle.

—Votre mari ne travaillait-il pas pour le groupe Odyssée ?

—Pourquoi me demandez-vous cela ? lança-t-elle pour gagner du temps.

—Votre yacht battait pavillon avec l'effigie d'un cheval, autrement dit le logo d'Odyssée.

Ses sourcils impeccablement épilés se froncèrent une fraction de seconde. Elle est forte, admira Pitt en lui-même, très forte. Elle ne se démonte pas facilement. Elle n'est pas l'élégante épouse d'un riche industriel, elle manie l'autorité, elle a l'habitude du pouvoir. Il flaira avec amusement sa contre-attaque pour retourner la situation.

—Qui êtes-vous donc ? attaqua soudain Rita. Pas des pêcheurs, en tout cas.

—Non, lui assena Pitt en articulant avec soin, nous appartenons à la NUMA des Etats-Unis et nous sommes chargés d'une mission scientifique, découvrir la source de la boue brune.

Ces paroles eurent sur elle l'effet d'une gifle. Tout d'un coup, elle perdit son calme.

—Ce n'est pas possible, balbutia-t-elle. Vous êtes…, fit-elle en se reprenant sans achever sa phrase.

—Censés avoir péri dans l'explosion du chenal de Bluefields, termina Pitt à sa place.

—Vous étiez au courant ? fulmina Renée en s'approchant, menaçante.

—Elle était au courant, confirma Pitt en retenant Renée.

—Mais pourquoi ? poursuivit Renée. Qu'avions-nous fait pour mériter une mort aussi horrible ?

Rita n'ajouta plus rien. De la surprise elle passait à une colère mêlée de haine. Renée l'aurait volontiers étranglée.

—Qu'allons-nous faire d'elle ?

—Rien, dit Pitt en haussant les épaules. (Il savait que Rita avait lâché tout ce qu'elle avait à dire.) Elle restera enfermée dans sa cabine jusqu'au Costa Rica. Je vais demander à Rudi de prévenir les autorités locales qui l'attendront sur le quai pour la jeter en prison.

Peu à peu l'épuisement gagnait Pitt, mais il lui restait encore une tâche à accomplir. Il chercha des yeux le transat, mais se rappela que Renée l'avait jeté par-dessus bord. Il s'allongea donc à même le pont maintenant déblayé, s'adossa à la cloison et saisit son téléphone satellite.

Sandecker paraissait furieux.

—Pourquoi avez-vous autant tardé à donner de vos nouvelles ?

—Nous avons été occupés, commença Pitt. (Suivirent vingt minutes d'un récit circonstancié que l'amiral écouta patiemment jusqu'à la mention de la conversation avec Rita Anderson.)

—Que peut bien avoir à faire le Spectre dans tout cela ? lâcha l'amiral apparemment déconcerté.

—A mon avis, il a un secret qu'il veut préserver à tout prix, fût-ce en massacrant quiconque s'aventure dans son domaine.

—J'ai entendu dire qu'il avait passé des contrats de travaux publics avec la Chine populaire par l'intermédiaire du Nicaragua et du Panamá.

—Loren m'en a parlé.

—Je vais demander une enquête sur les activités d'Odyssée, conclut Sandecker.

—Renseignez-vous aussi au sujet de Rita et David Anderson, et également sur un yacht, l'*Epona*.

—Je mets Yaeger tout de suite là-dessus.

—Je suis curieux de connaître le rôle de cette femme dans cette histoire.

—Où en êtes-vous avec la boue brune ?

—Nous sommes tombés sur une sorte de puits au fond de la mer qui en évacue.

—Un phénomène naturel, donc ?

—Patrick Dodge n'est pas de cet avis, fit Pitt en étouffant un bâillement. Selon lui, il est impossible que les ingrédients minéraux de cette boue puissent surgir du fond comme s'ils étaient projetés par un canon. Il pense à un jaillissement artificiel. Il se passe quelque chose de louche dans ces parages.

—Nous voilà revenus à la case départ, soupira Sandecker.

—Pas tout à fait. J'ai une petite expédition en vue.

—J'ai fait partir un avion de transport de la NUMA pour l'aéroport le plus proche du chalet de Rio Colorado avec, à son bord, une équipe qui réparera le *Poco Bonito*. Ensuite il repartira vers le nord ; Gunn, Dodge et Ford rentreront à Washington. J'aimerais qu'Al et vous les accompagniez.

—Le travail n'est pas terminé.

Sandecker n'essaya même pas de discuter. Il avait appris depuis longtemps à respecter le jugement de Pitt.

—Quel est votre plan ?

Pitt tourna les yeux vers la mer jusqu'au premier contrefort boisé qui s'élevait derrière les plages de sable blanc.

—Une petite croisière pour remonter la rivière San Juan jusqu'au lac Nicaragua pourrait s'avérer intéressante.

—Qu'espérez-vous trouver si loin de la mer et de la boue brune ?

—Des réponses, répondit Pitt. Des réponses à tout ce foutoir.

TROISIÈME PARTIE

D'une Odyssée à l'autre

EL CASTILLO

24

23 août 2006,
banc de la Navidad.

L'ouragan *Lizzie* avait eu au moins un mérite, celui de balayer la boue brune du banc de la Navidad. L'eau avait retrouvé ses reflets bleu-vert et une visibilité de près d'une soixantaine de mètres, tandis que les poissons avaient réintégré leur habitat oubliant la tempête qui les en avait chassés.

Un autre navire, le *Sea Yesteryear*, reprit les recherches du *Sea Sprite* sur le temple englouti ; conçu comme pour l'exploration archéologique en faible profondeur, il opérait rarement hors de vue de la côte. Ses campagnes l'avaient mené en Egypte, sur les ruines sous-marines de la bibliothèque d'Alexandrie, au large du Japon, sur les épaves d'une flotte chinoise anéantie par un typhon, dans la Baltique, sur celles de navires de commerce suédois et russes, et en bien d'autres lieux encore sur les traces d'événements historiques étudiés par son équipe de savants.

Une trappe aménagée au milieu de la coque abritait le matériel nécessaire aux opérations de plongée ainsi que celui permettant le lancement et la récupération de robots d'exploration ou d'appareils de collecte au fond de la mer. Occupant tout l'espace arrière, un spacieux laboratoire disposait des instruments d'analyse et de préservation les plus modernes.

Pas très long pour un navire de recherche – seulement quarante-cinq mètres –, mais large, il était propulsé à vingt nœuds par deux gros moteurs Diesel et transportait quatre hommes d'équipage et dix scientifiques, fiers d'avoir écrit, en plusieurs occasions, l'histoire maritime. L'exploration qui les attendait, sur le banc de la Navidad, s'inscrirait, ils en étaient convaincus, à la place d'honneur de leur palmarès.

Au premier abord, les spécialistes d'archéologie marine eurent du mal à voir le travail de l'homme dans ces salles de pierre ; les objets façonnés n'étaient pas nombreux : il y avait ceux qu'on avait découverts sur le lit de pierre et dans le chaudron et d'autres qui provenaient de la cuisine. Mais chaque nouvelle journée de recherches apportait son lot d'incroyables nouveautés. C'est ainsi que les géologues de l'équipe, en brossant délicatement les incrustations d'un fragment de mur de la chambre, s'aperçurent que l'édifice se dressait jadis à l'air libre au sommet d'une petite colline : les salles en effet n'avaient pas été taillées dans la roche mais construites en pierres posées les unes sur les autres à l'époque où le banc de la Navidad formait une île émergeant de la mer.

Dirk, sa sœur à ses côtés, examinait les objets qu'on avait transportés dans le laboratoire avec précaution, et immergés en eau de mer dans des plateaux de plongée afin de préparer le minutieux processus de préservation. Il brandissait un collier en or délicatement ciselé, retrouvé sur le lit de pierre.

— Tout ce que nous avons trouvé sur le lit et dans le chaudron appartenait à une femme.

— Quel travail ! Plus délicat encore que bien des bijoux contemporains, s'extasia Summer.

— En attendant de pouvoir consulter les archives

archéologiques européennes, je daterais ce collier du milieu de l'âge de bronze.

Cette appréciation émise d'une voix douce et bien timbrée émanait du Dr Jeffrey Parks que ses deux mètres obligeaient à garder constamment, tel un loup méfiant, la tête baissée. Brillant joueur de base-ball à l'université, il avait dû renoncer à pratiquer à cause d'une grave blessure au genou. Ses études d'archéologie sous-marine s'étaient conclues par une thèse de doctorat sur les cités sous-marines de l'Antiquité. C'était l'amiral Sandecker qui avait invité cet expert reconnu à se joindre à l'expédition.

Parks longea la paillasse qui avait reçu tous les vestiges remontés des salles immergées, puis se posta devant un grand panneau sur lequel étaient exposées plus de cinquante photos de l'intérieur de l'édifice. Il désigna un montage de celles qui reconstituaient un plan de l'ensemble.

—Ceci ne montre pas une cité ou une forteresse. On n'aperçoit en effet aucune structure au-delà des salles que vous avez découvertes. Il s'agit plutôt de la demeure, du petit palais même, d'une femme de haut rang – une reine ou une grande prêtresse, assez riche en tout cas pour posséder des bijoux faits sur mesure –, et transformée, à sa mort, en tombeau.

—Dommage qu'il ne reste rien d'elle, fit Summer. Pas la moindre trace de son crâne, même pas une dent.

Parks eut un petit sourire.

—Voilà des siècles que la mer, en recouvrant les lieux, a fait disparaître ses os et ses vêtements. (Puis il désigna la photographie prise en gros plan d'une cuirasse de bronze.) Une guerrière probablement et qui menait les hommes au combat ; cette armure semble avoir été fabriquée d'une seule pièce et devait s'enfiler comme un chandail métallique.

Summer s'imagina ainsi vêtue ; les Celtes, avait-elle

lu, étaient grands pour leur époque, pourtant l'armure lui parut trop petite pour son torse.

— Mais comment diable se trouve-t-elle ici ?

— Je n'en ai pas la moindre idée, répondit Parks. L'école d'archéologie à laquelle j'appartiens ne croit pas, traditionnellement, au contact avec l'Amérique avant Colomb ; je suis donc obligé de conclure à un savant canular que les Espagnols auraient conçu peu après 1500.

— C'est vraiment ce que vous croyez ? s'étonna Summer en fronçant les sourcils.

— Evidemment, répondit Parks, pas après ce que nous avons découvert ici. Mais en attendant la preuve irréfutable de la raison de la présence de ces objets sur le banc de la Navidad, les conceptions actuelles de l'histoire antique vont s'affronter.

— Mais, insista Summer, il n'est pas impossible que des marins de l'Antiquité aient traversé l'océan.

— Personne ne le conteste : des embarcations de toutes sortes sillonnent depuis toujours l'Atlantique et le Pacifique et on peut parfaitement concevoir que des pêcheurs venus du Japon ou d'Irlande aient été poussés par des tempêtes jusqu'aux Amériques. On retrouve – les archéologues le reconnaissent – des influences européennes et asiatiques dans l'art et l'architecture de l'Amérique centrale et de l'Amérique du Sud. Mais on n'a jamais trouvé de ce côté-ci de la grande mare de véritables objets, de preuves concrètes.

— Notre père, protesta Summer, a prouvé la présence des Vikings aux Etats-Unis.

— Et puis Al Giordino et lui ont découvert au Texas des objets provenant de la bibliothèque d'Alexandrie, ajouta Dirk.

— Il n'en demeure pas moins, fit Parks en haussant les épaules, que les fouilles pratiquées en Europe ou en

Afrique n'ont pas encore fourni d'objets certifiés comme venant des Amériques.

—Expliquez-moi alors, lança Summer, les traces de cocaïne et de nicotine retrouvées sur des momies égyptiennes, puisque tabac et coca ne se rencontrent qu'en Amérique ?

—Je savais bien que cet argument ne vous aurait pas échappé, soupira Parks. Les égyptologues en discutent encore.

—Et si ces salles, avança Summer, songeuse, fournissaient la réponse à nos questions ?

—Peut-être, reconnut Parks. Tous nos spécialistes de la biologie marine travaillent en ce moment à déterminer depuis combien de temps la mer recouvre ces constructions, les biologistes en analysant les incrustations des parois et notre phytochimiste en étudiant les restes végétaux.

Summer sortit de ses réflexions pour suggérer :

—Ne pourrait-il y avoir sous ces incrustations quelque chose, des inscriptions par exemple, qui aurait échappé aux archéologues ?

—Il n'y a aucune trace, écrite ou artistique, des premiers Celtes, fit Parks en riant. L'existence d'inscriptions gravées dans la pierre est tout à fait improbable à moins, évidemment, que nous nous soyons trompés sur la datation de la Navinia.

—Navinia ?

Parks contemplait une image de synthèse de l'édifice englouti, au moment de sa construction.

—Pas mal ce nom, vous ne trouvez pas ?

—Pas mal effectivement, approuva Dirk. Tu serais d'accord, ajouta-t-il en se tournant vers sa sœur, pour plonger demain matin et chercher d'éventuelles inscriptions ? D'ailleurs, j'estime convenable de présenter une dernière fois nos respects à la grande prêtresse.

—Ne vous attardez pas, leur recommanda Parks

avant qu'ils ne sortent du laboratoire. Le capitaine veut lever l'ancre à minuit pour transporter nos trouvailles à Fort Lauderdale le plus tôt possible.

—Depuis quand cèdes-tu à la nostalgie ? demanda Summer à son frère.

—J'ai l'impression, lui confia-t-il, que nous avons laissé passer quelque chose d'important.

Les salles qui, la veille encore, livrées aux scienti-fiques de l'équipe furetant dans les moindres recoins, évoquaient un hall d'aéroport, étaient désormais vides.

Ils commencèrent leur inspection par la première salle, Summer examinant une paroi tandis que Dirk, armé d'une spatule, grattait les excroissances jusqu'à la pierre, sachant fort bien qu'un archéologue pointilleux y verrait un véritable sacrilège. Ils procédaient hori-zontalement en suivant une bande située entre un mètre vingt et un mètre cinquante du sol, se fondant sur l'estimation que les gens mesuraient, il y a trois mille ans, environ dix centimètres de moins.

Ils progressaient lentement et durent, après une heure d'inspection sans résultat, retourner à bord pour remplacer leurs bouteilles d'air presque vides. Leur seconde plongée avait commencé depuis une vingtaine de minutes quand Summer attira soudain l'attention de Dirk. Il la rejoignit aussitôt et contempla la partie qu'elle venait de gratter et qu'elle lui montrait avec une certaine excitation ; elle avait tracé sur le mur le mot PICTOGRAPHES.

Dirk hocha la tête en levant les pouces avec enthou-siasme. Ils se mirent tous deux à nettoyer frénétique-ment les parois de leurs mains gantées pour ne pas endommager le précieux vestige qui lentement appa-raissait dans la pénombre. Enfin, au bout d'un moment, apparurent des images gravées dans la pierre. Le frère et la sœur se sentirent envahis d'un sentiment de triomphe : ils venaient de démentir les théories des professionnels et avaient sous les yeux ce qu'aucun être humain n'avait contemplé depuis trois mille ans.

Les pictographes apportaient enfin une solution au mystère de la demeure engloutie. Dirk les éclaira avec son projecteur pour en souligner les détails. Deux bandes larges d'une soixantaine de centimètres couraient à environ un mètre cinquante du sol sur les deux côtés d'un couloir ; elles évoquaient la tapisserie de Bayeux illustrant la bataille de Hastings en 1066.

Immobiles, Dirk et Summer contemplaient avec un respect presque religieux ces gravures représentant des hommes voguant sur des navires ; des hommes à la physionomie étrange avec des yeux ronds et des barbes épaisses, armés de grands poignards, de courtes épées incurvées et de haches à long manche, certains montés sur des chars, mais la plupart se battant à pied.

Des scènes de bataille évoquaient un véritable carnage et semblaient représenter une succession de combats dans le cadre d'une guerre interminable. On voyait aussi des femmes aux seins dénudés qui lançaient des javelots sur l'ennemi.

Summer effleura de sa main gantée les silhouettes de ces guerrières et se tourna vers Dirk pour lui adresser un sourire soulignant cette supériorité féminine.

Au début des vaisseaux quittaient une cité en flammes ; un peu plus loin, ils affrontaient une tempête. Ensuite on se battait sur la terre ferme contre des créatures bizarres. Puis on retrouvait la flotte ou, plus exactement, le seul navire qui n'avait pas été détruit ; mais il sombrait à son tour. Vers la fin, un couple s'étreignait, puis l'homme s'éloignait sur une sorte de radeau muni d'une voile.

Ils avaient découvert une chronique gravée dans la pierre par un artisan de l'Antiquité, chronique que pendant des millénaires aucun œil humain n'avait consultée. Dirk et Summer se regardèrent à travers leur masque ; ils exultaient.

Puis Dirk désigna l'issue vers le récif : l'intensité du projecteur commençait à faiblir, ils devaient remonter à la surface et abandonner ce précieux trésor à d'autres, à ceux qui auraient pour tâche de prendre les clichés qui révéleraient les pictographes dans toute leur gloire.

25

Au début de l'après-midi, le *Poco Bonito* traversa l'embouchure du Rio Colorado ; la boue brune avait cédé la place aux algues vertes du fleuve. De petits nuages blancs et joufflus, crevant parfois en légères averses, ponctuaient le ciel bleu. Installé sur le pont, l'équipage de la NUMA saluait au passage les bateaux de pêche qu'il croisait et dont les marins brandissaient fièrement leurs prises.

Naviguant à vitesse réduite, Gunn vira à la bouée pour mettre le cap, un peu après le Chalet de Rio Colorado, sur un ponton relié par une allée fleurie à une grande maison abritée derrière des palmiers.

— C'est paradisiaque, commenta Renée devant la forêt luxuriante qui entourait la construction en blocs de lave recouverte d'un toit de larges palmes.

— Un paradis pour les pêcheurs, en effet, précisa Gunn, bâti par mon vieil ami de l'Ecole navale, Jack McGee. Si vous aimez le poisson, ici vous vous en régalerez : il a rapporté des milliers de recettes de tous les coins du monde ; il a d'ailleurs écrit plusieurs livres sur ce sujet.

Pitt sauta sur le quai et fixa les bouts que lui lançait Giordino aux bittes d'amarrage. Le règlement leur imposait de ne pas s'éloigner du bateau avant d'avoir fait contrôler leurs papiers par les douaniers ; comme les avaries du *Poco Bonito* semblaient les intriguer,

Renée leur fit dans un espagnol impeccable le récit extravagant de la façon dont ils avaient échappé à une flottille de trafiquants de drogue.

L'incident s'étant produit dans les eaux nicaraguayennes, il ne leur fut pas demandé de rapport détaillé. Cela tombait bien car la présence à bord de Rita Anderson, sans papiers, aurait posé un problème ; de plus, Pitt et Gunn n'ayant aucune envie de s'expliquer à son sujet, ils avaient demandé à Renée de la ligoter et à Giordino de l'enfermer dans un placard de la chambre des machines où les douaniers ne se risquèrent pas lors de leur rapide inspection du navire pour ne pas tacher leur uniforme impeccable.

Après leur départ, Dodge se tourna vers Pitt.

— Pourquoi traitons-nous Mme Anderson comme une criminelle et la retenons-nous prisonnière ? Après tout, son mari a été tué et son yacht saisi par des pirates.

— Elle n'est pas ce que vous croyez, répondit Renée.

Pitt regardait les douaniers remonter dans leur Land Rover et s'éloigner sur un chemin de terre rendu boueux par les pluies récentes.

— Renée a raison. Mme Anderson est mêlée à une sale histoire. L'amiral Sandecker a contacté les autorités du Costa Rica qui vont la prendre en charge et mener une enquête sur elle. Des policiers devraient arriver d'une minute à l'autre.

— Je vais préparer notre princesse pour son incarcération, déclara Renée avant de se diriger vers la cabine.

A peine avait-elle disparu qu'un homme déboucha sur le ponton : Jack McGee. Gaillard d'une quarantaine d'années au visage coloré, avec des cheveux blonds sans un fil gris et une grosse moustache, il arborait un short bleu marine, une chemise à fleurs et une casquette fatiguée d'officier de marine qui semblait avoir participé de bout en bout à la Seconde Guerre mondiale.

— Jack, fit Gunn en le serrant dans ses bras, tu as

encore pris dix ans, comme lors de chacune de nos rencontres.

—Pas étonnant, nous ne nous voyons que tous les dix ans, riposta McGee d'une voix de basse.

Gunn fit les présentations puis précisa :

—Le dernier membre de l'équipage, Renée Ford, s'occupe d'un petit problème en bas.

—Votre invitée surprise, fit McGee avec un sourire.

—Oui, acquiesça Gunn. Rita Anderson, la dame dont je t'ai parlé quand je t'ai annoncé notre visite.

—L'inspecteur Gabriel Ortega est un vieil ami, dit McGee. Il vous demandera de passer au commissariat pour remplir un rapport, mais je suis certain que vous apprécierez sa parfaite courtoisie.

—Il y a souvent des actes de piraterie dans ces parages ? demanda Pitt.

—Pas au Costa Rica, s'esclaffa McGee, mais plus au nord, au Nicaragua, les pirates poussent comme la mauvaise herbe.

—Pourquoi là-bas et pas ici ?

—Le Costa Rica, avec un niveau de vie supérieur à celui de ses voisins, est la réussite de l'Amérique centrale ; l'économie repose essentiellement sur l'agriculture, mais le tourisme est également florissant et, plus étonnant, le Costa Rica exporte beaucoup de matériel électronique et de microprocesseurs. En revanche, le Nicaragua a connu trente ans de révolution qui n'ont laissé que des ruines ; le gouvernement est enfin stabilisé, mais la plupart des rebelles qui ne savaient rien faire d'autre que la guérilla ont jugé la contrebande de la drogue plus lucrative et refusé tout autre travail.

—Avez-vous entendu parler de la boue brune ?

McGee secoua la tête.

—Je sais seulement qu'on en trouve au nord et à l'est dans les Caraïbes, et que, ajoutée au banditisme, elle a fait péricliter l'industrie de la pêche au Nicaragua. (McGee se retourna et ôta sa casquette en voyant un policier en uniforme déboucher sur le quai.) Ah, Gabriel, vous voilà.

— Jack, mon vieux, lança Ortega, dans quel pétrin vous êtes-vous encore fourré ?

— Ce n'est pas moi, fit McGee en riant, mais mes amis américains que voici.

Malgré son type très latin, Ortega faisait penser à l'Hercule Poirot d'Agatha Christie : mêmes cheveux noirs et raides, même fine moustache impeccablement taillée, et des yeux bruns au regard doux auquel rien n'échappait. Il parlait anglais avec un soupçon d'accent espagnol.

— L'amiral Sandecker m'a mis au courant de votre situation, déclara-t-il. J'espère que vous voudrez bien me fournir un rapport détaillé de vos aventures avec les pirates.

— Vous pouvez y compter, inspecteur, lui assura Pitt.

— Où est la femme que vous avez sauvée sur le bateau pirate ?

— En bas. (Un pli soucieux barra soudain le front de Pitt qui se tourna vers Giordino.) Al, si tu descendais voir pourquoi Renée ne revient pas avec notre invitée.

Giordino s'essuya les mains sur un chiffon graisseux et disparut dans la coursive. Moins d'une minute plus tard il était de retour, le visage crispé par la colère.

— Rita a disparu et Renée est morte, annonça-t-il. Assassinée.

26

Pétrifiés, ils dévisageaient Giordino d'un air stupide, sans comprendre ce qu'il venait de dire. Au bout de quelques secondes, Dodge balbutia :

— Qu'est-ce que vous dites ?

— Renée est morte, répéta Giordino, tuée par Rita.

— Où est-elle ? hurla Pitt, fou de rage.

— Rita ? Elle a disparu.

— Impossible. Comment aurait-elle pu quitter le bateau sans qu'on l'ait vue ?

— Elle est introuvable, déclara Giordino.

— Puis-je voir le corps ? intervint Ortega, impassible.

Pitt se précipitait déjà par l'échelle.

— Par ici, inspecteur. Les femmes occupaient ma cabine.

Pitt se sentait coupable d'avoir sous-estimé Rita et de n'avoir pas décelé en elle une meurtrière potentielle. Il se maudissait aussi d'avoir laissé Renée seule face à leur prisonnière.

— Oh, non ! murmura-t-il en découvrant Renée allongée nue sur le lit, les jambes jointes, les bras en croix. Sur son ventre, on avait tailladé l'image du logo Odyssée, le cheval blanc d'Uffington.

Rita était restée passive quand Renée lui avait libéré les bras mais quand, sans réaliser qu'elle courait un danger que ne lui éviteraient pas les cinq hommes présents à quelques mètres de là, elle s'était agenouillée pour délier les jambes de Rita, la garce lui avait brusquement assené sur la nuque une violente manchette. Renée s'était effondrée sans un bruit.

Rita avait aussitôt déshabillé Renée, l'avait étendue sur la couchette et lui avait appuyé un oreiller sur le visage. Renée n'avait opposé aucune résistance : ayant déjà perdu connaissance, elle ne se rendit pas compte qu'on l'étouffait. Attrapant alors une paire de ciseaux, Rita avait taillé sur le ventre de sa victime l'effigie du cheval celte. Il ne lui avait pas fallu plus de quatre minutes.

Rita sortit par le panneau qui dissimulait la timonerie. Les hommes, qui bavardaient sur la plage arrière, ne la virent pas escalader le plat-bord et glisser le long de la coque sans faire une éclaboussure. Elle nagea alors sous l'eau, passa de l'autre côté du ponton, atteignit le rivage et se coula dans l'épaisse végétation. Juste au moment où Giordino découvrait le corps de Renée, Rita disparaissait dans la jungle.

— Cette femme n'ira pas bien loin, déclara Ortega. Aucune route ne dessert Rio Colorado et il est impossible de survivre dans la jungle. Mes hommes l'appréhenderont avant qu'elle n'ait la possibilité de prendre un avion ou un bateau.

— Elle ne porte sur elle qu'un bikini, précisa Pitt.

— Elle n'a pas emporté de vêtements ?

— L'armoire de Renée est toujours fermée et ses vêtements sont répandus sur le pont, dit Gunn en désignant l'endroit où Rita les avait jetés.

— A-t-elle de l'argent ? demanda Ortega.

— Non, fit Pitt, à moins que Renée en ait eu sur elle, ce dont je doute.

— Sans argent ni passeport, elle ne peut s'enfuir ailleurs que dans la jungle.

—Où une femme en bikini ne peut pas survivre, ajouta McGee qui venait de les rejoindre.

—Je vous demanderai d'interdire à quiconque l'accès de la cabine, ordonna Ortega. Et de ne toucher à rien.

—Ne pouvons-nous pas au moins l'habiller? demanda Pitt.

—Pas avant que mon équipe de médecine légale n'ait fait son travail.

—Quand pourrons-nous faire transporter le corps aux Etats-Unis?

—D'ici à deux jours. En attendant, veuillez profiter de l'hospitalité de M. McGee jusqu'à ce que nous ayons procédé aux interrogatoires et rédigé les rapports. (Il s'interrompit pour jeter à Renée un coup d'œil indifférent.) Il s'agissait de l'une de vos compatriotes?

Incapable de la regarder, Dodge détourna les yeux.

—Elle habitait Richmond en Virginie, s'étrangla-t-il.

—Il faut informer l'amiral, déclara Pitt en regardant Gunn.

—Il ne laissera pas passer ça sans réagir. Tel que je le connais, il va demander au Congrès de déclarer la guerre et d'envoyer des Marines.

—*Seigneur*, il fera quoi? s'écria Ortega en ouvrant de grands yeux.

—C'est une plaisanterie, coupa Pitt et, sans se soucier de l'inspecteur, il recouvrit d'une couverture le corps de Renée.

Rita longea la rivière jusqu'au chalet de pêche de Rio Colorado, puis suivit les panneaux indiquant la direction de la piscine. Son bikini lui permit de se fondre parmi les femmes qui se prélassaient en attendant le retour de leurs maris partis pêcher au gros.

Indifférente aux regards des employés et des serveurs, elle s'empara d'une serviette posée sur une chaise longue inoccupée et la jeta sur son épaule. Puis elle se dirigea vers les bungalows; une femme de chambre faisait le ménage, dans l'un d'entre eux, elle entra.

—*Tome su tiempo,* prenez votre temps, dit-elle comme s'il s'agissait de sa chambre.

—*Me casi acaban*, répondit la domestique en déposant le linge sale sur son chariot avant de refermer la porte.

Rita s'empara aussitôt du téléphone et demanda une ligne.

—Flidais, annonça-t-elle à la voix qui répondit.

—Un instant.

—La ligne est sûre, fit une autre voix. Allez-y.

—Flidais?

—Oui, Epona, c'est moi.

—Pourquoi appelles-tu d'un hôtel?

—Nous avons eu un problème.

—Oui?

—Un navire de la NUMA enquêtant sur la boue brune ne s'est pas laissé duper par l'hologramme et a détruit notre yacht.

—Compris, fit la femme répondant au nom d'Epona sans manifester la moindre émotion. Où es-tu?

—Après le naufrage, ceux de la NUMA m'ont gardée prisonnière. Je me suis échappée et je me trouve maintenant dans une chambre au Chalet de Rio Colorado. Encore quelques minutes et la police locale aura remonté la piste jusqu'à moi.

—Et l'équipage?

—Ceux qui n'ont pas été tués se sont échappés par l'hélicoptère en m'abandonnant.

—Ils seront châtiés. (Un silence.) Les gens de la NUMA t'ont interrogée?

— Ils ont essayé, mais je leur ai raconté une histoire bidon ; j'ai prétendu m'appeler Rita Anderson.

— Reste auprès du téléphone et attends.

Flidais, alias Rita, décrocha de la penderie une robe d'été dans un tissu à fleurs un peu trop grande pour elle mais qui, se dit-elle, irait quand même. Elle l'enfila par-dessus son bikini et dissimula ses cheveux roux sous un foulard. Elle chaussa ensuite des sandales, exactement à sa pointure, et s'empara d'une paire de lunettes de soleil qui traînait sur la table de nuit. Les tiroirs de la coiffeuse ne résistèrent pas longtemps à sa fouille et lui livrèrent le portefeuille de l'occupante de la chambre ; elle sourit en constatant une nouvelle fois combien les femmes manquaient d'imagination pour cacher leur argent ; elle découvrit huit cents dollars américains et quelques colons costariciens. Le taux de change – 369 000 colons pour un dollar – expliquait pourquoi la plupart des transactions dans ce pays se faisaient en devises étrangères.

Le permis de conduire et le passeport appartenaient à une certaine Barbara Hacken qui, selon la photo, aurait pu, à part la couleur des cheveux, passer pour une sœur aînée de Rita. Flidais entrebâillait la porte pour ne pas se laisser surprendre par l'occupante de la chambre, quand Epona la rappela.

— Tout est arrangé. Je t'envoie mon avion privé. As-tu un moyen de transport pour aller à l'aéroport ?

— L'hôtel doit bien avoir une navette.

— Tu devras montrer tes papiers au service de sécurité de l'aéroport.

— De ce côté-là tout va bien, répondit Flidais en passant à son épaule la bandoulière du sac à main. Je te verrai avec nos sœurs au rituel dans trois jours.

Là-dessus elle raccrocha et se dirigea vers le hall de l'hôtel ; elle croisa deux policiers en uniforme qui patrouillaient le secteur ; ils cherchaient une femme en bikini et ne jetèrent qu'un coup d'œil distrait à cette cliente. En revanche, elle aperçut Barbara Hacken qui prenait un bain de soleil au bord de la piscine. Le directeur se trouvait à la réception et c'est à lui que Flidais demanda une voiture.

—Votre mari et vous ne partez pas, j'espère, s'exclama-t-il en souriant.

—Non, répondit-elle en se grattant le nez pour dissimuler son visage. Il est encore en mer. J'en profite pour aller à l'aéroport : des amis s'y arrêtent pour faire le plein avant de continuer jusqu'à Panamá City.

—A ce soir donc au dîner ?

—Bien sûr, répondit-elle en s'éloignant.

Une fois arrivé devant la grille qui commandait l'accès à la piste, le chauffeur arrêta la voiture. Un garde sortit d'un petit bureau.

—Vous quittez Rio Colorado ? demanda celui-ci à Flidais par la vitre ouverte.

—Oui, je vais à Managua.

—Votre passeport, je vous prie ?

Elle lui tendit celui de Barbara Hacken et se rencogna contre la banquette en regardant par l'autre fenêtre.

Le garde compara longuement la photo du passeport avec le visage de Flidais. Le foulard qui recouvrait ses cheveux laissait bien apparaître quelques mèches rousses, mais il ne s'en soucia pas : les femmes ne changent-elles pas fréquemment de couleur ? Le visage semblait identique mais il ne distinguait pas les yeux derrière les lunettes de soleil.

—Veuillez ouvrir vos bagages.

—Je n'en ai pas. Je vais à Managua acheter un cadeau à mon mari dont c'est l'anniversaire demain. Je compte rentrer dans la matinée.

Satisfait, le garde lui rendit le passeport et fit signe au chauffeur de passer.

Cinq minutes plus tard, tout le monde put admirer la

façon dont le Beriev Be-210 couleur lavande, qui paraissait trop gros pour se poser sur le modeste terrain, effleura la cime des arbres avant d'atterrir sans encombre en bout de piste. Puis il fit demi-tour et roula jusqu'à la voiture dans laquelle attendait Flidais ; quelques instants plus tard, elle volait vers Panamá City.

27

Deux hommes se prélassaient dans ce que les villageois appellent ici un *panga*; vêtus d'un large short blanc et d'un T-shirt, protégés par une casquette de base-ball blanche, ils ressemblaient à n'importe quel pêcheur du Rio San Juan et attendaient que les lignes accrochées à l'arrière de l'embarcation leur procurent leur dîner.

Même un pêcheur chevronné et curieux ne pouvait se douter qu'il n'y avait pas d'hameçon au bout de leurs gaules.

Le *panga* à fond plat, long de six mètres, était propulsé par un moteur hors-bord de 30 chevaux guidé par des câbles reliés à une console centrale surmontée d'un volant d'automobile; il fendait les eaux paisibles de la rivière sous une petite averse à peine perceptible sous la dense forêt tropicale: le long de la berge chaque plante semblait lutter avec sa voisine pour recevoir quelques rayons du soleil qui brillait par intermittence à travers la couche de nuages.

Sitôt que le jet de la NUMA emportant Rudi Gunn, Patrick Dodge et le corps de Renée Ford eut décollé pour Washington, Pitt et Giordino sans plus attendre achetèrent le *panga*, baptisé le *Greek Angel*, du carburant et des provisions. L'équipe de réparation envoyée à Barra Colorado avait échoué le *Poco Bonito* et travaillait avec acharnement pour remettre le bateau en état.

Jack McGee organisa en leur honneur une soirée d'adieux ; il avait tenu à fournir bière et vin en quantité suffisante pour ouvrir un saloon. L'inspecteur Ortega, qui était présent, les remercia de l'avoir aidé dans son enquête et leur renouvela ses condoléances pour le meurtre de Renée ; la disparition de la pseudo Rita Anderson l'irritait au plus haut point. Avertis du vol du passeport de Barbara Hacken, les hommes d'Ortega avaient interrogé le propriétaire du chalet et le garde à la grille de l'aéroport ; ils étaient désormais convaincus que Rita avait quitté le Costa Rica pour les Etats-Unis. Pitt leur précisa que la couleur lavande de l'avion rangeait sans conteste Rita dans le camp d'Odyssée. Ortega avait lancé contre elle un mandat international et s'efforçait d'obtenir la coopération des autorités américaines.

Pitt, confortablement installé sur une chaise devant le volant, gouvernait le bateau d'un pied tandis que Giordino, étendu dans un fauteuil de toile emprunté à McGee, laissait dépasser ses pieds, non sans guetter les crocodiles – plus de cinq mètres de long ! – qui prenaient le soleil sur la berge.

Les trente premiers kilomètres les amenèrent du Rio Colorado jusqu'aux eaux boueuses du Rio San Juan qui faisait office de frontière entre le Nicaragua et le Costa Rica. A quatre-vingts kilomètres en amont se trouvait San Carlos sur le lac Cocibolca ou lac Nicaragua.

— Je n'ai repéré aucune trace de chantier, déclara Giordino qui examinait la rive aux jumelles.

— Mais si, le démentit Pitt.

Giordino se retourna sur son transat, remit ses lunettes de soleil et posa sur Pitt un regard sceptique.

— Répète-moi ça.

— Tu te souviens de ton amie Micky Levy ?

— Ce nom me dit quelque chose en effet, murmura Giordino.

—Au dîner, elle a parlé d'un projet de « pont souterrain », un tunnel ferroviaire à travers le Nicaragua conçu pour relier les deux océans.

—Elle a dit aussi que le Spectre avait laissé tomber.

—C'était du bluff.

—Du bluff, répéta Giordino.

—Après que les ingénieurs et les géologues comme ta copine Micky eurent terminé leur inspection, ils durent signer avec les responsables d'Odyssée des accords de confidentialité et promettre de ne jamais rien révéler du projet en question. Le Spectre a même menacé de bloquer leurs honoraires tant qu'ils n'auraient pas accepté. Puis, après avoir étudié les rapports, Odyssée a décrété le projet irréalisable à cause des frais extravagants qu'il impliquait.

—Comment sais-tu tout cela ?

—Juste avant de quitter Washington j'ai appelé Micky au sujet des plans du site qu'elle m'avait faxés.

—Continue.

—Je lui ai posé quelques questions supplémentaires à propos du Spectre et du passage souterrain. Elle ne t'en a pas parlé ?

—Non, elle aura oublié.

—Quoi qu'il en soit, le Spectre n'a jamais eu l'intention de laisser tomber le projet et ses ingénieurs creusent comme des malades depuis plus de deux ans. A preuve les porte-conteneurs qui déchargeaient ce qui était probablement de l'équipement minier.

—Ce n'est pas moi qui ai dit : « Ce serait un joli coup s'ils pouvaient planquer des millions de tonnes de roches et de saletés provenant des excavations ? »

—Tu avais bien raison.

La lumière se fit soudain dans l'esprit de Giordino.

—La boue brune ?

—Tout juste. Les photos satellite n'ont jamais montré de chantier parce qu'il n'y en avait aucun à voir. La seule façon de dissimuler des millions de tonnes de roche et de terre était de bâtir un énorme tunnel, de mélanger tout ça avec de l'eau et de le pomper pour le rejeter à deux ou trois milles au large.

Giordino s'essuya le visage avec une serviette, ouvrit une boîte de bière costaricienne et la fit rouler sur son front.

— Très bien, petit malin, mais pourquoi tant de secrets ? Pourquoi le Spectre se donnerait-il tant de mal pour dissimuler son projet ? A quoi bon forer ce tunnel pour transporter des marchandises d'un océan à l'autre à l'insu de tous ?

Pitt décapsula la canette que venait de lui lancer Giordino et lâcha :

— Si je le savais, nous ne nous ferions pas suer à remonter cette rivière.

— Que sommes-nous censés trouver ?

— D'abord, une entrée. Impossible de rendre invisibles les hommes et le matériel qui entrent dans le tunnel et qui en ressortent.

— Et, selon toi, nous devrions découvrir tout ça en traversant la jungle en bateau comme dans *African Queen* ?

— Pas vraiment, s'esclaffa Pitt, mais d'après le plan de Micky, les travaux d'excavation se situeraient sous la ville d'El Castillo, à mi-chemin.

— Qu'y a-t-il de si remarquable à El Castillo ?

— Des tunnels d'une grande longueur exigent des puits de ventilation et des gaines pour l'évacuation des gaz d'échappement des excavatrices et de la fumée en cas d'incendie.

Giordino lorgnait avec une certaine inquiétude un gros crocodile qui se mettait à l'eau. Puis il tourna les yeux vers la jungle impénétrable qui bordait la rive nord.

— J'espère que tu n'as pas l'intention de crapahuter

là-dedans. Mamma Giordino pourrait dire adieu à son fils.

— El Castillo, une localité isolée sans autre accès que la rivière n'offre qu'une curiosité, une vieille forteresse espagnole.

— On aurait donc creusé là un de tes fameux puits, au vu et au su des habitants, railla Giordino. Je parierais plutôt pour la jungle où la végétation est si dense qu'elle empêche tout repérage d'en haut – avion ou satellite.

— C'est certainement le cas, mais je pense qu'ils sont obligés de prévoir une issue à proximité de la civilisation dans le cas où une évacuation d'urgence serait nécessaire.

Puis les deux hommes se turent, fascinés par la beauté de la végétation et par la diversité de la faune. Du bateau, ils apercevaient des atèles au visage blanc jacassant parmi les jaguars qui rôdaient sous les arbres. Des fourmiliers gros comme des truies primées à un concours agricole se glissaient dans les buissons à bonne distance des caïmans et des crocodiles. Des toucans au bec coloré et des perroquets au plumage multicolore évoluaient parmi des nuées de papillons. Mark Twain n'avait pas trahi la vérité en décrivant la jungle du Rio San Juan comme un paradis terrestre.

Pitt maintenait le *Greek Angel* à la vitesse de cinq nœuds ; dans un endroit pareil, on ne naviguait pas à vive allure car le sillage risquait de changer le rivage : les superbes douze cents hectares de forêt tropicale vierge constituaient la réserve biologique de l'Indio Maiz où vivaient trois cents espèces de reptiles, deux cents de mammifères et plus de six cents espèces d'oiseaux.

Il était quatre heures de l'après-midi quand ils quittèrent le Rio San Juan pour s'engager dans le Rio Bartola ; peu après ils s'amarraient devant le refuge de

Bartola. Niché au cœur de la forêt tropicale, l'ensemble proposait onze chambres avec bains et moustiquaires. Pitt et Giordino avaient retenu chacun la leur.

Après avoir fait un peu de toilette, ils se retrouvèrent au bar. Pitt se fit servir une tequila d'une marque qu'il ne connaissait pas et Giordino opta pour un gin. Un gros homme en costume blanc assis à une table auprès du bar – un résident respectable certainement – attira l'attention de Pitt qui flaira en lui une mine d'informations.

Pitt s'approcha.

— Pardonnez-moi, monsieur, mais je me demandais si vous aimeriez vous joindre à nous.

L'homme releva la tête, ce qui permit à Pitt de constater qu'il frôlait les quatre-vingts ans. Il avait le visage congestionné et transpirait abondamment, pourtant son costume blanc restait impeccable. D'un large mouchoir il essuya sa calvitie en hochant la tête.

— Bien sûr, bien sûr. Je m'appelle Percy Rathbone. Mais auriez-vous la gentillesse de me rejoindre, ajouta-t-il en désignant le grand fauteuil d'osier qui contenait tant bien que mal sa corpulence.

— Je m'appelle Dirk Pitt et voici mon ami Al Giordino.

— Enchanté de vous connaître, fit-il en les gratifiant d'une poignée de main énergique mais moite. Asseyez-vous, asseyez-vous.

Amusant, se dit Pitt, cette habitude qu'a Rathbone de répéter ses mots.

— Vous paraissez connaître la jungle et l'aimer.

— Ça se voit, ça se voit, n'est-ce pas, approuva Rathbone avec un petit rire. J'ai vécu presque toute ma vie au bord du fleuve au Nicaragua et au Costa Rica. Ma famille est arrivée ici durant la Seconde Guerre mondiale. Mon père, un agent des Anglais, surveillait les Allemands qui cherchaient des lagons discrets où aménager des chantiers de réparation et de ravitaillement pour leurs U-boats.

—Si je peux me permettre, comment réussit-on à gagner sa vie au bord d'une rivière au milieu de nulle part ?

—Figurez-vous, figurez-vous, fit Rathbone en lançant à Pitt un regard malicieux, que je compte sur le tourisme.

Pitt, quelque peu sceptique, décida quand même de jouer le jeu.

—Alors, vous avez monté une entreprise locale ?

—Tout à fait, tout à fait. Je tire des revenus confortables des passionnés de pêche et des amoureux de la nature qui passent au refuge. Je possède une petite chaîne d'hôtels entre Managua et San Juan del Norte. Consultez donc mon site Internet après votre retour.

—Mais cet établissement appartient à la réserve.

—Exact, exact, fit Rathbone qui sembla se crisper légèrement. Je suis en vacances. J'aime bien m'éloigner un peu de mes affaires et venir ici me détendre. Et vous, mes amis ? Vous êtes venus pour pêcher ?

—Pour ça, et pour observer les animaux sauvages. Nous nous sommes embarqués à Barra Colorado et nous avons l'intention de pousser jusqu'à Managua.

—Une superbe croisière, superbe croisière. Vous ne verrez rien de pareil dans cette partie du monde.

On leur apporta une tournée et Giordino signa la note.

—Comment s'explique le fait que cette rivière qui court presque du Pacifique jusqu'à l'Atlantique soit si peu connue ?

—Mais elle *était* très connue jusqu'à la construction du canal de Panamá, après quoi le Rio San Juan a sombré dans les poubelles de l'histoire. Un conquistador espagnol, Fernandez de Cordoba, a remonté le San Juan en 1524 ; il est allé jusqu'au lac Nicaragua où il a fondé la ville de Granada. Les successeurs de Cordoba, pour empêcher Français et Anglais de s'installer en Amérique centrale, ont bâti des forts hérissés de canons, dont El Castillo, à quelques milles en amont.

— Les Espagnols ont-ils réussi à les éloigner ? s'informa Pitt.

— Mais oui, mais oui. Pas tout à fait cependant. Henry Morgan et sir Francis Drake ont bien remonté la rivière, mais pas au-delà d'El Castillo ; ils n'ont donc pas atteint le lac. Une centaine d'années plus tard, Horatio Nelson, alors simple capitaine, a remonté le San Juan à la tête d'une petite flottille pour s'attaquer à El Castillo, mais en vain. Ce fut l'unique échec de sa carrière ; il n'a jamais pu se défaire de ce souvenir.

— Pourquoi donc ? demanda Giordino.

— Parce qu'il y a perdu un œil.

— Jusqu'à quand les Espagnols ont-ils contrôlé la rivière ? demanda Pitt après avoir bu une gorgée de tequila.

— Jusqu'au début des années 1850, au moment de la ruée vers l'or en Californie. Le commodore Vanderbilt, le grand armateur et magnat des chemins de fer, a vu là une occasion à saisir. Il a passé un accord avec les Espagnols : ses bateaux assureraient un service pour les prospecteurs qui, partant de New York et de Boston, avaient emprunté les bateaux de sa compagnie pour le long voyage jusqu'en Californie. Les passagers descendaient à San Juan del Norte pour embarquer sur des vapeurs qui remontaient le San Juan jusqu'à La Virgen de l'autre côté du lac. De là jusqu'au Pacifique, il ne restait plus qu'une vingtaine de kilomètres à couvrir en chariot pour rallier le petit port de San Juan del Sur – deux ou trois appontements en fait – d'où ils rembarquaient sur des navires Vanderbilt à destination de San Francisco. Ainsi ne pas contourner le cap Horn leur évitait des centaines de milles ; même le fait de ne pas aller jusqu'à l'isthme de Panamá au sud raccourcissait leur trajet.

— Quand le trafic fluvial s'est-il interrompu ? demanda Pitt.

— La Compagnie annexe de transit, ainsi baptisée par Vanderbilt, périclita avec la construction du canal de Panamá. Le Commodore avait bâti une magnifique demeure à San Juan del Norte : elle existe toujours mais elle est abandonnée et son jardin envahi par les mauvaises herbes. Pendant quatre-vingts ans, la rivière a stagné dans l'oubli jusqu'aux années 1990, époque où les touristes l'ont redécouverte.

— Ce trajet pour un canal était bien plus logique que celui du canal de Panamá.

— Et de loin, et de loin, acquiesça Rathbone. Mais les manipulations politiques complexes de votre président Teddy Roosevelt ont fait choisir un emplacement à des centaines de kilomètres plus au sud, ajouta-t-il en secouant la tête d'un air navré.

— Ce serait encore possible de creuser un canal ici, remarqua Giordino d'un ton songeur.

— Trop tard. Il y a eu de tels investissements dans le canal de Panamá, et de toute façon les écologistes combattraient ce projet bec et ongles. Même si le gouvernement nicaraguayen donnait sa bénédiction, personne n'avancerait l'argent.

— J'ai entendu des rumeurs au sujet de la construction d'un tunnel ferroviaire qui relierait les deux océans en passant par le Nicaragua.

— En effet, admit Rathbone en regardant le fleuve, mais cela n'a jamais rien donné. Des inspecteurs ont sillonné la jungle avec des camions. On entendait partout des hélicoptères. Des géologues et des ingénieurs ont envahi mes chalets et éclusé mon whisky ; cela a duré plus d'une année, puis ils ont remballé leur matériel et sont rentrés chez eux. On en est resté là.

Giordino termina son scotch et en commanda un autre.

— Aucun n'est jamais revenu ?

— Pas que je sache, fit Rathbone en secouant la tête.

— Ont-ils expliqué pourquoi ils ne donnaient pas suite ? interrogea Pitt.

— Personne ne semblait en savoir plus que moi, dit Rathbone en secouant de nouveau la tête. Leurs contrats arrivaient à expiration, ils avaient touché leur salaire. Tout cela avait l'air très mystérieux. J'ai fait boire un des ingénieurs la veille de son départ, mais tout ce que j'ai tiré de lui c'est que ses collègues et lui avaient juré le secret.

— L'entreprise qui conduisait les travaux ne s'appelait-elle pas Odyssée ?

— Oui, c'était ça, c'était ça, confirma Rathbone un peu crispé, Odyssée. Leur patron est même venu et s'est installé dans mon chalet d'El Castillo. Un mastodonte de plus de trois cents kilos. Le Spectre. Très bizarre. Je n'ai jamais réussi à bien voir son visage ; une cour, surtout des femmes, le suivait partout.

— Des femmes ? releva Giordino intéressé.

— Très séduisantes, mais le genre cadre supérieur. Très distantes, très bosseuses. Pas bavardes, pas enclines du tout à frayer avec les gens du pays.

— Comment sont-elles arrivées ? s'enquit Pitt.

— Par un avion amphibie qui s'est posé sur le fleuve, un gros appareil de la couleur d'une orchidée.

— Lavande ?

— On pourrait dire ça.

Giordino fit tourner les glaçons dans son verre.

— Personne n'a jamais fait allusion aux raisons pour lesquelles le projet est tombé à l'eau ?

— Oh, il y a eu des rumeurs, des potins invoquant une cinquantaine de raisons, mais aucune ne tenait la route. Même les amis que j'ai au gouvernement à

Managua n'y comprenaient rien ; ils affirmaient être très surpris. Ils avaient pourtant offert à Odyssée de nombreux avantages car le chantier aurait beaucoup stimulé l'économie du Nicaragua. A mon avis, le Spectre a trouvé des projets plus rentables pour sa société et il sera tout simplement passé à autre chose.

Soudain, la terre parut frémir ; les glaçons tintèrent dans les verres, la cime des arbres ondula, des oiseaux piaillèrent et des animaux invisibles gémirent.

— Un séisme, analysa Giordino avec indifférence.

— Une légère secousse plutôt, rectifia Pitt en buvant une gorgée.

— Vous ne paraissez guère inquiets, s'étonna Rathbone.

— Nous avons grandi en Californie, expliqua Giordino.

Pitt échangea un coup d'œil avec son ami avant de dire :

— Je me demande si nous ressentirons d'autres secousses sur la rivière.

— J'en doute, assura Rathbone, légèrement embarrassé. Elles surgissent aussi soudainement que des coups de tonnerre, mais très rarement et sans dégât jusqu'à maintenant. Très superstitieux, les indigènes sont persuadés que les dieux de leurs ancêtres sont revenus et qu'ils habitent dans la jungle. (Sur ce, Rathbone s'extirpa difficilement de son fauteuil et commença à prendre congé.) Messieurs, je vous remercie de votre invitation. J'ai été tout à fait, tout à fait ravi de bavarder avec vous. Mais l'âge commande, j'ai besoin de me coucher de bonne heure. Vous reverrai-je demain ?

Pitt se leva à son tour et lui serra la main.

— Peut-être. Nous ferons probablement une petite marche dans la matinée et reprendrons notre voyage en fin d'après-midi.

— Avant de poursuivre jusqu'au lac Nicaragua, précisa Giordino, nous aimerions passer une journée à El Castillo pour visiter les ruines de la forteresse.

— Elle n'est malheureusement visible que de loin, annonça Rathbone. La police en a interdit l'accès à tous, aux gens du pays comme aux touristes, sous prétexte que de continuelles allées et venues détérioraient le site. Foutaise à mon avis, la pluie cause bien plus de ravages que le passage de quelques touristes.

— La police nicaraguayenne garde les remparts ?

— Ils sont plus surveillés qu'une centrale nucléaire : caméras, chiens de garde et une clôture de trois mètres hérissée de barbelés. Un habitant d'El Castillo, un nommé Jésus Diego, poussé par la curiosité, a essayé d'entrer dans le périmètre. Pauvre diable ! On l'a retrouvé pendu à un arbre.

— Mort ?

— Tout à fait mort. Si j'étais vous, je ne m'approcherais pas.

— Nous suivrons votre conseil, affirma Pitt.

— Eh bien, messieurs, ça a été un plaisir. Bonsoir.

Ils regardèrent le vieil homme s'éloigner d'un pas traînant.

— Qu'est-ce que tu en penses ? demanda Giordino.

— Il ne faut pas se fier aux apparences, il n'a fait aucune allusion au bassin de porte-conteneurs.

— Tu as remarqué ses mains soignées ?

— Sa peau est trop douce et trop blanche pour un septuagénaire.

Giordino fit signe à un serveur.

— Et sa voix ? Elle m'a fait penser à un enregistrement.

— J'ai bien l'impression que M. Rathbone nous a menés en bateau.

— A quel jeu joue-t-il ? J'aimerais bien le savoir.

Le garçon leur apporta une nouvelle tournée et leur

demanda s'ils étaient prêts à dîner. Tous deux acquies-
cèrent et le suivirent dans la salle à manger.

—Comment vous appelez-vous ? demanda Pitt au
serveur.

—Marcus.

—Marcus, y a-t-il souvent des tremblements de terre
ici, dans la jungle ?

—Oh, *sí, señor*, mais seulement depuis trois ou
quatre ans, quand ils ont remonté la rivière.

—Les tremblements se déplacent ? s'étonna Giordino.

—*Sí*, très lentement.

—Dans quelle direction ?

—Ça a commencé à l'embouchure, à San Juan del
Norte. Maintenant, il y a des secousses dans la jungle
au-dessus d'El Castillo.

—Il ne s'agit donc absolument pas d'un phénomène
naturel.

—Ah, soupira Giordino, Sheena, reine de la jungle,
pourquoi n'es-tu pas là quand on a besoin de toi ?

—Les dieux ne permettront jamais que l'homme
découvre leur secret, pas dans la jungle, chuchota
Marcus en promenant autour de lui un regard inquiet.
Quiconque pénètre n'en ressort pas vivant.

—Depuis quand ces disparitions ? s'enquit Pitt.

—Il y a environ un an, une expédition organisée par
une université est partie étudier les animaux sauvages :
elle a disparu sans laisser la moindre trace. La jungle
garde bien ses secrets.

Pour la seconde fois ce soir-là, Pitt échangea avec
Giordino un sourire un peu crispé.

—Oh, murmura Pitt, les secrets finissent bien par
être élucidés.

28

La forteresse était posée sur le sommet d'une colline – un monticule, plutôt –, isolée et boisée. El Castillo de la Immaculada Concepción, flanqué de bastions à chacun des quatre coins, avait été construit sur des plans à la Vauban. Quand on pensait aux pluies torrentielles qu'avait supportées l'ouvrage quatre cents ans durant, on ne pouvait qu'admirer son état de conservation.

—Tu sais sans doute, ironisa Giordino en s'allongeant sur le dos pour contempler le ciel constellé d'étoiles, que pénétrer dans une propriété par effraction n'entre pas dans le cadre de nos activités.

Allongé auprès de lui, Pitt examinait avec des jumelles à vision nocturne la clôture entourant la forteresse.

—Vrai, à tel point que la NUMA ne prévoit même pas de prime de risque.

—Nous ferions mieux d'appeler l'amiral et Rudi Gunn pour leur raconter nos dernières aventures. Une fois entrés dans la clandestinité, plus question de les joindre.

Pitt prit dans son sac le téléphone-satellite et composa un numéro.

—Sandecker se couche tôt en général pour pouvoir se lever de bonne heure. Mais nous devrions pouvoir joindre Rudi puisqu'il n'y a qu'une heure de décalage avec Washington.

Cinq minutes plus tard, Pitt avait terminé la communication.

— Rudi envoie un hélicoptère à San Carlos ; il se tiendra prêt à nous évacuer en cas d'urgence.

— Je ne vois aucun escalier, fit Giordino, son regard revenant à la forteresse, rien que des rampes.

— C'est plus efficace pour déplacer les canons, expliqua Pitt. On savait en ce temps-là construire les forteresses aussi bien que, aujourd'hui, les gratte-ciel.

— Vois-tu quelque chose qui ressemble à un conduit de ventilation pour un tunnel ?

— Il émerge probablement à l'abri du parapet central.

Giordino constatait avec satisfaction l'absence de lune.

— Il ne nous reste plus qu'à franchir la clôture en déjouant les caméras de surveillance, systèmes d'alarme, gardes et chiens… Comment comptes-tu t'y prendre ?

— Chaque chose en son temps. Nous ne pourrons nous occuper des problèmes de sécurité qu'après avoir pénétré dans l'enceinte, répondit Pitt qui étudiait tranquillement le terrain.

— Tu as bien noté les trois bons mètres de hauteur ?

— Et si nous tentions le saut à la perche ?

— Tu plaisantes, s'inquiéta Giordino.

— Je plaisante, admit Pitt en tirant de son sac un rouleau de corde. Peux-tu encore grimper à un arbre ou ton arthrite t'interdit-elle toute activité physique ?

— Mes vieilles articulations sont moitié moins raides que les tiennes.

— Alors, déclara Pitt en donnant une claque sur l'épaule de son vieil ami, voyons ce dont sont encore capables deux vieux chnoques.

Après avoir pris leur petit déjeuner au chalet, conformément à ce qu'ils avaient annoncé à Rathbone, Pitt et

Giordino s'étaient inscrits, en même temps qu'une douzaine de touristes, à une visite guidée de la réserve d'animaux sauvages. Ils traînaient à l'arrière du groupe en discutant, sans guère s'intéresser aux oiseaux multicolores ou à la fuite éperdue d'animaux étranges.

De retour au chalet, Pitt mena une discrète enquête à propos du vieil homme : les employés de l'établissement confirmèrent ses doutes en lui apprenant que Rathbone n'était qu'un simple pensionnaire avec un passeport panaméen. Qu'il fût propriétaire d'une chaîne d'hôtels le long de la rivière, première nouvelle.

A midi, ils chargèrent leur matériel à bord du *Greek Angel* en emportant quelques sandwiches fournis par la cuisine. Le moteur démarra du premier coup et ils sortirent du lagon pour remonter le cours du San Juan. A la forêt vierge succéda un terrain découvert encadré de collines aux arbres espacés, comme plantés par un paysagiste.

El Castillo n'était qu'à six kilomètres en amont et, en naviguant à petite allure, ils franchirent le dernier virage une heure plus tard avant de passer au pied de la forteresse coloniale qui dominait la ville. Les antiques blocs de lave étaient recouverts de mousse, vilaines taches au milieu d'un superbe paysage, alors que la pittoresque petite bourgade aux toits de tuile rouge qui s'étalait plus bas et les *pangas* aux couleurs vives amarrées le long des berges évoquaient une oasis accueillante.

El Castillo n'était relié au reste du monde que par le trafic fluvial ; pas de routes, pas de voitures, pas d'aéroport. Les habitants cultivaient les champs sur les collines des alentours, vivaient de la pêche et travaillaient à la scierie ou à l'usine d'huile de palme à vingt kilomètres en amont.

Pitt et Giordino voulaient absolument qu'on les voie arriver et repartir, aussi amarrèrent-ils la *panga* à un ponton pour se rendre au petit hôtel proposant un bar et un restaurant, une cinquantaine de mètres plus loin. Réservant leurs sandwiches pour leur expédition nocturne, ils commandèrent un repas de poisson tout juste pêché dans la rivière et de la bière locale.

Le propriétaire, Aragon, s'occupait du service de leur table.

— Puis-je vous recommander le gaspar. On n'en prend pas souvent ; préparé avec ma sauce spéciale, c'est un vrai régal.

— Du gaspar, répéta Giordino. Jamais entendu parler.

— Cette espèce existe depuis des millions d'années ; elle a survécu grâce à une véritable carapace d'écailles et à des dents redoutables. Je vous promets que jamais vous n'en savourerez comme ici.

— Toujours partant pour les aventures gastronomiques, s'exclama Pitt. D'accord pour le gaspar.

— J'ai hâte de le goûter, murmura Giordino.

— Dommage, reprit Pitt sur le ton de la conversation, que l'accès de la forteresse soit interdit. On m'a dit que le musée valait la visite.

Aragon se crispa imperceptiblement et jeta un coup d'œil furtif par la fenêtre à El Castillo.

— *Sí señor*, c'est vraiment dommage, mais le gouvernement l'a fermé : trop dangereux pour les touristes.

— Le bâtiment m'a plutôt l'air costaud, constata Giordino.

— Tout ce que je sais, fit Aragon en haussant les épaules, c'est ce que m'ont dit les policiers de Managua.

— Les gardiens habitent en ville ? s'informa Pitt.

— Non, dans une caserne installée à l'intérieur de la forteresse, expliqua Aragon en secouant la tête, et on les voit rarement sauf quand un hélicoptère arrive de Managua pour assurer la relève.

—Personne ne quitte le fort, même pour manger, boire ou s'amuser ?

—Non, *señor*. Ils ne nous fréquentent absolument pas. D'ailleurs ils interdisent à quiconque d'approcher à moins de dix mètres de la clôture.

—C'est bien la première fois, marmonna Giordino en se versant un verre de bière, que j'entends parler d'un gouvernement qui interdit aux touristes la visite d'un musée sous prétexte qu'il risque de s'effondrer.

—Prendrez-vous des chambres pour la nuit ? demanda Aragon.

—Non, merci, déclina Pitt. On m'a parlé de rapides en amont ; nous aimerions les franchir pendant qu'il fera encore jour.

—Vous n'aurez pas de problème si vous suivez le chenal. Les chavirages sont rares. Evidemment, il y a les crocodiles ; mieux vaut éviter de tomber à l'eau.

—Est-ce que vous servez des steaks ? interrogea Pitt.

—*Sí, señor,* vous avez encore faim ?

—Non, ce serait seulement pour les emporter. Après les rapides, mon ami et moi comptons camper sur la berge et nous faire griller vos steaks sur un feu.

—Ne vous installez pas trop près de la berge, leur recommanda Aragon, sinon vous pourriez servir de repas à un crocodile affamé.

—Servir de repas à un croco n'entre pas exactement dans mes projets, le rassura Pitt avec un grand sourire.

Ils partirent de bonne heure dans l'après-midi et franchirent sans encombre les rapides au-dessus d'El Castillo ; quand ils eurent perdu de vue la ville, ils échouèrent le *Greek Angel*, décrochèrent le moteur hors-bord et le dissimulèrent derrière des buissons.

La nuit tombait quand ils découvrirent un sentier menant à la ville. Ils s'installèrent alors pour dévorer tranquillement leurs sandwiches et dormir. A minuit passé, ils étaient prêts. Ils progressèrent prudemment sur le chemin en se guidant avec leurs jumelles à vision nocturne, évitant soigneusement les maisons isolées, puis ils s'enfoncèrent dans les buissons pour repérer l'emplacement des caméras de sécurité qui cernaient la forteresse.

Une petite bruine se mit à tomber et ils furent bientôt trempés. Il est vrai que la pluie sous les tropiques équivaut à une douche chez soi, la température de l'eau dans les deux cas étant tout aussi confortable.

Le moment venu, Pitt suivi de Giordino escalada le tronc d'un jatoba d'une trentaine de mètres de haut et de plus d'un mètre de diamètre ; il se dressait assez près de la clôture pour que ses basses branches en franchissent largement le faîte hérissé de spirales d'acier tranchantes comme des rasoirs. S'aidant d'une corde lancée autour d'une solide branche, à trois mètres de hauteur, Giordino grimpa un peu au-dessus du point d'attache puis rampa sur des rameaux plus petits jusqu'à ce qu'il se retrouve de l'autre côté de la clôture à plus de quatre mètres du sol. Il s'arrêta pour inspecter le terrain à la jumelle, laissant à Pitt le temps de le rejoindre.

— Tu as vu les gardiens et les chiens ? chuchota-t-il.

— Les gardiens sont flemmards, répondit Giordino, ils se sont contentés de lâcher leurs cerbères.

— C'est un miracle qu'ils ne nous aient pas encore flairés.

— Tu as parlé trop vite. Regarde ces trois-là qui rappliquent dans notre direction !

Sans laisser aux molosses le temps d'aboyer, Pitt plongea la main dans son sac à dos, attrapa les steaks du restaurant et les lança sur une rampe donnant accès au bastion le plus proche. Ils retombèrent avec un « plop » bien audible qui n'échappa pas aux chiens.

— Tu es sûr que ça va marcher ? murmura Giordino.

— Au cinéma, ça marche toujours.

— Tu me rassures, grommela Giordino.

Pitt se laissa tomber sur le sol et resta immobile. Giordino le suivit, jetant un regard méfiant aux chiens qui dévoraient la viande crue avec délices sans se soucier le moins du monde des deux intrus.

— Le Ciel m'est témoin, je ne mettrai plus jamais ta parole en doute, psalmodia Giordino.

— Je ne l'oublierai pas.

Pitt s'engagea sur une des rampes de pierre en observant à la jumelle le moment où la caméra de surveillance la plus proche balaierait le secteur.

Il fit signe à Giordino qui se précipita dans l'angle mort pour asperger l'objectif de peinture noire. Puis, poursuivant leur chemin, ils passèrent devant le musée plongé dans l'obscurité, à l'affût du moindre bruit suspect. Derrière les remparts qui protégeaient la cour intérieure, on entendait des voix étouffées provenant du casernement des gardiens. Ils entrèrent dans ce qui était jadis un magasin. Les murs de pierre étaient encore solides mais le toit et les poutres avaient depuis long-temps disparu.

Pitt désigna une tourelle de forme pyramidale qui dominait l'ensemble de la forteresse : elle avait été sectionnée à mi-hauteur.

— Un puits d'aération qui part des galeries pour aboutir là ? proposa-t-il à voix basse.

— C'est le seul emplacement logique, acquiesça Giordino. (Puis il dressa l'oreille.) Qu'est-ce que c'est que ce raffut ?

Pitt s'arrêta pour écouter, puis il hocha la tête dans le noir.

— Des appareils de ventilation, probablement.

Toujours dans l'ombre, ils escaladèrent l'étroite cor-niche qui saillait sur les murs de la tourelle et aboutissait à une porte. Un courant d'air frais filtrant par l'étroite ouverture les frappa avec la violence d'une soufflerie. Ils se trouvaient au pied d'une grande cage grillagée. Le bourdonnement de pales de ventilateur fouettant l'air sous le grillage s'amplifia en un vacarme assourdissant.

— Quel tintamarre ! cria Giordino.

— Parce que nous sommes juste au-dessus, mais ce serait bien pis s'il n'y avait pas de silencieux. En fait, à l'extérieur de la tourelle, le bruit est bien assourdi.

— Je n'ai pas souhaité un ouragan, maugréa Giordino en inspectant l'épaisseur de la paroi grillagée.

— Les ventilateurs sont conçus pour produire un volume d'air calculé par ordinateur à une pression voulue.

— Ne me dis pas que tu as fait un stage de construction de tunnels !

— A la fin de l'école d'aviation, lui rappela Pitt, j'ai pris des vacances… dans une mine d'argent à Leadville dans le Colorado !

— Je me souviens, fit Giordino en souriant. Ce même été, je l'ai passé comme sauveteur à Malibu.

Une lumière filtrait par l'ouverture ; il en fit le tour jusqu'à ce qu'il trouve une serrure que fixait un boulon.

— C'est fermé de l'intérieur, observa-t-il. Il va falloir couper la grille.

Pitt tira de son sac une petite paire de pinces coupantes.

— J'ai pensé qu'elles pourraient nous être utiles si nous tombions sur les barbelés.

— Ça devrait faire l'affaire. Maintenant, si tu veux bien reculer pendant que le maître pratique une ouverture.

L'opération semblait facile, mais ce n'était qu'un leurre. Giordino était en nage quand, vingt-cinq minutes plus tard, il eut enfin découpé un orifice suffisant pour leur livrer passage. Il rendit les pinces à Pitt, souleva le grillage et inspecta l'intérieur du puits ; carré, cinq mètres de côté et dans un angle un conduit métallique circulaire qui semblait se perdre dans un gouffre sans fond : il abritait l'échelle par laquelle on accédait à la galerie.

—C'est pour l'entretien, au cas où le système de ventilation aurait besoin d'une réparation, annonça Pitt. Une issue de secours aussi pour les ouvriers travaillant dans la mine en cas d'incendie ou d'effondrement dans le tunnel principal.

Giordino posa les pieds sur les premiers barreaux de l'échelle, puis s'arrêta pour lancer à Pitt :

—J'espère que je ne vais pas le regretter !

Pitt constata avec satisfaction que le puits était éclairé. Après une quinzaine de mètres, il s'arrêta pour regarder en bas : il ne distingua pas le fond, seulement les montants qui s'allongeaient à l'infini comme les rails d'une voie ferrée.

Il tira de sa poche un mouchoir en papier, le déchira en deux morceaux qu'il fourra dans ses oreilles pour atténuer un peu le vacarme car, outre le système de ventilation principal, on avait installé tous les trente mètres des ventilateurs de relais afin de maintenir la pression nécessaire pour assurer l'aération du tunnel.

Après ce qui leur parut une éternité, et une descente que Giordino estima de l'ordre de cent cinquante mètres, il stoppa car les derniers barreaux étaient en vue. Avec des précautions infinies, il se retourna et observa ce qui lui parut être le toit d'un petit centre de contrôle destiné à détecter la présence de gaz carbonique, à surveiller la température et à régler la ventilation.

Ils étaient maintenant bien en dessous des ventilateurs et pouvaient converser à voix basse. Giordino descendit un peu plus bas puis se tourna vers Pitt.

—Comment ça se présente ? lui demanda celui-ci.

—L'échelle passe par un centre de contrôle situé à environ cinq mètres au-dessus du sol de la galerie ; il y a un homme et une femme installés devant des consoles d'ordinateur. Heureusement, ils tournent le dos à l'échelle. Nous devrions pouvoir les maîtriser avant qu'ils comprennent ce qui leur arrive.

—Comment veux-tu t'y prendre ?

—Je m'occupe du type, je te laisse la nana, gouailla Giordino. Tu es beaucoup plus doué avec les femmes que moi !

Sans perdre plus de temps, ils s'introduisirent dans le poste de contrôle sans s'être fait remarquer. Les deux agents – lui en salopette noire, elle en blanc – surveillaient leurs consoles et n'aperçurent que trop tard le reflet de leurs agresseurs sur leurs écrans. Giordino déboucha de côté et assomma l'homme d'un direct du droit à la mâchoire, Pitt frappa la femme à la nuque ; ils s'écroulèrent en poussant juste un faible gémissement.

Se glissant sous les fenêtres, Pitt tira de son sac un rouleau de chatterton et le lança à Giordino.

—Attache-les pendant que je leur ôte leur combinaison.

En moins de trois minutes, le couple, inconscient et en sous-vêtements, était bâillonné, ligoté et poussé sous les comptoirs, hors de la vue de ceux qui passaient en dessous. Pitt enfila la salopette noire qui flottait un peu ; Giordino, quant à lui, faisait craquer les coutures de la combinaison blanche dont il avait dépouillé la femme. Ils trouvèrent sur une étagère des casques dont ils se coiffèrent. Pitt passa nonchalamment la bandoulière de son sac sur une épaule tandis que Giordino concrétisait son air très officiel par un bloc-notes et un crayon. Puis, l'un après l'autre, ils descendirent l'échelle jusqu'au sol du tunnel.

Pitt et Giordino, littéralement pétrifiés, contemplèrent l'immense décor qui s'offrait à leurs yeux, et qu'illuminaient une kyrielle de projecteurs.

Il ne s'agissait pas du tout d'un tunnel ferroviaire ordinaire, mais alors pas du tout.

29

Le tunnel, beaucoup plus vaste qu'ils ne l'avaient imaginé, avait la forme d'un fer à cheval ; il évoqua aux yeux de Pitt un décor à la Jules Verne. L'excavation, estima-t-il, mesurait environ quinze mètres de diamètre, soit beaucoup plus que tout ce qu'on avait jamais creusé – environ huit mètres pour le tunnel sous la Manche et neuf pour celui de Seikan reliant Honshu à Hokkaido.

Un bourdonnement constant avait maintenant remplacé le vrombissement des ventilateurs. Au-dessus d'eux, soutenu par des poutres d'acier, un énorme tapis roulant s'enfonçait vers l'extrémité Est. On y concassait des blocs de rochers jusqu'à en faire presque du sable.

— La voilà, l'origine de la boue brune, s'exclama Pitt. Ils broient la roche jusqu'à obtenir la consistance d'un limon qu'on peut rejeter par des canalisations dans la mer des Caraïbes.

Une voie ferrée doublée d'une route goudronnée courait sous le tapis roulant. Pitt s'agenouilla.

— Ça fonctionne à l'électricité, comme le métro de New York.

— Attention au troisième rail, prévint Giordino. Dieu sait quel voltage passe là-dedans.

— Il y a certainement des sous-stations tous les quelques kilomètres pour fournir le courant. Donc pas question, fit Pitt en se redressant et en regardant au loin, de faire passer là-dessus des convois de conteneurs à trois cents kilomètres à l'heure. Les rails ne sont pas d'une qualité extraordinaire et les traverses sont trop éloignées. Par-dessus le marché, c'est un écartement de voie étroite.

— Utilisée pour le transport d'un tunnelier.

— Où as-tu trouvé ça ? s'étonna Pitt.

— J'ai lu ça quelque part dans un livre.

— Bravo. Ce tunnel a bien été creusé par un tunnelier, de grande taille.

— Ils remplaceront peut-être la voie plus tard, suggéra Giordino.

— Pourquoi attendre d'avoir creusé la totalité du tunnel ? Les poseurs de rails et d'équipement devraient suivre dans le sillage du tunnelier pour gagner du temps. (Pitt secoua la tête d'un air pensif.) On n'a pas construit un tunnel de cette dimension pour faire passer des trains. Il a une autre raison d'être.

Un gros bus à deux étages, de couleur lavande, passa sans bruit ; le chauffeur les salua de la main. Faisant semblant de discuter, ils observèrent les ouvriers qu'il transportait : ils se distinguaient les uns des autres par la couleur de leur survêtement et de leur casque, mais tous portaient des lunettes de soleil. Pitt et Giordino remarquèrent aussi le nom et le logo d'Odyssée peints sur le flanc du bus. Le chauffeur ralentit, pensant qu'ils voulaient monter, mais Pitt lui fit signe de continuer.

— Ça marche à l'électricité, dit Giordino.

— Pour éviter la pollution des gaz d'échappement.

Giordino s'approcha de deux petits chariots électriques carrossés comme des voitures de sport en miniature.

— C'est gentil de leur part de nous fournir un moyen de transport, déclara-t-il en s'installant au volant. Où va-t-on ?

Pitt réfléchit un moment.

—Suivons les débris du tapis roulant, notre seule chance peut-être d'obtenir la confirmation de l'origine de la boue brune.

L'énorme tunnel semblait se prolonger indéfiniment. Sur la route, la circulation se limitait apparemment au déplacement des ouvriers de la mine, et le chemin de fer à voie étroite n'était utilisé que par des wagons chargés de pièces de matériel. Le compteur de leur tableau de bord permit à Pitt de calculer que le tapis roulant filait à vingt kilomètres à l'heure.

Pitt examina la partie supérieure du tunnel : après le passage du tunnelier, les mineurs avaient fixé des étais dans la roche pour soutenir les parois. On avait ensuite pulvérisé sous pression l'épais revêtement à base de ciment qui assurait l'étanchéité de l'ouvrage. L'écoulement d'un liquide dans le tunnel en serait facilité d'autant, se dit Pitt qui commençait à l'envisager comme une hypothèse de plus en plus vraisemblable.

L'éclairage illuminait le tunnel avec un éclat qui faisait presque mal aux yeux ; d'où la nécessité des lunettes de soleil. D'un même geste, Pitt et Giordino chaussèrent les leurs.

Une locomotive électrique traînant un convoi chargé de matériels et se dirigeant vers le chantier d'excavation les croisa ; l'équipage du train salua les deux hommes sur leur chariot électrique qui s'empressèrent de répondre.

—Drôlement aimables dans le coin, observa Giordino.

—As-tu remarqué que les hommes portent des survêtements noirs et que ceux des femmes sont blancs ou verts ?

—Le Spectre a été décorateur d'intérieur dans une autre vie !

— Un système de castes, murmura Pitt.

— Plutôt me faire couper une oreille que m'habiller en lavande. On dirait que je n'ai pas le bon uniforme, ajouta soudain Giordino qui venait de réaliser qu'il portait du blanc.

— Fourre quelque chose dans ton corsage !

Giordino ne répondit rien mais il n'en pensait pas moins.

— Je me demande, fit Pitt, songeur, si ces mineurs se doutent le moins du monde de la toxicité de la boue qu'ils déversent dans la mer.

— Ils comprendront, prédit Giordino, quand ils verront leurs cheveux tomber et leurs organes se délabrer.

Ils continuèrent dans cette étrange atmosphère qui régnait sous la terre et sous la mer. De petits tunnels transversaux qui s'enfonçaient sur leur gauche éveillèrent leur curiosité : apparemment tous les mille mètres, ils assuraient la jonction avec un tunnel parallèle, un couloir de service pour les canalisations électriques, se dit Pitt.

— Voilà qui explique les tremblements de la terre en surface, dit Pitt. Ils n'utilisent pas de tunnelier, mais creusent à la perceuse et à l'explosif.

— On va voir ?

— Plus tard, répondit Pitt. Continuons à suivre les débris sur le tapis roulant.

La puissance du petit chariot épatait Giordino qui le poussa jusqu'à quatre-vingts kilomètres à l'heure ; il doublait sans difficulté les autres véhicules sur la route goudronnée.

— Ralentis, lui conseilla Pitt. N'éveillons pas les soupçons.

— Tu penses qu'ils ont des flics pour régler la circulation ?

— Non, mais Big Brother nous surveille, répliqua

Pitt en désignant discrètement de la tête la caméra fixée au-dessus du système d'éclairage.

Giordino ralentit à regret et resta dans le sillage d'un car qui roulait dans la même direction. Pitt entreprit de chronométrer l'horaire du bus et arriva rapidement à la conclusion que les cars passaient toutes les vingt minutes devant les chantiers et qu'ils s'arrêtaient quand des mineurs demandaient à monter ou à descendre. Les techniciens de l'équipe de remplacement ne tarderaient plus guère à découvrir leurs collègues ligotés sur le sol du poste de contrôle. Jusqu'à maintenant, aucun signal d'alarme n'avait retenti et on ne semblait rechercher personne.

Les coups sourds qu'ils percevaient retentissaient de plus en plus fort jusqu'au moment où ils débouchèrent dans une gigantesque station de pompage. Le tapis roulant déversait les débris de roche réduits à l'état de sable dans une immense poubelle d'où des pompes de la taille d'un immeuble de trois étages les projetaient dans d'énormes conduits. Pitt en avait eu l'intuition, la bouillie polluée était bien propulsée dans la mer à l'endroit où le *Poco Bonito* s'était échoué sur une accumulation de boue. Derrière les stations de pompage se dressaient des portes d'acier géantes.

— L'énigme se corse, marmonna Pitt. Ces pompes monumentales sont capables de pomper dix fois plus ; elles servent à autre chose.

— On les démontera sans doute quand le tunnel sera terminé.

— Je ne pense pas. Elles me paraissent faites pour durer.

— Qu'y a-t-il de l'autre côté de ces portes ? demanda Giordino.

— La mer des Caraïbes, répondit Pitt. A des kilomètres du rivage et loin sous la surface de la mer.

— Comment diable ont-ils creusé cela ?

—Ils ont commencé par creuser à ciel ouvert en installant un portail ; ensuite ils ont construit l'amorce d'un tunnel avec une machine plus légère. Quand elle a atteint la profondeur prévue, on a fait venir le grand tunnelier qui a été assemblé sur place. Il a creusé vers l'est sous la mer, ensuite on a dû le démonter et le remonter pour creuser dans la direction opposée, vers l'ouest.

—Comment garder secrète une opération de cette ampleur ?

—En payant grassement les mineurs et les ingénieurs pour acheter leur silence ou, peut-être, en recourant aux menaces ou au chantage.

—S'ils n'hésitent pas à se débarrasser des intrus, à en croire Rathbone, pourquoi ne font-ils pas de même avec des ouvriers qui parlent trop ?

—Je ne parle pas des intrus. Quoi qu'il en soit, nos soupçons sont confirmés. La boue brune est répandue dans la mer par un homme qui ne se soucie pas le moins du monde des terribles conséquences que cela engendre.

—Un système de décharge à faire pâlir d'envie tous les autres.

Pitt fouilla une nouvelle fois dans son sac à dos pour en extraire un petit appareil photo digital avec lequel il prit des clichés qui témoigneraient de cette gigantesque opération de pompage.

—Il y a bien de quoi manger et boire dans ton sac magique, suggéra Giordino.

Pitt plongea la main à l'intérieur et en retira deux barres de céréales.

—Désolé, je n'ai pas mieux.

—Qu'as-tu donc là-dedans ?

—Mon fidèle vieux Colt 45.

—Chouette, nous pourrons toujours nous tirer une

balle dans la tête, ça nous évitera d'être pendus, ricana Giordino, lugubre.

— Nous avons trouvé ce que nous cherchions, annonça Pitt, il est temps de rentrer.

Il n'avait pas terminé sa phrase que Giordino appuyait déjà sur la pédale d'accélérateur. Pitt continua à prendre des photos.

— Juste un détour encore. Je veux voir ce qu'il y a dans ces tunnels transversaux.

Giordino savait que Pitt ne s'arrêterait pas là ; il était persuadé que son ami voulait inspecter l'autre extrémité du tunnel pour observer l'énorme tunnelier en action. En attendant, il mitraillait tout le matériel qu'ils rencontraient.

Sans ralentir, Giordino vira à droite dans la première galerie transversale qui se présenta, effectuant la manœuvre sur deux roues. Pitt se cramponna en lui lançant un regard mauvais, mais ne dit rien. Ils n'avaient pas parcouru plus de cinquante mètres quand brusquement le chariot s'engouffra dans un autre tunnel. Ils stoppèrent aussitôt en échangeant un regard stupéfait.

— C'est ahurissant, murmura Giordino.

— Ne t'arrête pas, ordonna Pitt, continue.

Giordino obtempéra et fonça à toute allure dans un autre tunnel, puis dans un quatrième tunnel. Cette fois, impossible d'aller plus loin et Giordino dut freiner avant de heurter la paroi. Ils restèrent assis là quelques instants, abasourdis, pour récapituler tout ce qu'ils venaient de découvrir, et la conclusion qui s'imposa était stupéfiante : il n'existait pas un mais quatre immenses tunnels, tous aux mêmes dimensions phénoménales.

— Ça n'est pas possible, s'exclama Giordino, à court de qualificatif.

Pitt s'efforçait de ne pas laisser son ahurissement

l'empêcher de se concentrer. Une pareille entreprise avait une justification, une explication. Comment le Spectre avait-il pu creuser quatre tunnels géants sous les montagnes du Nicaragua à l'insu de tous les services de renseignements et de tous les médias du monde ? Comment un projet d'une telle ampleur avait-il pu passer inaperçu pendant plus de quatre ans ?

— Combien de chemins de fer le Spectre compte-t-il faire fonctionner ? soupira Giordino.

— Ces tunnels n'ont pas été creusés pour transporter des cargaisons par voie ferrée, murmura Pitt.

— Des péniches peut-être ?

— Ça n'est pas rentable. Il y a un autre objectif derrière tout cela.

— Ça doit rapporter fichtrement gros pour se lancer dans des travaux pareils.

— Et coûter fichtrement plus que les sept milliards de dollars estimés.

Leurs voix résonnaient dans l'immensité du tunnel où ils étaient absolument seuls comme dans une cathédrale. Sans les parois, le plafond parfaitement dessiné et la surface totalement lisse du béton qu'ils avaient vus, ils auraient pu s'imaginer dans une immense grotte naturelle.

Pitt baissa la tête.

— Oublie le système de transport rapide, on a retiré les rails.

Giordino de la tête montra discrètement une caméra de surveillance braquée droit sur eux.

— Nous ferions mieux de regagner dare-dare le tunnel principal et de trouver un autre moyen de transport. Ce chariot est trop voyant.

— Bien raisonné, dit Pitt. Ils ont dû s'apercevoir qu'ils avaient des visiteurs.

Ils refirent le trajet en sens inverse et s'arrêtèrent juste avant le tunnel par lequel ils étaient arrivés. Ils garèrent le chariot dans la galerie transversale, s'engagèrent sur la route et gagnèrent d'un pas nonchalant un arrêt où attendaient déjà huit mineurs. Malgré leurs lunettes de soleil, Pitt distingua leurs yeux : ils étaient tous asiatiques.

— Je te parie que ce sont des Chinois de la République populaire, chuchota Pitt.

Le bus à deux étages arrivait à peine que des chariots dont les feux rouges et jaunes clignotaient passèrent en trombe pour s'engouffrer dans la galerie transversale qu'ils venaient de quitter.

— Ils trouvent le chariot, dix secondes après ils nous cueillent dans ce bus, souffla Giordino.

— C'est exactement ce que je pense, répondit Pitt, les yeux fixés sur un train qui approchait de la partie est du tunnel.

Quand les mineurs qui attendaient furent montés, il fit signe au chauffeur de continuer. La portière se referma avec un sifflement et le car repartit.

— Quand as-tu couru pour la dernière fois derrière un train de marchandises ? demanda Pitt.

— Il y a quelques années dans le Sahara, pour rattraper le train qui transportait des produits chimiques toxiques à Fort Foureau.

— Si ma mémoire ne me fait pas défaut, tu as bien failli tomber.

— J'ai horreur que tu évoques ce genre de souvenirs, rouspéta Giordino.

Ils se mirent à courir au passage de la locomotive. Pitt avait chronométré la vitesse du train – trente kilomètres à l'heure – et il se précipita. Pour sa taille, Giordino courait vite ; il baissa la tête et fonça vers une plate-forme comme s'il s'apprêtait à marquer un essai ; il saisit fermement une poignée et bondit littéralement sur le wagon tandis que Pitt en faisait autant.

Sur le plateau se trouvaient deux camionnettes à

moteur électrique flambant neuves, tout juste débar-
quées du bateau certainement. Sans se consulter, Pitt
et Giordino ouvrirent chacun une portière et se glissèrent dans la cabine d'un des engins en s'accrou-
pissant sous le tableau de bord. Ils avaient bien calculé
leur coup : deux voitures de patrouille passèrent toutes
sirènes hurlantes à la poursuite du car.

— Les caméras ont manqué notre petite manœuvre,
observa Pitt avec satisfaction, sinon, ils n'auraient pas
poursuivi le bus.

— Il serait temps que la chance commence à nous
sourire.

— Reste là, ordonna Pitt. Je reviens tout de suite.

Il ouvrit la portière opposée à la route et, à quatre
pattes, ôta les cales et les chaînes qui amarraient la
camionnette au plateau. Puis il regagna la cabine.

— Je lis dans tes pensées, grommela Giordino, et je
ne vois pas comment descendre d'un train en marche
pour foncer dans un tunnel bloqué aux deux extrémités.

— Nous nous inquiéterons de cela le moment venu,
lança Pitt, toujours placide.

On ne peut comparer un grand tunnelier à aucun
autre engin au monde.

Celui qui creusait les tunnels sous le Nicaragua entre
l'Atlantique et le Pacifique couvrait une longueur de
cent vingt mètres auxquels il fallait ajouter cent mètres
de matériel roulant.

Ce monstre d'une incroyable complexité, qui évoquait le premier étage d'une fusée Saturne, était propulsé par un moteur électrique à vitesse variable qui
supprimait toute fuite du système hydraulique et toute
pollution. Le tunnelier du Spectre attaquait la roche
grâce à la rotation incessante d'une série de lames au
carbone montées sur une énorme tête coupante capable
de tailler dans la pierre un tube de seize mètres de

diamètre au rythme de quarante-cinq mètres par jour. La coque qui enfermait la tête abritait également les moteurs qui fournissaient la force fantastique nécessaire pour faire pénétrer dans la roche les dents de la tête, ainsi que les presses hydrauliques, indispensables à la progression du tunnelier dans le mur rocheux et au concassage des fragments.

La machine géante était articulée ; son conducteur, placé à l'avant, la guidait au laser tout en surveillant l'opération sur un écran. Les débris creusés dans la masse étaient transportés à l'arrière et passaient dans un broyeur d'où la roche sortait sous forme de sable. De là, le tapis roulant le convoyait jusqu'à l'extrémité opposée du tunnel d'où il était pompé dans la mer.

Le train s'arrêta sous le tapis roulant pour décharger à deux cents mètres du tunnelier. D'énormes monte-charge en série disparaissaient dans le toit du tunnel. Un groupe de femmes en survêtement blanc en sortit pour monter dans un car. Pitt se glissa à côté d'elles ; une femme annonçait que l'inspection devait être terminée dans huit heures pour faire parvenir le rapport au bureau de la direction, là-haut.

Pitt n'y comprenait rien : quelle direction ? Où donc là-haut ?

Personne ne parut surpris quand il fit descendre la camionnette du plateau pour s'engager sur une rampe menant à la route goudronnée. Il se gara derrière trois autres camions électriques.

Giordino regarda autour de lui : une trentaine au moins de mineurs étaient occupés à faire fonctionner l'immense machine.

— Du gâteau !

— On n'est pas encore arrivés, riposta Pitt. Il faut trouver un moyen de sortir d'ici.

— On pourra toujours monter par un autre conduit de ventilation.

— Il vaudrait mieux pas si nous sommes sous le lac Nicaragua.

— Et celui par lequel nous sommes arrivés ?

— A mon avis, il est préférable d'y renoncer.

Fasciné, Giordino observait l'énorme tunnelier en action.

— Très bien, maître, quel scénario proposes-tu ?

— Nous ne pouvons pas nous échapper de ce tunnel pour la bonne raison qu'il n'est pas encore terminé. Notre seul espoir est de filer du côté Pacifique en utilisant le conduit de ventilation d'un des trois autres tunnels.

— Et si ça ne marche pas ?

— Alors, il faudra que je trouve un autre plan.

Giordino désigna le quai de déchargement : des gardes contrôlaient les passes des mineurs.

— Il serait temps de se barrer. Nous ne correspondons pas tout à fait au signalement qui figure sur nos cartes.

Pitt regarda le passe agrafé à la poche de poitrine de son survêtement.

— Ça ne va pas : ce type mesure un mètre cinquante-cinq et moi un mètre quatre-vingt-neuf.

— Et moi alors ? Où veux-tu que je déniche des cheveux longs et une paire de nichons ?

Pitt entrebâilla la portière pour examiner l'autre côté du quai : désert.

— Par ici.

Giordino se glissa par-dessus la banquette avant. Ils sautèrent à croupetons sur le quai pour partir en courant avant de s'engouffrer par la porte ouverte d'un entrepôt.

Se faufilant entre des caisses de matériel, ils trouvèrent tout au fond un passage qui leur permit de sortir du hangar pour se retrouver le long de la voie ferrée.

— Un moyen de transport nous serait d'un grand secours, observa Giordino en plissant le nez.

— Vouloir c'est pouvoir, déclara Pitt avec un grand sourire.

Sans attendre Giordino, il se releva et s'approcha d'un air dégagé d'un des véhicules de la sécurité que son chauffeur avait garé là. Il s'installa au volant, tourna la clef de contact et appuya sur la pédale d'accélérateur tandis que Giordino s'engouffrait par l'autre portière. Le courant des batteries actionna le train avant et la voiture démarra silencieusement.

La chance restait du côté de Pitt. Les gardes étaient si accaparés par la vérification des passes qu'ils ne s'aperçurent pas qu'on était en train de leur voler leur voiture de patrouille. Non seulement le véhicule électrique n'émettait qu'un léger murmure, mais le fracas du tunnelier couvrait les exclamations des ouvriers qui s'efforçaient d'attirer leur attention sur les voleurs.

Pour rendre les choses plus officielles, Giordino se pencha sur le tableau de bord et pressa la commande des feux tournants fixés au toit de la voiture. A peine arrivés à la première galerie transversale, Pitt vira brutalement à gauche et répéta la manœuvre pour s'engouffrer dans le tunnel principal en direction du portail Ouest.

Pitt supposait que les quatre tunnels étaient creusés sous le lac Nicaragua pour émerger au-delà de l'étroite bande de terre séparant le lac de l'océan à l'emplacement de l'ancien port de San Juan del Sur. C'était là que devaient se situer les conduits de ventilation avant que les tunnels ne continuent sous la mer.

Mais Pitt s'était trompé.

Au bout de quelques kilomètres, ils arrivèrent à un ensemble de pompage aussi colossal que celui

de l'extrémité Est. Deux gigantesques portes barraient
la route. Les filets d'eau qui suintaient sur les bords
montraient bien qu'ils ne se trouvaient pas à proximité
de San Juan del Sur mais dans un cul-de-sac en plein
océan Pacifique.

30

Après son jogging matinal entre son appartement du Watergate et le siège de la NUMA, l'amiral Sandecker se rendit directement à son bureau sans s'arrêter au gymnase de l'agence pour prendre une douche et se changer. Rudi Gunn l'attendait, l'air sombre.

— Des nouvelles de Pitt et de Giordino ?

— Rien depuis huit heures, répondit Gunn mal à l'aise. Rien depuis qu'ils sont entrés dans ce puits de ventilation qui, selon eux, desservirait un tunnel reliant, toujours selon leurs estimations, le Pacifique à la mer des Caraïbes en passant sous la jungle du Nicaragua.

— Aucun contact ?

— Le silence total. Les communications par téléphone sont impossibles à grande profondeur.

— Un tunnel allant d'un océan à l'autre, répéta Sandecker sceptique.

— Pitt en était certain ; il a même précisé que l'ouvrage avait été construit par le conglomérat Odyssée.

— Odyssée ? Encore ? (Gunn acquiesça.) On les retrouve partout, maugréa Sandecker en se levant. Je n'ai jamais entendu parler du creusement d'un tunnel sous le Nicaragua. Il a été question de construire une voie ferrée souterraine pour transporter des marchandises à bord de trains à grande vitesse, mais c'était il y a plusieurs années et, à ma connaissance, ça n'a jamais abouti.

Gunn ouvrit un dossier dont il tira quelques clichés qu'il étala sur le bureau de l'amiral.

— Voici des photos satellite d'un petit port en sommeil, San Juan del Norte ; elles ont été prises sur plusieurs années.

— D'où viennent-elles ?

— Hiram Yaeger, révéla Gunn en souriant. Il a consulté sa collection de documents provenant de divers services de renseignements et les a enregistrés dans les banques de données de la NUMA.

Sandecker ajusta ses lunettes pour déchiffrer les dates.

— Il y a cinq ans, conclut-il enfin, ce port semblait abandonné. Ensuite on y a déchargé du matériel lourd, dirait-on, et on a construit des installations pour accueillir des porte-conteneurs.

— Vous remarquerez que la totalité de cet équipement a été aussitôt transporté dans des entrepôts préfabriqués dont il n'est jamais ressorti.

— Incroyable qu'une entreprise d'une telle ampleur soit passée inaperçue si longtemps.

Gunn déposa sur le bureau un autre dossier.

— Yaeger s'est également procuré un rapport des programmes et des opérations d'Odyssée. Ses transactions commerciales restent floues ; son siège étant situé au Brésil, elle n'est pas tenue de fournir des bilans.

— Et les actionnaires ? Ils doivent bien recevoir des rapports annuels.

— Non, car le Spectre est le seul et unique propriétaire de la société !

— On peut lancer seul un projet pareil ? s'étonna Sandecker.

— Pour autant qu'on sache, ce serait possible. Mais Yaeger estime que, en l'occurrence, ils ont bénéficié de l'appui de la République populaire de Chine qui, dans le passé, a déjà financé des opérations du Spectre en Amérique centrale.

—Ça paraît logique, les Chinois investissent beaucoup dans la région pour y installer une zone d'influence.

—Un autre élément qui justifie le secret, expliqua Gunn, c'est le souci d'éviter tout problème sur le plan écologique, social ou économique.

—Le Spectre et les Chinois travaillent-ils ensemble à d'autres projets ?

—Oui, à des installations portuaires de part et d'autre du canal de Panamá et à un pont qui devrait l'enjamber dès le début de l'année prochaine.

—Mais pourquoi tant de mystère ? murmura Sandecker en regagnant son fauteuil. Qu'y a-t-il à gagner ?

—Nous manquons de renseignements, fit Gunn en haussant les épaules.

—Nous ne pouvons pas demeurer les bras croisés.

—Faut-il faire part de nos soupçons à la CIA et au Pentagone ? interrogea Gunn.

Sandecker réfléchit un moment avant de décider :

—Non, nous allons nous adresser directement au conseiller du Président pour la sécurité nationale.

—Je suis d'accord, dit Gunn. Il peut s'agir d'une situation très sérieuse.

—Bon sang ! marmonna Sandecker. Si seulement nous avions des nouvelles de Pitt et de Giordino, nous aurions au moins une idée de ce qui se trame là-bas.

Pitt et Giordino se trouvaient dans un cul-de-sac ; il leur fallait faire demi-tour sans tarder. Ce quatrième tunnel, le dernier, semblait abandonné ; pourtant restaient à chaque extrémité ces deux pompes étrangement silencieuses qui sous-entendaient une intention qui échappait totalement à Pitt.

Etranges également, le fait qu'aucune voiture de sécurité ne se soit lancée à leur poursuite et l'absence de caméras de sécurité.

— Je comprends maintenant, déclara calmement Giordino, pourquoi les gardes ne se ruent pas sur nous.

— Parce que nous n'avons aucune issue, développa Pitt. Notre petite aventure dans le bizarre est terminée. Les agents de sécurité du Spectre n'auront plus qu'à nous cueillir dans le tunnel principal où nous auront poussés la faim et la soif.

— Ils préféreront sans doute nous laisser pourrir ici.

Pitt, de sa manche, essuya la sueur de son front qui ruisselait dans ses yeux.

— As-tu remarqué que la température dans ce tunnel est bien plus élevée ?

— Un véritable bain de vapeur, confirma Giordino.

— Et ça sent le soufre.

— Il te reste des barres de céréales ?

— Fini.

Brusquement une même idée leur traversa l'esprit et ils s'exclamèrent en chœur :

— Le puits de ventilation !

— Il n'y en a peut-être pas, fit Giordino consterné. Je n'ai vu aucun poste de contrôle dans les tunnels extérieurs.

— On a dû les ôter en même temps que les rails et l'éclairage puisqu'il n'y avait plus à lutter contre la pollution entraînée par les travaux de creusement.

— C'est vrai, mais les barreaux d'échelle sont fichés dans les parois du tunnel. Je parierais ma paye du mois prochain – si jamais j'ai l'occasion de la dépenser – qu'ils ne se sont pas donné la peine de les enlever.

— Nous n'allons pas tarder à le savoir, nota Pitt quand Giordino, appuyant sur l'accélérateur, fit bondir la voiture en avant, ses phares scrutant les ténèbres.

Ils avaient parcouru une trentaine de kilomètres lorsque Giordino repéra les barreaux d'une échelle fixée à un mur ; il s'arrêta à une dizaine de mètres pour permettre aux phares d'éclairer largement la paroi.

— Il y a des barreaux jusqu'à l'ancien poste de contrôle, annonça-t-il.

Pitt se mit à escalader les échelons humides et rouillés par endroits, ce qui semblait indiquer que le tunnel était désaffecté depuis au moins un an. Ils aboutissaient à une sorte de plaque d'égout que bloquait un verrou empêchant d'accéder au puits de ventilation.

Pitt, passant le bras par un des échelons pour assurer son équilibre, poussa des deux mains le verrou qui glissa sans trop de résistance. Il bloqua alors son épaule contre la plaque et poussa ; il la déplaça d'à peine un millimètre.

— Il va falloir s'y mettre à deux, lança-t-il.

Giordino le rejoignit et, à eux deux, ils obtinrent un écart de deux centimètres, après quoi le couvercle s'immobilisa.

— Saloperie, grommela Giordino.

— Si elle a bougé, c'est qu'elle n'est pas soudée, fit remarquer Pitt.

— On recommence.

Conjuguant toutes leurs forces mobilisées au maximum, ils poussèrent : la plaque résista, puis céda lentement et enfin, dans un grand crissement, elle bascula et heurta la paroi. Ils levèrent les yeux vers cette cavité pourtant peu engageante comme s'il s'agissait d'un escalier menant au paradis.

— Où est-ce que ça débouche ? haleta Giordino.

— Aucune idée, mais on va le savoir.

— Attends. Au cas où les gorilles du Spectre viendraient nous chercher, donnons-leur une piste, suggéra Giordino en retenant Pitt.

Il redescendit l'échelle et monta dans la petite voiture électrique. Ôtant alors sa ceinture, il la noua autour du volant de manière à orienter les roues droit devant, puis il bloqua la pédale d'accélérateur, mit le contact et sauta précipitamment.

La voiture s'engouffra dans le tunnel; ses phares traçaient des taches lumineuses dans l'obscurité. Une centaine de mètres plus loin, elle heurta la paroi du tunnel et rebondit contre le mur opposé dans un terrifiant fracas de métal broyé.

— Je me demande comment le Spectre va expliquer ce dommage à son courtier d'assurances, ricana Giordino.

Ils entamèrent alors l'ascension. Pitt payait la tension des heures précédentes : ses muscles étaient douloureux; il grimpait lentement pour ménager ses forces. Le manque de lumière provoquait en lui un peu de claustrophobie. Il décida de s'arrêter tous les cinquante échelons pour reprendre haleine. Ceux-ci étant espacés de cinquante centimètres, la distance parcourue était facile à calculer; au trois cent cinquantième échelon, Pitt fit une halte pour attendre Giordino.

— Ça ne s'arrêtera donc jamais? râla Giordino en reprenant son souffle.

— Pardonne-moi cette plaisanterie, lança Pitt, mais il y a toujours une lueur au bout du tunnel.

Levant les yeux, Giordino distingua une toute petite lumière au loin. Ils continuèrent dans l'atmosphère étrange du puits. La tache lumineuse au-dessus d'eux ne s'élargissait qu'à une lenteur désespérante. De l'eau gouttait le long des parois et sur les barreaux. La lueur devenait cependant de plus en plus vive, ce qui renouvela leurs forces : Pitt se mit à franchir les barreaux deux par deux et arriva enfin au grillage qui recouvrait le haut du puits.

— Enfin, haleta-t-il à l'adresse de Giordino qui venait de le rejoindre.

— Je ne me sens pas capable de découper cela une nouvelle fois, murmura-t-il.

Sitôt ses crampes un peu dissipées, Pitt prit les pinces coupantes dans son sac et s'attaqua avec ses dernières forces au treillage métallique.

— Nous nous relaierons, annonça-t-il.

Après plusieurs minutes et à peine quelques centimètres d'ouverture, il n'arriva plus à serrer les poignées de la pince ; il la tendit à Giordino mais ses mains pleines de sang faillirent la lâcher. Giordino la rattrapa juste avant qu'elle ne tombe dans les ténèbres du puits.

— Tiens-la bien, conseilla Pitt, tu ne voudrais pas refaire l'ascension.

— Plutôt mourir, murmura Giordino.

Il leur fallut près d'une heure pour pratiquer une ouverture assez grande pour s'y glisser. La lumière du soleil blessant ses yeux accoutumés à l'obscurité obligea Pitt à chausser ses lunettes noires. Il se trouvait dans une pièce ronde entièrement vitrée.

Tandis que Giordino se glissait par l'orifice, Pitt entreprit de faire le tour de la salle en contemplant la vue panoramique d'un immense lac parsemé d'îlots.

— Où sommes-nous ? demanda Giordino.

Pitt se retourna et le regarda ; il était stupéfait.

— Tu ne vas pas le croire, mais nous sommes en haut d'un phare.

— Un phare ! s'exclama Sandecker en entendant le récit de Pitt à l'autre bout du fil.

Sa voix trahissait sa joie : Pitt et Giordino étaient sains et saufs.

— Eh oui, amiral, annonça Pitt, le Spectre s'est offert une folie.

— Une folie ?

— De fausses ruines édifiées pour ressembler à celles d'un vieux château ou d'un monument, lui expliqua Gunn. (Il se pencha vers le micro.) Vous dites que le phare a été construit pour dissimuler un puits d'aération du tunnel.

— Exactement, répondit Pitt.

— Votre histoire paraît invraisemblable.

— Elle est pourtant vraie dans ses moindres détails, assura Pitt.

— Un tunnelier capable de creuser un kilomètre et demi de roche par jour…

— Ce qui explique comment le Spectre a réussi à forer quatre tunnels de près de deux cent cinquante kilomètres de long chacun en quatre ans.

— Si ce n'est pas pour une voie ferrée, dit Gunn, alors dans quel but ?

— Al et moi n'avons pas la moindre hypothèse à avancer. Les pompes situées à chaque extrémité du tunnel donnent à penser qu'on les utilisera pour chasser l'eau, mais ça ne tient pas debout.

— J'ai enregistré vos notes, précisa Sandecker, et je les soumettrai à Yaeger ; il les étudiera en attendant votre retour et votre rapport définitif.

— J'ai également des photos prises avec un appareil digital.

— Bien, nous aurons besoin de toutes les preuves que vous aurez pu rassembler.

— Dirk, fit Gunn.

— Oui, Rudi.

— Vous vous trouvez à seulement cinquante kilomètres de San Carlos. Je vais affréter un hélicoptère qui devrait survoler votre phare dans moins de deux heures.

— Al et moi avons hâte de nous laver et de prendre un repas convenable.

— Ce sera pour plus tard, intervint Sandecker. L'hélico vous emmènera directement à l'aéroport de

Managua où un jet de la NUMA vous attendra. Vous vous laverez et vous dînerez ensuite.

— Vous êtes dur, amiral.

— Prenez-en de la graine, ricana Sandecker. Vous pourriez vous retrouver un jour à ma place.

Pitt raccrocha sans rien comprendre des allusions de Sandecker. Il s'installa auprès de Giordino qui sommeillait déjà et se prépara à expliquer à son ami que son dîner n'était pas pour tout de suite.

31

Une fois la communication terminée, Sandecker attendit patiemment que Gunn eût pris ses dispositions pour l'hélicoptère qui irait chercher son directeur des Projets spéciaux. Ensuite ils quittèrent le bureau de l'amiral et se rendirent à l'étage en dessous dans la salle de conférences où Sandecker avait organisé une réunion pour débattre des objets celtes découverts sur le banc de la Navidad.

Autour d'une grande table ovale en teck, avaient pris place Hiram Yaeger, Dirk et Summer Pitt, St. Julien Perlmutter et, auprès de la jeune femme, le Dr John Wesley Chisholm, professeur d'histoire ancienne à l'université de Pennsylvanie ; si tout chez lui était moyen – la taille, le poids, le brun de ses cheveux et celui de ses yeux –, on ne pouvait pas en dire autant de sa personnalité : chaleureux, courtois, il souriait constamment et pétillait d'une remarquable intelligence.

L'assistance se laissait captiver par le Dr Elsworth Boyd qui, debout devant un grand écran sur lequel s'affichait un montage de photos, leur faisait un cours sur les objets et les sculptures gravées dans la pierre du banc de la Navidad. Tous écoutaient dans un silence recueilli la stupéfiante démonstration de Boyd qui datait et situait les vestiges de la Navidad. Boyd, au corps d'acrobate, souple et musclé, et avec toute la vigueur d'une quarantaine à peine entamée, tenait son auditoire sous le charme. Professeur d'études classiques au Trinity College de Dublin, il se consacrait à l'histoire des premiers Celtes et avait publié de nombreux ouvrages sur ce sujet. Quand l'amiral Sandecker l'avait invité à venir à Washington pour examiner les trouvailles de Dirk et Summer, il avait sauté dans le premier avion ; en découvrant les vestiges et les clichés des sculptures murales, il avait éprouvé une intense émotion.

Incrédule tout d'abord, Boyd ne fut convaincu de leur authenticité qu'après les avoir attentivement examinés une vingtaine d'heures durant.

— Les Egyptiens, les Grecs et les Romains, expliquait Boyd, ont monopolisé l'intérêt de la plupart des historiens et ce, au détriment des Celtes qui, pourtant, avaient constitué le pivot de la civilisation occidentale. La majeure partie de nos traditions – religieuses, politiques, sociales et littéraires – est issue de la culture celte. L'industrie également, puisqu'ils ont été les premiers à produire du bronze puis du fer.

— Alors pourquoi ne sommes-nous pas plus sensibles à l'influence celte ? demanda Sandecker.

— C'est là le hic, fit Boyd en riant. Il y a trois mille ans, les Celtes transmettaient oralement leur savoir, leurs rites, leurs coutumes et leurs principes de vie ; ils n'ont commencé à utiliser l'écriture qu'au VIIIe siècle av. J.-C. Bien plus tard, les Romains, qui dominaient l'Europe entière, considéraient les Celtes comme des barbares, et ce qu'ils écrivaient d'eux n'avait rien de flatteur.

— Pourtant, c'étaient des gens inventifs, intervint Perlmutter.

— Contrairement à une idée très répandue, les Celtes surpassaient les premiers Grecs dans bien des domaines ; il ne leur manquait que le langage écrit et une architecture un peu plus élaborée. A vrai dire, leur culture et leur civilisation devancent les Grecs de plusieurs centaines d'années.

Yaeger se pencha en avant.

— Votre datation coïncide-t-elle avec mes calculs informatiques ?

— A une centaine d'années près, oui, répondit Boyd. Les pictographies aussi nous permettent de situer assez précisément l'époque de Navinia.

— J'adore ce nom, fit Summer en souriant.

Boyd prit une télécommande et fit jaillir une image sur un écran de contrôle qui occupait un mur entier : une perspective en trois dimensions de l'édifice sous-marin, tel qu'on devait le voir au moment de sa construction.

— A noter, poursuivit Boyd, que cet édifice, la demeure d'une femme de très haut rang – une reine de tribu ou une grande prêtresse –, devint également son tombeau.

— Quand vous dites « grande prêtresse », s'enquit Summer, parlez-vous d'un druide ?

— Oui, une druidesse, répondit Boyd. Les délicates sculptures et l'or de ses bijoux témoignent de sa position élevée dans la hiérarchie sacrée du druidisme celtique. Sa cuirasse de bronze est particulièrement révélatrice. On n'en connaît qu'un autre exemplaire ayant appartenu à une femme : daté entre le VIIIe et le XIe siècle av. J.-C. Elle a certainement livré bataille et a été sans doute, de son vivant, vénérée comme une déesse.

— Une déesse vivante, murmura Summer. Quel passionnant destin !

— J'ai trouvé un autre détail intéressant, fit Boyd, cette image sculptée d'un cheval stylisé au pied du lit funéraire. Vous voyez sur ce cliché un excellent pictogramme au graphisme moderne d'un cheval au galop. Baptisé le Cheval blanc d'Uffington, il avait été gravé dans une colline calcaire du Berkshire, en Angleterre, au premier siècle de notre ère ; il représente la déesse-cheval celtique Epona adorée dans tout le monde celte et dans ce qui devint plus tard la Gaule.

Summer examina le cheval.

— Notre déesse pourrait-elle être Epona ?

— Non, je ne le pense pas. Epona était adorée comme déesse des chevaux, des mules et des bêtes de somme à l'époque romaine. On pense que mille ans plus tôt elle a pu être une déesse de la beauté et de la fertilité douée du pouvoir d'ensorceler les hommes.

— Ah, quelle chance, plaisanta Summer.

— Qu'est-ce qui a causé la chute des druides ? demanda Dirk.

— L'emprise grandissante du christianisme en Europe mit en évidence le paganisme de la religion celte et, notamment, le respect dont bénéficiaient les femmes. Or les chefs de l'Eglise ne supportaient pas la moindre opposition à l'autorité masculine, la moindre irrévérence, et les Romains s'acharnèrent à éradiquer la religion des druides : on traita les druidesses comme des sorcières, et on considéra les femmes de pouvoir comme des créatures maléfiques acoquinées avec le démon.

En bon universitaire, Gunn buvait chaque mot du discours de Boyd.

— Les Romains eux-mêmes adoraient des dieux et des déesses païens. Pourquoi alors évincer les druides ?

— Parce que les Romains voyaient en eux un vivier de rebelles contre Rome ; mais aussi parce qu'ils ne supportaient pas la sauvagerie de leurs rites.

— Par exemple ? demanda Sandecker.

— Les premiers druides pratiquaient le sacrifice humain. Leur culte, prétendait-on, ne connaissait pas de limite dans la barbarie, pour preuve la légende de « l'homme d'osier » selon laquelle ils enfermaient une personne dans une grande statue de jonc à laquelle ils mettaient le feu.

— Les druidesses participaient-elles à ces rites barbares ? s'enquit Summer, apparemment peu convaincue.

— Nous en sommes réduits aux suppositions, répondit Boyd en haussant les épaules, mais leur responsabilité égalait probablement celle des prêtres druides.

— Ce qui nous ramène à la question que nous nous sommes posée cent fois, reprit Dirk. Pourquoi choisir d'ensevelir une druidesse celte dans une île des Caraïbes, à huit mille kilomètres de sa patrie en Europe ?

Boyd se tourna vers Chisholm.

— Je crois que mon collègue John Wesley vous réserve une réponse stupéfiante.

— Auparavant, interrompit Sandecker en se tournant vers Yaeger, êtes-vous en mesure de nous expliquer comment cet édifice s'est retrouvé sous quinze mètres d'eau ?

— Il n'existe aucune donnée géologique sur les Caraïbes à l'époque récente, répondit Yaeger en s'éventant avec un dossier, nous en savons davantage sur les chutes de météorites préhistoriques et sur les mouvements de terrain datant de millions d'années que sur des bouleversements géologiques remontant à seulement trois mille ans. Les éminents géologues que nous avons consultés privilégient l'hypothèse selon laquelle le banc de la Navidad – une île jadis – se serait effondré sous l'effet d'une secousse sismique sous-marine entre 1100 et 1000 av. J.-C.

— Comment avez-vous retenu cette date ? interrogea Perlmutter.

— Grâce à diverses analyses chimiques et biologiques, il est possible de déterminer l'âge des incrustations, la durée nécessaire à leur formation, le degré de corrosion et de détérioration des objets et l'âge des coraux entourant l'édifice.

Sandecker chercha dans sa poche de poitrine un cigare et, faute d'en trouver un, se mit à tapoter un stylo sur la table.

— Les amateurs de sensationnel vont se déchaîner et clamer partout qu'on a découvert l'Atlantide.

— Pas l'Atlantide, démentit Chisholm en souriant. J'ai établi, il y a bien des années, que Platon s'était appuyé sur l'éruption de Santorin en 1650 av. J.-C.

— Vous ne croyez pas à l'Atlantide dans les Caraïbes ? plaisanta Summer. Certains parlent pourtant de routes et de villes englouties sous l'eau.

Cette boutade n'amusa pas Chisholm.

— De simples formations géologiques, rien de plus. Si l'Atlantide avait existé quelque part dans les Caraïbes, comment expliquer qu'on n'a jamais découvert le moindre fragment d'un objet antique ? Désolé, il n'y avait pas d'Atlantide de ce côté de l'océan.

— Selon les ouvrages de paléontologie de ma bibliothèque, déclara Yaeger, les Indiens Arawak qui rencontrèrent les Espagnols en arrivant dans le Nouveau Monde constituaient le premier peuplement humain des Antilles ; ils avaient émigré d'Amérique du Sud vers 2500 av. J.-C., soit quatorze cents ans avant l'ensevelissement de la dame en question.

— Il y a toujours un premier quelque part, lança Perlmutter. Colomb a signalé des carcasses de gros vaisseaux de fabrication européenne.

— Je suis incapable de vous dire comment cette druidesse est arrivée là, dit Chisholm. En revanche je peux vous donner quelques lumières sur sa personnalité.

Il actionna la télécommande et commença à faire défiler sur l'écran les clichés des découvertes de Dirk et Summer. La première scène montrait une flottille accostant sur un rivage, des navires ressemblant – mais moins effilés – aux drakkars des Vikings et pourvus d'un fond plat permettant l'accès aux eaux côtières peu profondes et aux rivières ; un mât unique supportait une voile carrée en peaux capables d'affronter les tempêtes de l'Atlantique, et les coques, munies de supports aménagés pour recevoir les rangées de rames, étaient surélevées aux deux extrémités de manière à tenir la houle.

— Cette première scène sculptée montre une flotte de vaisseaux déchargeant des guerriers, des chevaux et des chariots. (Il actionna de nouveau la télécommande.) Scène deux : du grand fossé cernant une citadelle juchée sur une colline surgit l'armée ennemie. Panneau suivant : elle charge à travers une plaine et attaque sans laisser à l'ennemi le temps de décharger ses navires. La scène quatre illustre la bataille pour repousser l'agresseur.

— Sans ces ouvrages de terre et cette citadelle qui a l'air bâtie en bois, intervint Perlmutter, je dirais que nous regardons une fresque représentant la guerre de Troie.

— Mais c'est bien la guerre de Troie que vous avez sous les yeux, déclara tranquillement Chisholm. (Il ronronnait tel un chat satisfait.)

Sandecker tomba droit dans le piège.

— Curieux, ces Grecs et ces Troyens moustachus ; je les croyais barbus.

— Pas étonnant, car il ne s'agissait ni de Grecs ni de Troyens.

— Qu'étaient-ils donc alors ?

— Des Celtes !

— Moi aussi, j'ai lu Iman Wilkens, déclara Perlmutter qui exultait manifestement.

— Alors, fit Chisholm, vous connaissez ses remarquables corrections des grandes erreurs de l'histoire ancienne.

— Auriez-vous l'amabilité de nous faire partager vos lumières ? s'agaça Sandecker.

— Je vais me faire un plaisir, entama Chisholm. Le siège de Troie…

— Oui ?

— N'a pas eu lieu sur la côte occidentale de la Méditerranée en Turquie.

— Pas en Turquie ? Mais où alors ? s'écria Yaeger complètement abasourdi.

— En Angleterre, à Cambridge, annonça calmement Chisholm, près de la mer du Nord.

32

Tous, à l'exception de Perlmutter, posèrent sur Chisholm un regard incrédule.

—Votre scepticisme saute aux yeux, remarqua Chisholm. L'erreur date d'il y a cent vingt-six ans, du jour où un riche négociant allemand consacrant sa fortune à sa passion de l'archéologie, Heinrich Schliemann, proclama avoir découvert, en se guidant sur l'*Iliade*, qu'un monticule baptisé Hisarlik correspondait exactement au site de la citadelle de Troie.

—La plupart des archéologues et des historiens ont soutenu Schliemann, me semble-t-il, rétorqua Gunn.

—Le débat n'est toujours pas clos, répondit Boyd. Un grand mystère entoure la personnalité d'Homère ; son existence même n'est pas prouvée. La légende rapporte qu'un certain Homère aurait tiré de poèmes épiques qui se transmettaient oralement depuis des centaines d'années une série de contes qui devaient devenir la première littérature écrite du monde. Par qui ont-ils été peaufinés tout au long des siècles ? A qui doit-on finalement l'*Iliade* et l'*Odyssée*, ces merveilleux classiques de l'histoire ? On ne le saura jamais. On ne saura jamais non plus si la guerre de Troie était une fable ou une réalité historique. Et si elle a eu lieu, était-ce vraiment au début de l'âge du bronze ? opposait-elle réellement les Grecs aux Troyens ? ou encore Homère n'aurait-il pas évoqué un événement survenu à plus de quinze cents kilomètres de là ?

Perlmutter affichait un large sourire : Boyd et Chisholm affirmaient ce qu'il croyait depuis toujours.

— Personne avant Wilkens n'avait envisagé qu'Homère pût ne pas être grec, mais celte et qu'il raconte une bataille fameuse s'étant déroulée quatre cents ans auparavant, et même pas au bord de la Méditerranée, mais de la mer du Nord.

— Alors le voyage d'Ulysse… hasarda Gunn qui, visiblement, pataugeait.

— … s'est effectué sur l'Atlantique.

Summer, elle aussi, était déconcertée.

— Selon vous, ce ne serait donc pas la beauté d'Hélène qui aurait fait prendre la mer à mille navires ?

— J'y venais, commença Boyd avec une certaine lassitude. La vérité qui se cache derrière le mythe ne concernait pas la vengeance d'un roi contre le rival qui enleva son épouse. L'inconséquence d'une femme légère ne justifiait tout de même pas l'envoi à la mort de milliers d'hommes, n'est-ce pas ? Jamais le vieux roi de Troie, le sage Priam, n'aurait mis en péril son royaume et son peuple simplement pour permettre à un fils amateur de fredaines de vivre avec une femme qui avait délibérément quitté son mari pour un autre homme. Il ne s'agissait pas davantage de piller les trésors de Troie. En fait, chacun des belligérants voulait s'assurer la possession d'un métal malléable et brillant, l'étain.

— St. Julien nous a expliqué, à Summer et à moi, que ce sont les Celtes qui ont introduit l'usage du bronze puis du fer, fit Dirk, en levant le nez de ses notes.

— C'est certain, renchérit Chisholm, ils ont développé cette industrie, mais quant à savoir qui a réellement obtenu un métal plus dur en mélangeant 10 %

d'étain avec 90 % de cuivre, et quand… L'hypothèse la plus vraisemblable situe l'apparition du bronze aux alentours de 2000 av. J.-C.

— En Turquie centrale on connaissait déjà la fusion du cuivre cinq mille ans av. J.-C., reprit Boyd. Ce métal abondait, en particulier en Europe et au Moyen-Orient, où on l'extrayait sur une grande échelle. Mais l'avènement du bronze mit en évidence la rareté du minerai d'étain dans la nature ; sa quête – sorte de ruée vers l'or avant l'heure – jeta prospecteurs et négociants à travers le monde antique ; ils trouvèrent les filons les plus riches dans le sud-ouest de l'Angleterre. Les tribus celtes locales en tirèrent profit aussitôt et créèrent un marché international : ils extrayaient l'étain, le fondaient en lingots et le vendaient partout.

— En raison de la forte demande, les Britanniques acquirent rapidement le monopole et obtinrent des prix élevés de la part des négociants étrangers, précisa Chisholm. Ceux qui venaient d'empires riches, comme l'Egypte, fournissaient des biens précieux en échange, mais les Celtes d'Europe centrale, qui ne disposaient que d'objets faits à la main et d'abondantes réserves d'ambre, ne pouvaient guère espérer, sans une industrie du bronze, dépasser le stade de société agricole.

— Ils s'allièrent donc entre eux pour s'emparer des mines d'étain des Britanniques, suggéra Yaeger.

— Précisément, répondit Boyd. Les tribus celtes du continent formèrent une alliance pour envahir le sud de l'Angleterre et faire main basse sur les mines situées en Troade.

— Tous n'étaient donc pas des Grecs, déclara Perlmutter.

— Le terme vague d'*Achéens,* précisa Boyd en hochant la tête, désignait les alliés ; les Troyens se donnaient aussi le nom de Dardaniens ; quant à la terre des Pharaons, on ne la connaissait pas sous le nom d'Egypte.

— Attendez, l'interrompit Gunn. D'où venait le terme Egypte ? Al-Khem, Mist ou Kemi ? Car c'est seulement des centaines d'années plus tard que l'historien grec Hérodote eut l'occasion de contempler les pyramides et le temple de Louxor ; il donna alors à l'empire égyptien le nom d'une contrée décrite dans l'*Iliade* par Homère, et le nom lui resta.

— Sur quelles preuves Wilkens s'appuie-t-il ? demanda Sandecker.

— Docteur ? dit Boyd en se tournant vers Chisholm.

— Vous en savez sans doute autant que moi, répondit Chisholm avec un sourire ravi.

— Me permettez-vous d'intervenir ? demanda Perlmutter. J'ai étudié l'ouvrage de Wilkens, *When Troy Once Stood.*

— Allez-y, je vous en prie, fit Boyd.

— Les preuves abondent, commença Perlmutter. Mais auparavant, il faut préciser que presque rien de l'épopée d'Homère ne résiste à l'examen. Le qualificatif *grecque* à propos de la flotte d'invasion n'apparaît nulle part : en 1100 av. J.-C., date supposée de la guerre de Troie, on ne trouve en Grèce aucune grande cité susceptible de fournir une véritable flotte de guerre et son équipage ; de toute façon, les premiers Grecs n'étaient pas de bons navigateurs et les récits d'Homère concernant des marins s'adaptent mieux aux Vikings deux mille ans plus tard. En outre, ses descriptions rappellent davantage la côte Atlantique d'Europe que la côte méditerranéenne ; celles du climat ne concordent pas non plus. Les pluies constantes, les brumes épaisses, le brouillard et la neige fondue évoqués par Homère sont des conditions climatiques plus courantes en Angleterre qu'au sud de la Turquie.

— De même pour la végétation, ajouta Boyd.

— C'est certain, reprit Perlmutter. On voit mieux les arbres – à feuilles caduques surtout – cités par Homère pousser dans l'Europe humide que les conifères à feuillage persistant des terres arides de Grèce ou de Turquie. Et puis il y a le problème des chevaux : les Celtes adoraient les chevaux ; les Grecs anciens, eux, ne les utilisèrent jamais au combat. Egyptiens et Celtes se servaient de chariots comme engins de guerre contrairement aux Grecs et aux Romains qui préféraient se battre à pied, et n'utilisaient les chariots que pour le transport et les courses.

— Des différences dans le mode de nourriture ? interrogea Gunn.

— Homère parle d'anguilles et d'huîtres : les premières se reproduisent dans la mer des Sargasses avant d'émigrer vers les eaux froides entourant l'Europe ; quant aux huîtres, il explique qu'il fallait *plonger pour les ramasser*, pratique beaucoup plus répandue dans les océans qu'en Méditerranée. Quand un Grec pêchait, c'était pour remonter des éponges, communes en Grèce à cette époque.

— Et les dieux ? lança Sandecker. Dans l'*Iliade* et l'*Odyssée,* ils interviennent sans cesse en faveur tour à tour des armées grecques et troyennes.

— Les érudits pensèrent que les dieux représentés par Homère étaient ceux des premiers occupants, à savoir les Celtes, dont les Grecs avaient hérité plus tard grâce aux œuvres d'Homère. (Perlmutter marqua un temps puis reprit :) Autre point intéressant, celui de la crémation des morts – coutume celtique – à laquelle, selon Homère, procédaient Grecs et Troyens ; or les peuples autour de la Méditerranée enterraient en général leurs défunts.

— Hypothèse valable certes, admit Sandecker, pas très convaincu, mais nous nous perdons quand même en conjectures.

—Laissez-moi arriver au meilleur morceau, jubila Perlmutter. Wilkens prouve de façon convaincante que les lieux et les nations dont parle Homère dans ses poèmes épiques soit n'existaient pas, soit portaient un autre nom. Ni la géographie ni la toponymie de l'*Iliade* ne correspondent au pourtour de la Méditerranée. Wilkens a découvert que les noms donnés par Homère aux sites proviennent de l'Europe continentale et de l'Angleterre. Les appellations grecques ne correspondent ni aux environs de Troie ni aux royaumes des héros grecs pas plus que les décors ne coïncident avec la réalité géographique.

—La liste est longue, intervint Chisholm. Selon Homère, Ménélas aurait été roux, Ulysse auburn et Achille blond, certains guerriers auraient eu la peau claire. On ne retrouve aucune des caractéristiques des peuplades méditerranéennes, à croire qu'ils venaient d'une autre époque, d'une autre dimension.

« Les envahisseurs achéens venaient de régions productrices de bronze telles que la France, la Suède, le Danemark, l'Espagne, la Norvège, la Hollande, l'Allemagne et l'Autriche. Leur flotte s'est probablement rassemblée dans l'actuel Cherbourg pour traverser la mer de Helle – qui a donné l'Hellespont turc –, qu'on appelle aujourd'hui mer du Nord. Ils ont débarqué dans une immense baie, nommée jadis la mer de Thrace, et qui figure sur nos cartes modernes comme golfe du Wash dans le Cambridgeshire, non loin des rives de la plaine dite d'East Anglia.

Boyd ajouta à son tour sa pierre aux précisions de Perlmutter.

—Homère a mentionné quatorze rivières dans les environs de Troie, étonnante concordance avec les quatorze rivières de la plaine d'East Anglia, qui trente siècles plus tard ont conservé presque le même nom. Ainsi de la Temes, en grec, qui se traduit par Tamise.

— Et les Troyens ? insista Sandecker, toujours hésitant.

— Leur armée venait d'Angleterre, d'Ecosse et du
pays de Galles, répondit Perlmutter, et leurs alliés du
continent, en particulier de Bretagne et de Belgique. Et
maintenant que nous connaissons la baie et la plaine,
nous pouvons nous concentrer sur le champ de bataille
et sur les défenses. Deux immenses fossés parallèles
subsistent au nord-est de Cambridge. Wilkens est persuadé qu'ils ont été construits par les envahisseurs pour
empêcher, comme les tranchées de la Première Guerre
mondiale, les défenseurs d'attaquer leur camp et leurs
vaisseaux.

— Alors, s'obstina Sandecker, où était la citadelle de
Troie ?

Ce fut Perlmutter qui releva le défi.

— L'hypothèse la plus vraisemblable la situe sur les
collines de Gog Magog : on y a découvert des vestiges
d'importants travaux de terrassement comprenant des
fortifications arrondies entourées de profonds fossés ;
les fouilles ont apporté la preuve de l'existence de
palissades en bois et la mise au jour de nombreux objets
en bronze. On a retrouvé aussi des urnes funéraires et
un grand nombre de squelettes portant des traces de
mutilations.

— D'où vient ce nom bizarre de Gog Magog ?
interrogea Summer.

— Quand les habitants ont, il y a bien des années,
exhumé accidentellement ces nombreux ossements, ils
ont pensé à une grande bataille conclue par un massacre. Ils se sont alors rappelé les invocations bibliques
d'Ezéchiel évoquant les mauvais esprits dans une
guerre déclenchée par le roi Gog de Magog.

— Très bien, concéda Sandecker en regardant tour
à tour Boyd et Chisholm, admettons que l'étain est
le déclencheur de la guerre de Troie et qu'elle s'est

déroulée dans le sud de l'Angleterre. Expliquez-moi, maintenant, poursuivit-il, le lien avec les objets celtes découverts par Dirk et Summer sur le banc de la Navidad ?

Les deux savants, visiblement, s'amusaient bien.

—Tout se recoupe, amiral, fit Boyd. Partant maintenant de la quasi-certitude que le véritable site de la guerre de Troie était en Angleterre, nous pouvons commencer à faire le rapprochement entre le grand périple d'Ulysse et le banc de la Navidad.

Le silence dans la salle était tel qu'on aurait entendu, comme dit le cliché, tomber une épingle.

—Pardon ? bégaya Gunn qui essayait d'assimiler ce qu'il venait d'entendre.

—St. Julien, vous ne marchez pas dans cette foutaise ? s'insurgea Sandecker en se tournant vers Perlmutter.

—Pas du tout une foutaise, riposta Perlmutter. Homère avait doté Ulysse du royaume d'Ithaque ; or cette île grecque n'a jamais abrité ce type d'Etat et ne porte aucune ruine significative. Wilkens démontre – du moins je le pense – que le royaume d'Ulysse ne se trouvait pas en Grèce, et Théophile Cailleux, un avocat belge de Calais, a affirmé, après de nombreuses recherches, que l'Ithaque d'Homère était Cadix en Espagne. Même si cette région s'est quelque peu modifiée au cours des trois mille dernières années, les géologues ont pu retracer les contours de plusieurs îles qui font maintenant partie du continent. Cailleux et Wilkens ont identifié la plupart des escales d'Ulysse ; aucune ne se trouve en Méditerranée.

—Je dois en convenir, fit Yaeger. Max et moi nous sommes servis de tout ce que nous avons pu rassembler concernant l'itinéraire d'Ulysse, des descriptions d'Homère, des travaux de Cailleux et de Wilkens, des méthodes de navigation en vigueur à l'âge de bronze, des données des marées et des courants ; nous avons réussi à retrouver ses différentes escales.

Yaeger s'empara de la télécommande et une carte de l'Atlantique Nord emplit l'écran. Une ligne rouge reliait le sud de l'Angleterre à la côte africaine puis traversait l'océan au large des îles du Cap-Vert pour atteindre les Caraïbes. Grâce à un rayon laser, il retraça le voyage d'Ulysse depuis l'Angleterre.

— Selon Ulysse, la tempête le poussa jusque chez des mangeurs de lotus, soit, d'après Wilkens, au Sénégal, où cette plante est consommée depuis des millénaires en raison de ses effets narcotiques. De là, les vents l'ont entraîné à l'ouest jusqu'aux îles du Cap-Vert qui coïncident en tout point avec la description que fait Ulysse du repère des Cyclopes.

— Cette contrée peuplée par des borgnes, ironisa Sandecker d'un ton condescendant.

— Nulle part, Homère ne laisse entendre qu'ils l'étaient tous, répliqua Yaeger. Seul Polyphème n'avait qu'un œil qui, de plus, n'occupait pas le milieu de son front.

— Si je me rappelle bien mes classiques, intervint Gunn, après avoir échappé aux Cyclopes, Ulysse, toujours poussé vers l'ouest par les vents, gagna ensuite les îles Eoliennes.

Yaeger se contenta de hocher la tête.

— En tenant compte des vents et des courants dominants, j'ai situé les escales suivantes d'abord sur l'une des nombreuses îles quelque part entre la Martinique et la Trinité, puis sur celle de Branwyn, au large de la Guadeloupe : les hautes falaises de la terre des Lestrygoniens, de part et d'autre de l'étroit chenal dans lequel son navire s'est engagé, correspondent parfaitement.

— Les Lestrygoniens qui ont détruit la flotte d'Ulysse, ajouta Perlmutter.

— Si c'était vrai, rétorqua Yaeger, les bateaux

chargés du trésor reposeraient encore au fond de la rade.

— Ce nom a-t-il une signification ?

— Branwyn, expliqua Yaeger, était une déesse celte, l'une des trois à exercer un matriarcat sur l'Angleterre.

— A quelle nation appartient Branwyn ? demanda Dirk.

— C'est une propriété privée.

— Connaissez-vous le propriétaire ? demanda Summer. Une vedette du rock, un acteur, un homme d'affaires ?

— Non, Branwyn appartient à une femme très riche. (Il s'interrompit pour consulter ses notes.) Epona Eliade.

— Epona, la déesse celte, murmura Summer. Quelle coïncidence !

— Cela va peut-être plus loin. Je vérifierai, annonça Yaeger.

— Où Ulysse se retrouve-t-il après ? s'informa Sandecker.

— Son navire, le seul rescapé des douze, poursuivit Yaeger, vogua jusqu'à l'île de Circé, Aeaea, pour nous le banc de la Navidad et qu'Homère situait au bout du monde.

— Circé ! s'exclama Summer. Circé, qui vécut et fut ensevelie dans l'édifice que nous avons découvert ?

— Qu'est-ce que je peux vous répondre ? soupira Yaeger en haussant les épaules. Rien que des hypothèses pratiquement impossibles à confirmer.

— Mais qu'est-ce qui a bien pu l'amener à traverser l'océan ? se demanda Gunn à voix haute.

— On a sous-estimé le nombre d'allers et retours entre les continents.

— Cela m'intéresserait de savoir où vous situez Hadès, dit Sandecker à Yaeger.

— Il s'agit très probablement des cavernes de Santo Tomas à Cuba.

— Et les sirènes, Scylla et le tourbillon de Charybde ? s'enquit Perlmutter.

— A mon avis, ces événements relèvent de l'imagination débridée d'Homère. Je ne trouve aucun repère géographique de ce côté-ci de l'Atlantique. (Il s'interrompit un moment avant de reprendre sur la carte le tracé du voyage d'Ulysse.) Ensuite, Ulysse navigue vers l'est jusqu'au moment où il atteint l'île de Calypso, Ogygie ou, d'après Wilkens et moi, Saint-Miguel des Açores.

— La superbe Calypso, la sœur de la déesse Circé, dit Summer. Des femmes de très haut rang. Ulysse a donc enchaîné les intermèdes romantiques avec les deux sœurs ?

— Parfaitement, répondit Yaeger. Ulysse quitte pourtant Calypso, éplorée, et poussé par des vents contraires, accoste sur l'île de Lanzarote dans les Canaries chez le roi Alcinous qui, au récit de ses aventures, lui fait cadeau d'un navire. Ulysse peut enfin regagner Ithaque.

— Où situez-vous Ithaque ? demanda Gunn.

— A Cadix, au sud-ouest de l'Espagne, comme Cailleux.

Un silence suivit toutes ces révélations.

— Il faut, fit Dirk en regardant Summer en souriant, rendre cette justice à Ulysse : il a réussi à séduire deux femmes parmi les plus belles et les plus influentes de son temps. Jusqu'à son arrivée, elles vivaient dans une chasteté inaccessible.

— Il se pourrait bien pourtant, coupa Chisholm, qu'elles n'aient pas été l'incarnation de la pureté, mais plutôt des druidesses participant à des rites pervers et sauvages et, selon toute probabilité, accomplissant des

sacrifices humains qu'elles considéraient comme indispensables à la vie éternelle.

— Difficile à croire, fit Summer en secouant la tête.

— Mais véridique, répondit Chisholm. On sait que
des druidesses ont entraîné des hommes à des rites
sacrificiels au cours d'orgies.

— Heureusement pour nous, commenta Yaeger, le
druidisme a disparu depuis mille ans environ.

— Justement pas, démentit Chisholm. Le druidisme
survit encore aujourd'hui. Certains cultes en Europe
pratiquent ces rites antiques.

— Sans les sacrifices humains quand même, lança
Yaeger avec un sourire.

— Mais si, répondit gravement Boyd. Bien que ce
soit un crime puni par la loi, on pratique encore le
sacrifice humain dans des cultes druidiques clandestins.

Une fois tout le monde parti, Sandecker convoqua
Dirk et Summer dans son bureau. Il alla droit au fait.

— J'aimerais vous confier à tous deux un projet
d'archéologie.

Summer et Dirk échangèrent des regards surpris.

— Que nous retournions au banc de la Navidad ?
avança Dirk.

— Non, mais que vous preniez l'avion pour la Guadeloupe et que vous examiniez la rade de l'île Branwyn.

— Il s'agit d'une propriété privée, n'aurons-nous pas
besoin d'une autorisation ? demanda Summer.

— Si vous ne posez pas le pied sur le rivage, il n'y
aura pas violation de propriété.

— Vous voulez, fit Dirk en lançant à Sandecker un
regard sceptique, que nous recherchions le trésor perdu
sur la terre de Lestrygonie par la flotte d'Ulysse ?

— Non, je veux que vous retrouviez les navires et ce

qu'ils contenaient car, en cas de réussite, il s'agirait de la plus vieille épave, et de loin, retrouvée dans l'hémisphère occidental. Cela bouleverserait toutes les connaissances en histoire ancienne. Si l'entreprise est faisable, je veux qu'elle soit réalisée par la NUMA.

— Vous m'accorderez, amiral, déclara Summer, que nous n'avons même pas une chance sur un million de réussir.

— Et quand bien même, elle vaudrait la peine d'être tentée.

— Avez-vous prévu un plan ?

— Vous partez demain matin à bord d'un avion de la NUMA que Rudi Gunn tient prêt. Vous vous poserez à Pointe-à-Pitre en Guadeloupe, où un représentant de la NUMA, Charles Moreau, vous accueillera. Il a affrété pour vous un bateau avec lequel vous vous rendrez à l'île de Branwyn, au sud de la Guadeloupe. Munissez-vous de votre propre matériel de plongée. Rudi vous fera parvenir un sondeur de sédiments qui vous permettra de déchiffrer toute anomalie que vous pourriez déceler dans la vase ou le sable.

— Pourquoi une telle précipitation ? demanda Dirk.

— Si le bruit de cette expédition se répand, et ce sera le cas, tous les chasseurs de trésors du monde vont fondre sur l'île. Je veux que la NUMA intervienne rapidement, qu'elle inspecte le fond de la mer et qu'elle reparte. Si vous réussissez, nous assurerons la sécurité de la zone avec les Français puisque la Guadeloupe est un de leurs départements. Des questions ?

— Qu'en penses-tu ? demanda Dirk à sa sœur en lui prenant la main.

— C'est très tentant.

— J'en étais sûr, se résigna Dirk. A quelle heure nous voulez-vous au terminal de la NUMA, amiral ?

— Mieux vaut partir de bonne heure. Votre avion décollera à six heures.

— Du matin ? demanda Summer, perdant un peu de son enthousiasme.

— Avec de la chance, s'esclaffa Sandecker, vous entendrez peut-être un coq chanter sur le chemin de l'aéroport.

33

La réunion terminée, Yaeger regagna par l'ascenseur son domaine du dixième étage. Peu amateur de déjeuners à notes de frais dans les restaurants branchés de Washington, il se contentait d'apporter à son bureau des fruits, des légumes et du jus de carotte.

Yaeger démarrait lentement et ne se jetait jamais d'emblée dans le travail ; il s'assit et commença à boire à petites gorgées la tisane qu'il venait de se préparer dans la kitchenette attenante à son bureau ; enfin il se plongea dans le *Wall Street Journal* pour vérifier la cote de ses placements. Cela fait, il s'attaqua au rapport fourni par la secrétaire de Sandecker sur la découverte par Pitt et Giordino d'un énorme réseau de tunnels dans le sous-sol du Nicaragua, et le copia sur une disquette. Puis, après une nouvelle gorgée de tisane, il pressa la touche qui commandait Max.

Elle se matérialisa lentement, dans un court peignoir de soie bleue ceinturé de jaune, et décoré d'étoiles bleues. WONDER WOMAN, disait une inscription dans son dos.

— Tu aimes mes fringues ? l'enjôla-t-elle.

— Tu as trouvé ça dans une friperie ? riposta Yaeger.

— A mes moments perdus, je surfe sur le catalogue d'Internet. Je l'ai mis sur le compte de ta femme, chez Neiman Marcus.

— Mais comment donc, fit Yaeger en souriant.

Max étant un hologramme ne pouvait en aucun cas manipuler des objets matériels. Il secoua la tête, amusé du caractère bizarre mais enjoué de Max. Il se demandait parfois si l'avoir programmée avec l'apparence et la personnalité de sa femme n'avait pas été une erreur.

—Quand tu auras fini de chercher à m'épater, Wonder Woman, j'aurai un petit travail pour toi.

—Je suis prête, Maître.

Yaeger installa dans la mémoire de Max le contenu de la disquette.

—Prends ton temps et dis-moi ce que tu trouves là-dedans.

Max demeura quelques instants immobile puis demanda :

—Que veux-tu savoir ?

—La question est : Quel mobile peut bien pousser Odyssée et les Chinois à creuser quatre énormes tunnels sous le Nicaragua de l'Atlantique au Pacifique ?

—C'est d'une simplicité enfantine. Voilà une devinette qui n'aura pas eu l'occasion d'échauffer mes circuits.

—Tu ne peux pas répondre sans avoir analysé le problème.

—C'est tellement élémentaire, fit Max en étouffant un bâillement. L'incapacité des humains à voir plus loin que le bout de leur nez m'étonnera toujours.

J'ai fait une erreur dans le programme, la réponse de Max est beaucoup trop rapide, se dit Yaeger qui poursuivit néanmoins :

—Bon, j'ai hâte d'entendre ton explication.

—Tes fameux tunnels sont destinés à drainer d'énormes quantités d'eau.

—Quelle révélation quand il s'agit de tunnels reliant des océans et munis de systèmes de pompage colossaux ! railla Yaeger.

—Peux-tu me dire alors pourquoi il leur faut pomper autant d'eau ?

—Pour un vaste programme de désalinisation, ou d'irrigation ? Bon sang, je n'en sais rien.

—Ce n'est pas possible d'être aussi bouché, marmonna Max. Es-tu prêt, Maître ?

—Je te serais reconnaissant de m'éclairer.

—Ces tunnels ont été créés pour détourner le courant sud-équatorial qui coule de l'Afrique vers la mer des Caraïbes.

—Il y a menace écologique ? interrogea Yaeger, déconcerté.

—Tu ne vois pas ?

—L'océan Atlantique réussira bien à compenser la perte de quelques millions de litres.

—Ce n'est pas drôle.

—Alors quoi ?

Max mima le désespoir.

—Détourner le courant sud-équatorial abaisserait la température du Gulf Stream aux abords de l'Europe de près de huit degrés.

—Et... ? insista Yaeger.

—Une telle chute donnerait au continent européen un modèle climatique comparable à celui de la Sibérie du Nord.

Yaeger n'appréhenda pas tout de suite l'énormité des conséquences qu'impliquaient les propos de Max.

—Tu es sûre ?

—Je me suis déjà trompée ? râla Max.

—Huit degrés, ça me paraît excessif, insista Yaeger, sceptique.

—Au large de la Floride la température du Gulf Stream n'enregistrera peut-être qu'une chute de trois degrés, mais quand il retrouvera, au large des provinces maritimes du Canada, le courant glacial du Labrador descendu de l'Arctique, la baisse sera amplifiée. Phé-

nomène qui, à son tour, refroidira grandement l'Europe
et provoquera un bouleversement de l'atmosphère
depuis la Scandinavie jusqu'au bassin méditerranéen.

Yaeger perçut soudain clairement la monstruosité du
projet. Il décrocha le téléphone et appela le bureau de
Sandecker. La secrétaire de l'amiral lui passa aussitôt
son patron.

— Max a trouvé ? s'enquit d'emblée Sandecker.

— Oh ! que oui !

— Et ?

— Amiral, scanda Yaeger d'une voix rauque, une
catastrophe se prépare.

34

En attendant l'hélicoptère, retardé de près d'une heure, Giordino s'abandonna à une douce somnolence tandis que Pitt examinait à la jumelle le lac Nicaragua qui cernait le phare ; sur la rive occidentale, à moins de cinq kilomètres, il distinguait un petit village – Rivas, lut-il sur la carte. A l'ouest, à huit kilomètres à peine, une île majestueuse en forme de 8, fertile et très boisée, d'environ quatre cents kilomètres carrés selon ses estimations.

Sa carte la signalait sous le nom d'Ometepe. Pitt braqua ses jumelles sur deux montagnes volcaniques reliées par un isthme de trois kilomètres ; le volcan à l'extrémité nord de l'île s'élevait à plus de quinze cents mètres et le panache de fumée qui en sortait témoignait de son activité.

Le volcan situé au sud, trois cents mètres de moins que son compagnon du nord, formait un cône parfait et semblait endormi. Pitt calcula que les quatre tunnels souterrains passaient juste sous l'isthme de l'île, presque au pied du volcan nord : voilà qui explique, se dit-il, l'anormale élévation de température que Giordino et moi avons constatée. Un coup d'œil à la carte lui apprit que le volcan en activité s'appelait Concepción et son compagnon Madera.

Puis il braqua ses jumelles dans une autre direction ; ce qu'il découvrit alors le fit sursauter : une vaste installation industrielle couvrait entre deux et trois mille hectares des pentes méridionales de Concepción. Comment peut-on choisir un endroit pareil, à l'écart de tout moyen de transport, pour un complexe industriel de plusieurs millions de dollars, songea-t-il, si on ne tient pas à l'entourer de mystère ?

Là-dessus, un avion apparut, venant du nord, qui s'aligna sur une piste tracée à travers l'isthme jusqu'à l'entrée du complexe ; il vira autour du pic du Madera, se posa, puis roula jusqu'à un vaste terminal à l'extrémité du tarmac.

Ce que Pitt venait de découvrir le contrariait tellement qu'il reposa ses jumelles pour en nettoyer les objectifs ; puis, comme pour se rassurer, il les braqua de nouveau sur l'avion.

Le soleil, entre deux nuages, inondait de lumière l'île d'Ometepe et faisait étinceler la couleur lavande du fuselage et des ailes de l'appareil, pourtant à peine plus gros qu'une fourmi dans les jumelles.

— Odyssée, murmura Pitt tout en réalisant que le complexe était situé juste au-dessus du tunnel. Voilà qui explique les gros ascenseurs que nous avons aperçus dans le dépôt de la voie ferrée. Quel qu'en soit l'usage, le complexe est sans doute connecté aux tunnels, mais, à en juger par sa taille, il doit avoir une autre fonction.

Il balaya alors du regard les bâtiments qui se dressaient autour de la base du volcan et s'arrêta sur une sorte de quai de déchargement derrière une rangée d'entrepôts ; leurs toits masquaient un peu la vue, mais il distingua quatre grues qui se découpaient sur le ciel bleu. Le complexe n'avait besoin d'aucun système extérieur de transport : il était totalement autonome ! Puis trois faits se produisirent presque simultanément qui l'alertèrent aussitôt.

Le phare se mit soudain à remuer comme une danseuse hawaiienne. Il l'avait affirmé à Percy Rathbone, son enfance californienne l'avait habitué aux tremblements de terre comme celui qui, un jour, avait fait osciller un immeuble de trente étages de Wilshire Boulevard dans lequel il se trouvait et dont, heureusement, les fondations reposaient sur les gigantesques rouleaux de béton profondément enfouis dans le sol prévus par la réglementation antisismique. Il retrouva exactement la même impression, à ceci près que le phare tremblait et tanguait comme un palmier pris dans des vents tourbillonnants.

Pitt pensa aussitôt à une éruption du volcan Concepción ; mais cela ne semblait pourtant pas être le cas. En revanche la surface du lac ondulait comme secouée en dessous par une gigantesque vibration. Une minute s'écoula – une éternité pour Pitt – puis la terre s'arrêta de trembler ; Giordino ne s'était pas réveillé.

Le second danger, un petit patrouilleur couleur lavande, arrivait de l'île et se dirigeait droit vers le phare. A bord, les gardes devaient se dire qu'ils tenaient leur proie car ils progressaient sans hâte.

Le troisième danger surgit sous leurs pieds. Ce qui sans doute leur sauva la vie dans les secondes qui suivirent, ce fut un bruit à peine perceptible, un cliquetis de métal contre métal provenant du puits conduisant au tunnel.

Pitt secoua Giordino.

— Nous avons de la visite. On dirait qu'ils ont retrouvé notre trace.

Giordino s'éveilla aussitôt et tira de sa ceinture l'automatique Desert Eagle de calibre 50 tandis que Pitt prenait dans son sac son vieux Colt 45.

Accroupi auprès du puits, Pitt cria sans regarder pardessus le bord :

— Restez où vous êtes… !

La réponse n'était pas tout à fait inattendue : un feu

nourri jaillit du puits et transforma le toit métallique du phare en passoire.

Pitt rampa jusqu'à une fenêtre et, de la crosse de son Colt, tenta d'en briser la vitre ; plusieurs coups violents furent nécessaires. Pitt s'empressa alors d'écraser les éclats de verre qui jonchaient le sol et, les poussant du bout du pied, les fit dégringoler comme un déluge de poignards acérés. Des hurlements et des cris de douleur jaillirent du puits et le tir cessa.

Profitant de cette pause, Pitt et Giordino tirèrent à l'aveuglette : leurs balles, ricochant sur les parois de béton, firent des ravages parmi les gardes de la sécurité d'Odyssée qui escaladaient l'échelle. Ils entendirent des plaintes, puis le bruit sourd de corps s'écrasant sur le sol du tunnel.

— Cela devrait contrarier leurs projets, constata Giordino tout en glissant un chargeur dans son arme.

— Nous n'en avons pas fini avec les invités indésirables, annonça Pitt en désignant le patrouilleur qui, maintenant, fonçait vers le phare, son étrave jaillissant au-dessus de l'eau.

— Ça va être juste, estima Giordino en désignant de la tête un hélicoptère bleu qui arrivait du nord au-dessus du lac.

— L'hélico va plus vite, fit Pitt avec un sourire un peu crispé. Probablement un bon kilomètre d'avance sur le bateau.

— Pourvu qu'ils ne soient pas armés de lance-roquettes, murmura Giordino.

— On va bientôt le savoir. Sois prêt à empoigner le harnais.

— Nous hisser l'un après l'autre prendrait trop de temps, déclara Giordino. Je suggère que nous fassions ensemble nos adieux au phare.

— D'accord, acquiesça Pitt.

Ils sortirent sur l'étroit balcon qui couronnait le

phare. Pitt reconnut l'hélicoptère : un Bell 430 avec deux moteurs Rolls Royce ; ses flancs arboraient en lettres jaune et rouge MANAGUA AIRWAYS. Il observa son approche et le harnais qu'un homme d'équipage commençait à descendre au bout d'un câble.

Plus grand de trente centimètres que Giordino, Pitt sauta et attrapa du premier coup le harnais qu'il passa aussitôt autour des épaules de son ami.

— Tu es plus costaud que moi. Accroche-toi et je me tiendrai à toi.

Giordino saisit le câble tandis que Pitt entourait sa taille. Ils n'avaient pas vu qu'on leur faisait des signes frénétiques pour leur faire comprendre l'impossibilité de les hisser ensemble.

Trop tard. Pitt et Giordino avaient été arrachés du balcon du phare ; ils étaient suspendus à trente mètres au-dessus de l'eau tandis qu'une rafale de vent secouait l'hélico. Le pilote sentit l'appareil pencher brutalement à tribord et s'empressa de faire la correction nécessaire ; il resta en position stationnaire tandis que son équipier regardait le treuil qui peinait à remonter les deux hommes.

La chance les accompagnait car le bateau des poursuivants ne tira pas de missiles et la paire de mitrailleuses de gros calibre montées à l'avant crépita inutilement ; le tireur était encore trop éloigné et, de toute façon, les bonds de l'embarcation l'empêchaient de viser.

Le pilote prit peur et oublia les hommes qu'il était venu sauver ; il vira pour battre précipitamment en retraite vers le rivage. A six mètres encore de la carlingue, Pitt et Giordino tournoyaient comme des toupies. Giordino avait l'impression que ses clavicules allaient sauter. Quant à Pitt, il ne pouvait rien faire de plus que de se cramponner de toutes ses forces à Giordino en criant d'accélérer la remontée.

Devinant la torture que subissait Giordino, Pitt fut tenté un instant de lâcher prise, mais un coup d'œil au lac, cent cinquante mètres plus bas, le fit rapidement changer d'avis. Puis le regard ahuri de leur sauveteur ne fut plus qu'à un mètre cinquante ; il cria quelque chose au pilote qui fit virer l'hélico juste assez pour que Pitt et Giordino s'écroulent enfin dans la carlingue. On eut tôt fait de fermer la porte coulissante.

Encore sous le choc, l'équipier contemplait les deux hommes affalés sur le plancher.

—Vous, *hombres*, vous êtes *loco*, grommela-t-il avec un fort accent espagnol. Treuil seulement pour sacs courrier de cinquante kilos.

—Il parle anglais, observa Giordino.

—Pas très bien, précisa Pitt. Rappelle-moi d'écrire une lettre de félicitations à la compagnie qui a fabriqué le treuil.

Il se remit sur ses pieds et se précipita dans le cockpit ; il chercha le patrouilleur : il avait abandonné la poursuite et rebroussait chemin vers l'île.

—Qu'est-ce que c'est que ce cirque ? s'écria le pilote vraiment furieux. Ces clowns nous ont bel et bien tiré dessus.

—Heureusement qu'ils sont mauvais tireurs.

—Je pensais à un vol sans histoire quand je l'ai accepté, maugréa le pilote. Qui êtes-vous et pourquoi ce patrouilleur vous poursuivait-il ?

—Conformément à ce que précise votre plan de vol, répondit Pitt, mon ami et moi appartenons à la NUMA. Je m'appelle Dirk Pitt.

Le pilote retira une main des commandes et la lui tendit par-dessus son épaule.

—Marvin Huey.

—Américain, du Montana, à en juger par votre accent.

—Pas loin. J'ai grandi dans un ranch du Wyoming.

Après vingt années aux commandes d'engins de ce type dans l'Air Force et m'être fait plaquer par ma femme pour les beaux yeux d'un pétrolier, je me suis retiré ici où j'ai monté une petite compagnie d'avions-taxis.

Pitt serra la main qu'on lui tendait et examina rapidement le pilote : pas très grand, des cheveux roux clairsemés et des yeux bleu pâle qui semblaient en avoir trop vu, jean délavé, chemise à fleurs et bottes de cow-boy, il paraissait avoir dépassé la cinquantaine.

— Vous ne m'avez pas dit pourquoi vous deviez filer, fit Huey en jetant à Pitt un regard curieux.

— Nous avons vu quelque chose que nous n'aurions pas dû voir, répondit Pitt sans préciser.

— Dans un phare abandonné ?

— Il n'est pas ce dont il a l'air.

Huey n'en croyait rien, mais il n'insista pas.

— Nous serons au terrain de Managua dans cinq minutes.

— Le plus tôt sera le mieux. (Pitt désigna le siège vide du copilote.) Vous permettez.

— Bien sûr, fit Huey.

— Est-il possible de survoler les installations d'Odyssée ?

Huey se tourna de quelques centimètres et lança à Pitt un regard qu'on réserve en général aux simples d'esprit.

— Vous plaisantez ! Cet endroit est encore plus étroitement gardé que Fort Knox. Je m'approche à huit kilomètres et j'ai aussitôt un avion de la sécurité aux fesses !

— Que se passe-t-il donc là-bas ?

— Personne ne le sait. L'installation est si secrète que les Nicaraguayens en nient même l'existence. Le petit atelier de départ s'est beaucoup développé depuis cinq ans. Les mesures de sécurité dépassent tout ce qu'on peut imaginer. On a bâti d'énormes entrepôts et, pense-t-on, des ateliers de montage. On raconte qu'il y a de quoi loger trois mille personnes. Auparavant, les Nicaraguayens cultivaient du café et du tabac sur ces îles. Les villes principales, Alta Garcia et Moyogalpa, ont été rasées et les gens expulsés par les autorités nicaraguayennes qui les ont relogés dans les montagnes à l'est.

— Le gouvernement a dû beaucoup investir dans ces installations.

— Je n'en sais rien, mais il s'est montré extrêmement coopératif : il a laissé Odyssée opérer à sa guise.

— Est-ce que quelqu'un a déjà réussi à déjouer la sécurité d'Odyssée ?

— Personne qui soit encore en vie en tout cas, fit Huey avec un pâle sourire.

— C'est tellement difficile ?

— Des véhicules équipés d'un matériel de surveillance extrêmement sophistiqué patrouillent sur toutes les plages. Des bateaux assistés par des hélicoptères circulent dans les parages de l'île. Des palpeurs de distance détectent le moindre mouvement sur tous les accès. A ce qu'on dit, les ingénieurs d'Odyssée ont obtenu un degré de perfection tel que leurs appareils sont capables de repérer tout être approchant des bâtiments et même de distinguer les hommes des animaux.

— Des photos prises par satellite ? insista Pitt.

— Vous pouvez toujours acheter celles des Russes, mais ça ne vous dira pas ce qui se passe au sein de ce labyrinthe.

— Des rumeurs alors…

— Oh oui, des tas. La seule qui repose sur des éléments fiables parle d'un site de recherche et de développement. Quant à ce qu'ils veulent, allez savoir.

— Ce complexe a un nom ?

—Je ne connais que celui que lui donnent les indigènes.

—Qui est ? demanda Pitt.

—En anglais, lâcha Huey au bout d'un moment, ça donne « la maison des invisibles ».

—Pour quelle raison ?

—Parce qu'on ne revoit jamais aucun de ceux qui entrent.

—Les fonctionnaires locaux n'enquêtent jamais ?

—Les bureaucrates nicaraguayens, fit Huey en secouant la tête, pratiquent une politique de non-intervention. La direction d'Odyssée aurait acheté la totalité des hommes politiques, des juges et des chefs de police de ce pays.

—Et les Chinois de la République populaire ? Ils sont dans le coup ?

—Aujourd'hui, ils sont partout en Amérique centrale. Ils ont passé il y a environ trois ans un contrat avec Odyssée pour la construction d'un petit canal sur la rive occidentale du lac Nicaragua, à Pena Blanca, pour permettre le passage de gros cargos.

—L'économie nationale en a certainement profité.

—Pas vraiment. La plupart des navires qui utilisent le canal appartiennent à des armateurs chinois.

—La COSCO ?

—Oui, confirma Huey, ils sont amarrés en permanence aux quais d'Odyssée.

Pitt se tut le reste du trajet, réfléchissant aux innombrables contradictions et mystères d'Odyssée, songeant à son étrange fondateur et à ses activités encore plus étranges. L'hélicoptère à peine posé, Pitt s'éloigna pour appeler l'amiral Sandecker.

—Vous n'êtes pas encore parti pour Washington ? s'écria Sandecker fidèle à ses habitudes.

—Non, d'ailleurs nous ne partons pas, répondit carrément Pitt.

—Je présume que vous avez une bonne raison, répondit Sandecker qui le savait fort bien.

—Savez-vous qu'Odyssée a bâti une énorme installation secrète sur une île du lac Nicaragua située juste au-dessus des tunnels?

—Je ne connais rien d'autre qu'un rapport que j'ai lu sur la construction par Odyssée d'un canal reliant l'océan au lac pour permettre l'accès aux gros cargos. (Sandecker marqua un temps.) En y réfléchissant bien, le rapport évoquait vaguement des facilités portuaires que les Nicaraguayens étaient en train de construire dans la ville portuaire de Granada, à quelques kilomètres à l'est de Managua.

—Ce flou s'explique par le fait que ces installations étaient construites sur le complexe d'Odyssée dans l'île d'Ometepe pour leur seul usage.

—Que projetez-vous? s'informa Sandecker.

—Je propose qu'Al et moi, nous nous introduisions dans le complexe pour enquêter.

Sandecker hésita.

—Après vous être échappés in extremis du tunnel? Vous poussez le bouchon un peu loin.

—Notre technique pour entrer par effraction s'améliore…

—Ce n'est pas drôle, coupa sèchement Sandecker. Leurs mesures de sécurité doivent être très strictes. Comment comptez-vous vous faufiler à l'intérieur?

—Par l'eau.

—Vous ne pensez pas qu'ils ont des palpeurs sous-marins?

—A vrai dire, déclara Pitt, le contraire me surprendrait beaucoup.

35

L'amiral fixait Hiram Yaeger d'un regard incrédule.

— Vous en êtes sûr ? Il y a certainement une erreur dans vos banques de données.

Mais Yaeger restait inébranlable.

— Max n'est pas infaillible à cent pour cent, mais sur ce point je crois qu'elle a raison.

— Ça dépasse l'imagination, fit Gunn occupé à lire les projections de Max.

Sandecker secoua lentement la tête.

— Vous êtes en train de dire que les tunnels ont été creusés pour détourner le courant sud-équatorial, ce qui provoquerait une chute de la température du Gulf Stream.

— Selon le modèle informatique de Max, une baisse de huit degrés quand ses eaux atteindront l'Europe.

Gunn leva les yeux de son dossier.

— Les effets sur le climat seraient catastrophiques : le vieux continent connaîtrait huit mois sur douze un froid polaire.

— N'oublions pas que le Gulf Stream exerce aussi son influence sur la côte Est des Etats-Unis et sur les provinces maritimes du Canada, ajouta Sandecker. Tous les Etats à l'est du Mississippi subiraient un froid aussi mordant qu'en Europe.

— Agréable perspective, marmonna Gunn.

— L'eau tiède de surface du courant atlantique a une

température et une salinité qu'on peut contrôler, expliqua Yaeger. Ces eaux tropicales, se dirigeant vers le nord, se mélangent avec l'eau froide descendant de l'Arctique là où sa densité l'entraîne vers le fond, au sud-est du Groenland. C'est ce qu'on appelle la circulation thermohaline. L'eau ensuite se réchauffe peu à peu et remonte à la surface en atteignant l'Europe. Une brusque chute de température du Gulf Stream pourrait provoquer également l'arrêt de la circulation thermohaline, ce qui causerait des perturbations pour au moins plusieurs siècles.

— Quels seraient les résultats les plus immédiats ? se renseigna Sandecker.

Yaeger étala quelques papiers sur le bureau et expliqua :

— Pour commencer, les sans-abri mourraient d'hypothermie par milliers. L'insuffisance des réserves de chauffage en raison d'une demande démesurée entraînerait la mort d'une grande partie de la population. Le trafic fluvial serait paralysé par les glaces. Les ports de la Baltique et de la mer du Nord seraient bloqués, ce qui immobiliserait les navires transportant le pétrole et le gaz naturel liquéfié utilisables pour le chauffage ainsi que les millions de tonnes de vivres importés. La production agricole diminuerait de moitié. Le raccourcissement des périodes de maturité provoquerait des pénuries de vivres. Les transports automobiles seraient paralysés par le gel du réseau routier, les chutes de neige et le manque de carburant, en même temps que les aéroports et les voies ferrées seraient inutilisables des semaines durant. Les gens succomberaient plus facilement aux refroidissements, aux épidémies de grippe et de pneumonie. Du jour au lendemain, le tourisme disparaîtrait. L'économie européenne sombrerait dans un chaos total sans espoir d'amélioration. Et tout cela n'est qu'un début.

— Adieu alors les vignobles français et les champs de tulipes hollandais, murmura Gunn.

— Pourrait-on augmenter le débit des arrivées de gaz naturel par les pipelines du Moyen-Orient et de Russie ? fit Sandecker.

— Une goutte d'eau dans la mer compte tenu de la demande, sans parler des coupures d'énergie électrique provoquées par de violentes tempêtes hivernales. Max estime à trente millions au moins les foyers européens privés de chauffage.

— Vous disiez, fit Gunn en levant de nouveau les yeux de ses notes, que ce n'était qu'un début.

— D'autres calamités surviendraient avec l'augmentation des températures à la fin du printemps, poursuivit Yaeger. Ce terrible scénario sera complété par de fortes pluies et des vents violents, et par conséquent par d'énormes inondations. Des avalanches et des glissements de terrain enseveliraient des villes entières et détruiraient des pans entiers du réseau routier. Impossible même d'imaginer les pertes en vies humaines provoquées par un tel cataclysme.

Gunn et Sandecker restèrent quelques instants silencieux. Puis ce dernier demanda :

— Pourquoi ?

Gunn exprima tout haut la pensée qui hantait tous les esprits.

— Quel profit le Spectre et la Chine populaire tireraient-ils d'un projet aussi démoniaque ?

— Max n'a pas encore de réponse à cette question, admit Yaeger.

— Le Spectre chercherait-il à obtenir le contrôle des importations européennes de gaz naturel ? avança Sandecker.

— Nous nous sommes posé la même question et nous avons fait des projections sur les principaux producteurs de gaz naturel qui alimentent l'Europe, répondit Yaeger.

La réponse est non. Odyssée n'a d'intérêt dans aucune des sources de gaz naturel ou de pétrole du monde. Les seuls minerais qui semblent attirer le Spectre se résument au platine, au palladium, à l'iridium et au rhodium. Il est propriétaire d'importants dépôts et exploite des mines en Afrique du Sud, au Brésil, en Russie et au Pérou. Il disposerait du monopole sur les réserves mondiales s'il pouvait prendre le contrôle de la mine Hall en Nouvelle-Zélande dont la production à elle seule représente celle de tous les autres pays réunis ; mais son propriétaire, Westmoreland Hall, refuse de vendre.

— D'après ce que je me rappelle de mes cours de chimie au lycée, dit Sandecker, on utilise essentiellement le platine pour la production d'électrodes comme celles des bougies d'automobiles et pour la joaillerie.

— Ce produit est également très recherché par les laboratoires de chimie en raison de sa forte résistance à la chaleur.

— Je ne vois pas le rapport entre ses activités minières et son projet de ramener l'Europe à l'époque glaciaire.

— Il doit y avoir une raison, dit Gunn. Le retour sur investissement de ces tunnels doit être astronomique pour couvrir les frais de ces travaux souterrains. S'il ne tire pas profit de la demande d'énergie, de quoi alors ?

Sandecker se tourna pour contempler le Potomac, puis il revint à Yaeger.

— Ces pompes, alimentées par cette énorme pression de l'eau, pourraient-elles servir à fournir de l'électricité ? Car, dans ce cas, elles produiraient assez d'énergie pour alimenter la quasi-totalité de l'Amérique centrale.

— Pitt, répondit Yaeger, ne mentionne pas de générateurs dans son rapport. Giordino et lui auraient certainement remarqué une source d'énergie s'ils en avaient vu une.

— Vous êtes au courant de l'escapade que projettent ces deux-là ? dit Sandecker en regardant Gunn droit dans les yeux.

— Absolument pas, se défendit Gunn. Je les croyais sur un vol pour Washington.

— Il y a eu un changement de programme.

— Oui ?

— Ils s'apprêtent à inspecter clandestinement une installation secrète construite par Odyssée sur une île au beau milieu du lac Nicaragua ; ils viennent de m'en aviser.

— Vous leur avez donné votre bénédiction ? demanda Gunn avec un sourire narquois.

— Vous les avez déjà vus accepter un « non » de ma part ?

— Ils rapporteront peut-être quelques réponses.

— S'ils ne se font pas tuer, lâcha Sandecker, sinistre.

— Vous êtes au courant de la réponse que j'ai faite ?... Un Stockoday, en réguliat. C'est elle
dans les yeux.

— Absolument pas, se défendit Gunn. Je les croyais
en vol pour Washington.

— Il n'a eu un changement de programme.

— Oui ?

— Je « répétais » à mauvaise affaire sûrement, une
machination, sembre constituée par Odyssée sur une en-
tente menée du lac Michigan. Il s'agissait de ...
ayant.

— Vous avez vécu chopas, vous, dans l'affaire ?
Gunn se shugu avec un secret mépris.

— Nous les avez-il vus voulez impétion ? Ne dis-
pat ?

— Ils faisaient pas à faire quelques choses.

— Il eût délivré me tout lieux. Gunn se tut, sincère.

QUATRIÈME PARTIE

La clef

MÉGALITHE DE L'ÎLE DE BRANWYN

36

30 août 2006,
île de Branwyn, Guadeloupe.

Le jet privé et les avions de la société commençaient à arriver sur Branwyn, à vingt-cinq kilomètres au sud de Basse-Terre, l'une des principales îles à l'ouest de la Guadeloupe dans les Caraïbes. Des minibus lavande luxueusement aménagés venaient chercher les passagers pour les conduire dans le somptueux sanctuaire souterrain, accessible seulement aux invités du Spectre, uniquement des femmes en l'occurrence.

Chacune d'elles arrivait seule.

Le dernier appareil, le Beriev Be-210 de la compagnie, atterrit à six heures du soir. Le Spectre, le seul homme présent, en descendit d'un pas lourd. Suivait une civière transportant un corps entièrement dissimulé par une couverture. Le Spectre, dans son costume blanc traditionnel, s'installa sur la banquette arrière et se versa un verre de beaujolais.

Le chauffeur, qui avait déjà travaillé à plusieurs reprises pour le Spectre, constatait toujours avec la même stupéfaction l'agilité avec laquelle se déplaçait ce personnage si volumineux. Sans se soucier de la pluie qui commençait à tomber, il observa un moment avec curiosité la forme allongée sur la civière qu'on avait déchargée sans cérémonie sur la plate-forme d'une camionnette.

A l'extrémité méridionale de l'île, on avait creusé dans la roche et dans le corail une cuvette en forme de chaudron large d'une centaine de mètres, à une distance telle qu'aucun des bateaux croisant dans les parages ne puisse observer ce qu'on y faisait.

A l'intérieur du chaudron se dressaient à un mètre les unes des autres des colonnes de pierre d'environ quatre mètres de hauteur, répliques des célèbres et mystérieux mégalithes de Stonehenge. Leur base mesurait deux mètres sur moins d'un mètre. Leur faîte soutenait des linteaux de trois mètres qui épousaient la courbure du cercle.

Au milieu de cinq trilithes, avec leur propre linteau, taillés dans des blocs de lave, trônait le monument dont l'original érigé en Angleterre entre 2550 et 1600 av. J.-C. était en grès.

Principale différence entre les deux : l'énorme bloc de marbre en forme de sarcophage et haut de près de trois mètres. On y accédait par des marches menant à une plate-forme courant le long des côtés sur lesquels était sculpté le cheval d'Uffington en plein galop.

De nuit, des projecteurs invisibles baignaient l'intérieur de la cuvette de flots de lumière lavande qui tourbillonnaient autour des colonnes tandis qu'un faisceau de rayons-laser disposés à l'extérieur du cercle fouillaient le ciel nocturne. On les allumait brièvement en début de soirée avant de les éteindre.

Peu avant minuit, comme si on en avait donné l'ordre, la pluie cessa. Quand on ralluma les lumières, trente femmes en péplum s'étaient intercalées entre les trilithes, les plis de leurs tuniques formant un véritable arc-en-ciel. Elles portaient de longues perruques rousses et avaient le visage, le cou et les bras pailletés d'argent. Ce maquillage argenté les rendait toutes identiques, comme des sœurs.

Immobiles, elles contemplaient le personnage allongé sur le bloc de marbre : un homme. On ne distinguait de lui que le haut de son visage ; le reste – le corps, le menton et la bouche – était voilé de soie noire. Son abondante chevelure grisonnante, son nez, son menton au profil accentué et ses traits marqués accusaient une solide cinquantaine. De grands yeux un peu protubérants fixaient tour à tour les lumières et le faîte des colonnes. Il semblait faire corps avec la dalle de marbre car il lui était impossible de tourner la tête : il ne pouvait que regarder vers le haut et fixait d'un regard terrifié le faisceau laser qui s'enfonçait dans le ciel noir au-dessus de lui.

Soudain le tourbillon lumineux s'éteignit, seuls les projecteurs lasers continuèrent d'éclairer le socle de marbre. Puis, une minute plus tard, tout se ralluma. On aurait pu croire tout d'abord que rien n'avait changé, mais, comme par magie, était apparue une femme dans un péplum d'or, la tête couverte d'une chevelure flamboyante qui tombait en cascade jusqu'à ses hanches. Sa peau brillait d'un éclat nacré. Son corps svelte était parfait. Avec des gestes empreints d'une grâce féline, elle gravit les marches jusqu'à la dalle de marbre dont on comprit alors que c'était un autel.

Levant les bras, elle se mit à psalmodier : « *Ô filles d'Ulysse et de Circé, qu'on ôte la vie à ceux qui n'en sont pas dignes. Grisez-vous des richesses et des dépouilles des hommes qui veulent vous asservir. Recherchez les puissants et les nantis et, quand vous les aurez trouvés, exploitez-les, assouvissez leurs désirs, faites main basse sur leurs trésors et pénétrez dans leur monde.* »

Toutes les femmes levèrent alors les bras pour reprendre en chœur : « *Grande est notre communauté car nous sommes les piliers du monde, grandes sont les filles d'Ulysse et de Circé car une allée de gloire s'étend devant elles. »*

Le chant se répéta inlassablement, augmentant puis diminuant d'intensité sonore jusqu'à ne plus être qu'un murmure tandis qu'elles abaissaient les bras.

La femme dressée devant l'homme terrifié, allongé sur l'autel de marbre, tira des plis de sa tunique un poignard qu'elle brandit au-dessus de sa tête. Les autres femmes montèrent les marches pour faire cercle autour de ce qui s'annonçait comme un sacrifice païen. A leur tour elles exhibèrent des lames et les levèrent vers le ciel.

La grande prêtresse se mit à chanter : « *Ici gît celui qui n'aurait pas dû naître.* »

Là-dessus, elle plongea sa lame dans la poitrine du malheureux attaché à l'autel puis brandissant le poignard ruisselant de sang, elle s'écarta pour permettre à ses compagnes de répéter l'une après l'autre son geste.

Quand elles eurent terminé, elles descendirent les marches et reconstituèrent le cercle au pied des colonnes, en exhibant les poignards ensanglantés comme des offrandes. Un étrange silence régna quelques instants avant qu'elles n'entonnent en chœur : « *Sous le regard de nos dieux, nous triomphons.* »

Le faisceau laser et les lumières tourbillonnantes s'éteignirent, plongeant le temple dans la nuit.

Le lendemain, les milieux d'affaires apprenaient avec stupéfaction la disparition de Westmoreland Hall, le magnat de l'édition. Parti seul à la nage comme chaque matin de la plage de sa somptueuse propriété de la Jamaïque, il n'était pas revenu. Il avait l'habitude d'aller en eau profonde et de laisser les courants le ramener sur le rivage par un étroit chenal. On ignorait son sort : s'était-il noyé, avait-il été attaqué par un requin ou était-il mort de cause naturelle ? Malgré tous les efforts des autorités jamaïquaines, on n'avait pas retrouvé son corps.

La notice nécrologique précisait :

Fondateur de l'empire minier dont le groupe basé en Nouvelle-Zélande détenait les principales réserves mondiales de platine et de cinq autres métaux rares, Hall était un patron impitoyable qui avait assuré sa réussite en rachetant des mines au bord de la faillite pour les redresser avant de les utiliser comme garantie pour financer de nouvelles acquisitions au Canada et en Indonésie. Depuis la mort de sa femme dans un accident de voiture trois ans auparavant, il ne restait à Westmoreland Hall que son fils, Myron, peintre reconnu, et sa fille Rowena qui, en tant que vice-présidente, va devenir président-directeur général et assumer la gestion quotidienne du conglomérat.

Au grand étonnement de la plupart des économistes de Wall Street, le cours des actions de Hall Enterprises a fait un bond de dix points malgré l'annonce de son décès. La plupart du temps en effet, quand le directeur d'une grosse société disparaît, l'action chute, mais des agents de change ont signalé des achats massifs provenant de plusieurs spéculateurs inconnus. La plupart des experts prédisent que Rowena Westmoreland vendra les actifs de son père au groupe Odyssée : on sait en effet que son fondateur, M. Spectre, a fait une offre qui dépasse tout ce que peut proposer un autre conglomérat minier.

Un service sera célébré à la cathédrale de Christchurch mercredi prochain à quatorze heures.

Dix jours plus tard, un entrefilet parut dans la rubrique Affaires des principaux quotidiens du monde entier :

M. Spectre du Groupe Odyssée a acheté à la famille de feu Westmoreland Hall la société minière Hall pour une somme qui n'a pas été révélée.

La présidente et principale actionnaire, Rowena Westmoreland, continuera de diriger les opérations de la société en tant que président-directeur général.

On ne précisait pas que tout le minerai de platine traité dans les installations du groupe était maintenant acheté par Ling Ho Limited à Pékin et expédié par des cargos chinois vers un centre industriel sur la côte de la province de Fukien.

37

Le vent soufflait du Pacifique et soulevait de petites vagues à la surface du lac. Malgré ses dimensions, ses marées se réduisaient au minimum et la température de l'eau s'élevait à vingt-sept degrés. Le silence n'était meublé que par le bourdonnement du moteur d'un scooter des mers qui fonçait dans la nuit à plus de cinquante nœuds, invisible pour l'œil humain et les radars : une enveloppe de caoutchouc-mousse absorbait les ondes radio et empêchait l'écho de revenir jusqu'à l'émetteur.

Pitt était aux commandes et Giordino sur le siège arrière. Un sac bourré de matériel rangé dans le compartiment avant transportait en plus de leur équipement de plongée des survêtements volés aux employés d'Odyssée ; la photo d'identité des badges correspondait bien à leur visage, celle de Giordino suffisamment retouchée pour évoquer une femme un peu masculine. En attendant que le matériel arrivât de Washington, ils avaient eu recours aux services d'un photographe qui leur avait demandé un prix exorbitant mais n'avait pas posé de questions.

Ils contournèrent le pied du volcan Madera, puis longèrent l'isthme en restant à un bon mille de la plage. Les lumières du complexe industriel se détachaient sur le flanc noir du mont Concepción : la direction d'Odyssée estimait tout black-out inutile, protégée qu'elle était par une véritable armée d'agents de sécurité et d'innombrables appareils de détection.

Pitt ralentit à l'approche des quais ; une batterie de projecteurs éclairait un gros porte-conteneurs de la COSCO que des grues déchargeaient sur des camions garés le long de la coque. Remarquant qu'aucun chargement n'avait lieu, Pitt se dit que le complexe ne se contentait pas d'être un simple centre de recherche et qu'il était probablement relié aux tunnels qui passaient dessous.

Sandecker avait finalement accepté le principe de la mission ; Yaeger et Gunn, quant à eux, avaient renseigné Pitt et Giordino sur la fonction des tunnels ; l'unanimité en tout cas se faisait autour de l'importance vitale de tous les renseignements qu'on pourrait recueillir à l'intérieur du complexe ; peut-être comprendrait-on alors ce qui poussait le Spectre à recouvrir l'Europe entière de glace.

Le gris anthracite du scooter se fondait dans le noir de l'eau. C'est à tort que le cinéma montre des agents secrets moulés dans des combinaisons noires car le gris sombre ressort moins la nuit sous la lueur des étoiles. Les ingénieurs de la NUMA avaient réussi à tirer 170 chevaux du moteur de trois cylindres, tout en réduisant de 90 % les bruits d'échappement.

Partis du ponton désert de Granada, ils avaient atteint en moins d'une demi-heure le rivage de l'île Ometepe.

— Qu'est-ce que ça donne ? demanda Pitt à Giordino qui examinait le détecteur de radars portatif.

— Leur réseau passe au-dessus de nous sans s'arrêter : ils n'ont pas dû nous repérer.

— Nous avons bien fait de terminer le voyage en plongée, remarqua Pitt, en désignant de la tête un projecteur qui balayait la mer jusqu'à cinq cents mètres du rivage.

— Je le situe à environ un quart de mille.

— Notre sonar ne détecte le fond qu'à un peu plus de six mètres. Nous sommes hors du chenal principal.

— Il est temps d'abandonner le navire et de nous mouiller, lança Giordino. (Une vedette apparaissait à l'extrémité d'un long quai.)

Ils avaient déjà enfilé leur combinaison et il leur suffit d'attraper le matériel de plongée. Grâce à la bonne stabilité du scooter des mers, ils purent s'aider l'un l'autre à installer leurs appareils de recyclage d'oxygène en circuit fermé – un modèle utilisé par les militaires pour les opérations en eaux peu profondes. Une fois les vérifications faites, Giordino se glissa dans l'eau tandis que Pitt bloquait les commandes vers la rive occidentale du lac et réglait les gaz. Puis, sans un regard en arrière, ils plongèrent. Bien que disposant de moyens de communication vocale, ils ne prirent aucun risque et fixèrent chacun à leur ceinture de lest l'extrémité d'une corde de trois mètres.

Pitt préférait le système de régénération de l'oxygène en circuit fermé, le seul qui ne laissât derrière lui aucune bulle. Evidemment, il fallait un entraînement particulier pour obtenir une utilisation efficace, mais Pitt et Giordino l'employaient depuis vingt ans.

Sans dire un mot, Giordino suivit Pitt grâce à l'étroit faisceau d'une torche à capuchon absolument indiscernable de la surface. Pitt repéra bientôt le chenal principal et, consultant sa boussole, se dirigea vers le quai d'Odyssée. Au loin, il entendait le battement des hélices jumelles du patrouilleur.

Grâce à la boussole et au GPS, ils se dirigèrent vers les fondations du quai central à l'endroit de sa jonction avec la rive. L'eau à la surface devenait légèrement plus noire à mesure qu'ils se rapprochaient des lumières inondant les quais. Ils apercevaient aussi le faisceau des projecteurs qui balayait la mer au-dessus d'eux.

Ils parcoururent encore cent mètres et distinguèrent vaguement les piliers du quai ; ils contournèrent alors le vaste porte-conteneurs de la COSCO, d'assez loin pour ne pas courir le risque qu'un matelot désœuvré ne les surprît. Sur le port, toute activité avait cessé, les immenses grues étaient immobiles, les entrepôts fermés et les derniers camions s'en allaient.

Pitt sentit soudain ses poils se hérisser sur sa nuque : une silhouette énorme jaillie des ténèbres venait de le frôler avant de disparaître. Il se crispa et Giordino le perçut aussitôt au mollissement de la corde.

— Qu'est-ce que c'est ? demanda Giordino.

— Un requin bleu, je crois.

— Tu crois ?

— Un requin de récifs au museau aplati, entre deux mètres cinquante et trois mètres.

— Les requins d'eau douce mordent ?

— Tu en as déjà vu qui ne sont pas carnivores ?

— Nous ferions mieux de former le cercle, décréta Pitt.

Giordino comprit et le rejoignit aussitôt ; ils s'installèrent dos contre dos et, d'un même geste, dégainèrent leur couteau de plongée.

Le requin revint et commença à évoluer lentement autour d'eux en se rapprochant de plus en plus. La faible lumière des torches faisait briller d'un éclat menaçant sa peau grise : gros, repoussant, il les fixait d'un œil noir large comme une soucoupe et sa mâchoire béante révélait des rangées de dents acérées. Il vira brusquement, ayant décidé de regarder de plus près ces deux étranges créatures faisant irruption dans son domaine et ne ressemblant pas à ses victimes habituelles : constitueraient-elles un menu agréable ? Mais pourquoi ne tentaient-elles rien pour s'enfuir ?

Pitt vit que la redoutable machine à tuer n'était pas tout à fait prête : la gueule n'était qu'entrouverte et les babines ne découvraient pas encore les dents bien alignées. Il opta donc pour la meilleure tactique selon lui, à savoir l'offensive, et il traça une balafre sur la seule partie tendre, le nez.

Le requin pivota en laissant derrière lui un filet de sang, déconcerté et furieux de cette soudaine résistance. Puis il se retourna, hésita quelques instants, agita ses nageoires et fonça sur eux à une vitesse phénoménale.

Ultime ressource : la torche, que Pitt braqua directement dans l'œil droit du requin ; aveuglé, il roula sur sa droite, sa gueule ouverte prête à mordre. D'un violent coup de pied, Pitt esquiva l'attaque et les mâchoires béantes se refermèrent sur l'eau. Pitt plongea alors sa lame dans l'œil noir.

Des deux possibilités envisageables, la charge furieuse ou la fuite, le requin choisit la seconde et battit en retraite.

— Nous avons bien failli faire son dîner, lâcha Giordino.

— Il m'aurait probablement digéré mais toi, il t'aurait recraché, à cause du goût, lui assena Pitt.

— Aurait-il apprécié la cuisine italienne ? nous ne le saurons jamais.

— Filons avant qu'il ne refile l'adresse à ses copains !

Ils continuèrent en redoublant de précautions, appréciant la lumière d'été qui leur donnait maintenant une visibilité d'une bonne dizaine de mètres. Ils atteignirent enfin les soubassements du quai et se glissèrent entre les piliers pour atteindre l'éventuel déclenchement des palpeurs de sécurité.

— Suivons le quai jusqu'au rivage avant de refaire surface, décidèrent-ils au bout de quelques minutes puisque aucun bruit ne signalait l'approche des gardes.

Giordino prit la tête. La profondeur diminua rapidement et ils découvrirent avec soulagement une plage de sable sans rochers. Accroupis hors de la zone éclairée par les lampadaires, ils se débarrassèrent de leur combinaison et de leur matériel de plongée et récupérèrent les panoplies Odyssée dans le sac étanche. Ils vérifièrent les badges et s'avancèrent prudemment à découvert.

Un garde était assis dans une petite maison proche de l'entrée devant un vieux film américain doublé en espagnol. Il était seul.

—Faut-il signaler notre présence ? demanda Pitt à Giordino.

—Tu veux observer sa réaction ?

—C'est le moment ou jamais de vérifier si nous pouvons circuler librement.

Ils passèrent d'un pas nonchalant devant le poste de garde. L'homme, arborant le survêtement noir des services de sécurité, les aperçut et vint à leur rencontre.

—¿ *La parada ?* cria-t-il d'un ton hargneux.

—*La parada ?* répéta Giordino.

—Ça veut dire halte, souffla Pitt.

—¿ *Para qué está usted aquí ? Usted debe estar en sus cuartos.*

—Voilà une occasion d'étaler tes connaissances en espagnol, ironisa Giordino, les doigts crispés sur la crosse de son pistolet.

—Quel espagnol ? J'ai oublié le plus clair de ce que j'ai appris au lycée.

—Fais un effort. Qu'est-ce qu'il a dit ?

—Il veut savoir ce que nous faisons ici. Il a ajouté que nous devrions avoir regagné notre casernement.

—Pas mal, apprécia Giordino en souriant. (Il s'approcha du garde le plus naturellement du monde.) *Yo no hablo el español,* dit-il en s'efforçant de prendre une voix de femme.

—Excellent, le félicita Pitt à son tour.

—J'ai passé des vacances au Mexique. (Il s'approcha du garde en haussant les épaules.) Nous sommes canadiens.

Le garde examina Giordino et conclut en lui-même, du moins on l'imagine, qu'il n'avait jamais rencontré femme plus laide que celle en survêtement blanc qu'il avait sous les yeux. Un sourire pourtant s'épanouit sur son visage.

— Oh, *sí sí*, Canadiens, je parle anglais, prétendit-il malgré son horrible accent.

— Je sais que nous sommes censés être au casernement, dit Pitt en lui rendant son sourire. Nous voulions juste faire un petit tour avant d'aller dormir.

— Non, non, ça n'est pas permis, *amigos*. Vous n'avez pas le droit de sortir de votre secteur après huit heures.

— Désolé, *amigo,* fit Pitt en levant les bras au ciel, nous discutions et nous nous sommes éloignés sans nous en apercevoir. Maintenant, nous sommes perdus. Pourriez-vous nous indiquer le dortoir ?

— Vous travaillez sur le tunnel ? vérifia le garde en éclairant leur badge.

— *Sí*, au tunnel. Notre supérieur nous a envoyés en surface pour quelques jours.

— Je comprends, *señor*, mais vous devez rentrer à votre cantonnement. C'est le règlement. Vous n'avez qu'à suivre la route et prendre à gauche au château d'eau. Votre bâtiment est à trente mètres à gauche.

— *Gracias amigos*, dit Pitt. Nous y allons.

S'étant ainsi assuré qu'il n'avait pas affaire à des intrus, l'homme regagna sa chaise devant son téléviseur.

— Première épreuve réussie, déclara Giordino.

— On ferait mieux de se cacher quelque part en attendant le jour. Ça n'est pas sain de traîner par ici en pleine nuit. Ça risque d'éveiller les soupçons. Le prochain garde qui nous arrêtera ne se montrera peut-être pas aussi aimable.

Ils suivirent le chemin indiqué et arrivèrent devant une longue rangée de bâtiments. Ils se glissèrent à l'ombre d'un bouquet de palmiers pour inspecter l'entrée du cantonnement réservé aux employés d'Odyssée.

Seul le cinquième et dernier était gardé, par deux hommes de faction à l'entrée, et deux autres patrouillant le périmètre délimité par une haute clôture.

— On dirait une prison, fit Pitt.

— Alors, suggéra Giordino, entrons dans un bâtiment qui n'est pas gardé.

— Non, fit Pitt en secouant la tête, dans celui-ci, je veux parler aux gens qui y sont détenus. Nous en apprendrons peut-être plus par eux sur les activités d'Odyssée.

— Pas question d'entrer au bluff.

— Regarde cette cabane là-bas. Avançons-nous sous le couvert des arbres et allons voir.

— On ne peut pas dire que tu choisisses la facilité, grommela Giordino.

— Ce n'est pas drôle quand c'est simple, déclara Pitt.

Tels des cambrioleurs, ils gagnèrent la lisière du petit bois, puis ils coururent tête baissée une trentaine de mètres jusqu'à l'arrière de la cabane. Ils essayèrent une porte sur un côté ; elle s'ouvrit et ils se glissèrent à l'intérieur : il s'agissait d'un garage abritant une balayeuse.

Malgré la pénombre, Pitt vit un sourire faire briller les dents de Giordino.

— Je crois que nous sommes tombés sur le bon filon.

— Pensons-nous la même chose ?

— Oui, dit Pitt, que nous allons mettre en marche la balayeuse et lui faire descendre la rue, sans oublier le raffinement supplémentaire pour attirer l'attention des gardes.

—Quoi donc ?

—Nous y mettrons le feu.

—Ton esprit tortueux ne cessera jamais de m'étonner.

—C'est inné.

En dix minutes, ils avaient siphonné une dizaine de litres d'essence dans un bidon vide traînant dans le garage. Tandis que Giordino se préparait à ouvrir les portes, Pitt mit le contact ; le moteur, à leur grand soulagement, démarra du premier coup et sans trop de bruit. Pitt se tenait prêt à passer directement en seconde pour que le gros engin prenne rapidement de la vitesse, mais il attendait la dernière minute pour éviter une explosion à l'intérieur du garage ; il tourna alors le volant de manière à orienter la balayeuse vers les camions garés au bas de la rue. Giordino ouvrit les doubles portes puis arrosa la cabine d'essence.

—On y va, annonça-t-il, une torche à acétylène à la main.

Pitt passa en seconde et sauta à terre tandis que Giordino braquait vers la cabine une flamme de soixante centimètres. Le véhicule en feu se rua au-dehors.

Dévalant la route, sur une cinquantaine de mètres, la balayeuse, ses brosses tournant dans le vide et projetant un nuage de poussière, emboutit le premier camion et l'envoya valser contre un palmier. Elle heurta ensuite le camion suivant dans un horrible fracas de métal et de verre brisé puis s'immobilisa au milieu des flammes et d'une fumée noire.

Les deux gardes de faction devant le bâtiment ne réagirent pas dans l'instant : ils contemplaient la scène, incrédules ; puis, songeant soudain au chauffeur coincé dans la cabine, ils abandonnèrent leur poste et se précipitèrent, leurs collègues de l'intérieur sur leurs talons.

Pitt et Giordino n'attendaient que cette agitation : Pitt plongea par la porte ouverte du bâtiment et se plaqua au sol si bien que Giordino, incapable de stopper son élan, trébucha et s'aplatit sur lui.

— Il faudrait que tu perdes du poids, gémit Pitt.

— Maintenant, petit génie, où va-t-on ? fit Giordino en l'aidant à se relever.

Pitt, pour toute réponse, s'engouffra dans un long couloir bordé de chaque côté par des portes fermées. Il s'arrêta devant la troisième et se tourna vers Giordino.

— Ça, dit-il en s'écartant, c'est ta spécialité.

Giordino lui lança un regard mauvais puis, d'un coup de pied, dégonda à moitié la porte et, de l'épaule, termina le travail. Le panneau s'effondra sur le sol avec un bruit sourd.

Un couple, assis sur un lit, regardait ces inconnus, leurs visages trahissant une peur indicible.

— Pardonnez-nous, fit doucement Pitt, nous cherchons un endroit où nous cacher, ajouta-t-il tandis que Giordino remettait déjà la porte en place.

— Où nous emmenez-vous ? demanda la femme, affolée, tout en remontant les couvertures sur sa chemise de nuit. Elle parlait avec un fort accent allemand ; son visage rond et tout rouge, ses grands yeux bruns et ses cheveux argentés ramenés en chignon faisaient penser, à juste titre sans doute, à une grand-mère.

— Nulle part. Ne vous méprenez pas sur notre compte.

— Mais vous appartenez à leur groupe !

— Non, madame, fit Pitt en s'efforçant de la calmer. Nous ne sommes pas des employés d'Odyssée.

— Alors, au nom du Ciel, qui êtes-vous ? demanda l'homme qui se remettait peu à peu. Il se leva, vêtu d'une chemise de nuit à l'ancienne sur laquelle il jeta une robe de chambre tout aussi démodée. Grand et sec comme une trique, il mesurait près de dix centimètres de plus que Pitt. Le teint blême, il avait un gros nez et des lèvres minces ornées d'une fine moustache.

— On m'appelle Dirk Pitt, et voici mon ami Al Giordino. Nous travaillons pour le gouvernement des Etats-Unis et nous cherchons la raison pour laquelle ces installations constituent un secret si bien gardé.

— Comment êtes-vous arrivés sur l'île ? demanda la femme.

— Par bateau, répondit Pitt sans donner plus de détails, et dans votre bâtiment après avoir détourné l'attention des gardes en créant une petite diversion. (Tandis qu'il parlait, on entendait de plus en plus fort hurler des sirènes.) Personne en effet ne résiste à l'envie de contempler un bon incendie.

— Pourquoi avez-vous choisi notre cellule ?

— Par pur hasard.

— Avec votre permission, dit Giordino, nous aimerions passer la nuit ici. Nous partirons dès le lever du jour.

La femme examinait Giordino d'un regard méfiant.

— Vous n'êtes pas une femme.

— Malheureusement non, répondit Giordino avec un grand sourire, mais ce qui m'a amené à revêtir un survêtement féminin d'Odyssée est une longue et ennuyeuse histoire.

— Pourquoi devrais-je vous croire ?

— Je ne peux vous donner aucune raison.

— Accepteriez-vous de nous dire pourquoi vous êtes confinés à l'intérieur de ce bâtiment ? demanda Pitt.

— Pardonnez-nous, se risqua enfin la femme. Mon mari et moi ne savons plus très bien où nous en sommes. Il est le Dr Claus Lowenhardt ; je suis sa femme, le Dr Hilda Lowenhardt. On ne nous enferme ici que la nuit. Dans la journée, nous travaillons sous bonne garde aux laboratoires.

Amusé du caractère formel de ces présentations, Pitt reprit :

— Comment vous êtes-vous retrouvés ici ?

— Nous poursuivions nos travaux à l'institut de Recherches techniques d'Aachen, en Allemagne, quand des agents travaillant pour un certain M. Spectre, représentant le groupe Odyssée, nous ont offert de travailler pour eux comme consultants. Ma femme et moi fûmes les seuls parmi les quelque quarante spécialistes dans notre domaine à accepter – la perspective de gains considérables et le financement de nos projets à notre retour chez nous… On nous avait parlé du Canada, mais on nous avait menti : quand notre avion a atterri, c'était sur cette île au milieu de nulle part et, depuis lors, nous sommes pratiquement réduits en esclavage.

— Depuis combien de temps ?

— Cinq ans.

— Quel type de recherche vous a-t-on imposé ?

— Nous sommes spécialisés dans la science de l'énergie de la cellule.

— Des expériences sur l'énergie de la cellule ? C'est ce qui justifie ces installations ?

Claus Lowenhardt hocha la tête.

— Odyssée en a commencé la construction il y a près de six ans.

— Quels contacts avez-vous avec l'extérieur ?

— Les communications téléphoniques nous sont interdites, répondit Hilda. Nous n'avons le droit de correspondre que par lettres, lesquelles sont soumises à une censure stricte.

— Cinq ans, c'est une longue séparation d'avec ceux qui vous sont chers. Pourquoi n'avoir pas fait obstruction en travaillant au ralenti et en recourant au sabotage ?

—Parce qu'ils ont menacé d'une mort horrible quiconque entraverait les recherches, révéla Hilda en secouant la tête.

—Ces menaces concernent aussi nos familles, ajouta Claus. Nous étions bien obligés de travailler. Et puis nous souhaitions véritablement poursuivre nos travaux en vue de créer une énergie propre pour tous les peuples du monde.

—On a fait un exemple avec un homme sans famille, raconta Hilda. On le torturait la nuit et on le forçait à travailler le jour. On l'a découvert un matin pendu à l'éclairage de sa chambre. Nous avons tous compris qu'on l'avait tué.

—Sur ordre des responsables d'Odyssée ?

—C'était une exécution, précisa Lowenhardt. (Avec un triste sourire, il désigna le plafonnier.) Regardez vous-même, monsieur Pitt. Ce luminaire rudimentaire supporterait-il le poids d'un homme ?

—Je comprends, acquiesça Pitt.

—Nous faisons ce qu'on nous dit de faire, reprit Hilda, tout ce qu'il faut pour qu'il n'arrive rien à notre fils, à nos deux filles et à nos cinq petits-enfants. Et les autres sont sur le même bateau.

—Vous et vos confrères avez-vous réalisé des progrès dans la technologie de l'énergie cellulaire ? se renseigna Pitt.

Hilda et Claus échangèrent des regards surpris.

—Notre réussite n'a pas été publiée ? s'alarma Claus.

—Votre réussite ?

—La mise au point d'une source d'énergie utilisant l'ammoniac, producteur d'azote, et l'oxygène de notre atmosphère pour créer des quantités non négligeables d'électricité à un coût très bas et avec comme tout déchet, de l'eau pure.

—Je croyais, observa Giordino, qu'on était encore à des dizaines d'années de ces procédés.

—C'est vrai en ce qui concerne l'utilisation de l'hydrogène et de l'oxygène pour produire de l'électricité, car si l'oxygène peut provenir de l'air, l'hydrogène, lui, n'est pas facilement disponible et il faut le stocker. Mais, grâce à une découverte quasi miraculeuse, nous avons ouvert la voie à une énergie non polluante actuellement utilisable par des millions de gens.

—On en serait déjà au stade de la production ! s'exclama Giordino.

—La méthode a été mise au point et expérimentée avec succès voilà plus d'un an, articula Lowenhardt comme s'il s'adressait à l'idiot du village. La production a immédiatement commencé, vous ne pouvez pas l'ignorer !

—Première nouvelle, déclara Pitt, sceptique. Je n'ai entendu parler d'aucun produit miracle.

—Moi non plus, renchérit Giordino.

—C'est incompréhensible ! On nous a affirmé que des millions d'unités ont déjà été produites en Chine.

—Désolé de vous décevoir, votre grande découverte n'a pas été divulguée. A mon avis, les Chinois accumulent des réserves. Dans quel but ? Je n'en sais rien.

—Quel rapport avec les tunnels ? murmura soudain Giordino.

Pitt s'assit sur une chaise en contemplant d'un air songeur le motif du tapis.

—L'amiral m'a expliqué, finit-il par dire, que l'ordinateur de Yaeger était arrivé à la conclusion que je te livre : les tunnels serviraient à abaisser la température du Gulf Stream et à faire régner, huit mois par an, un froid glacial sur l'est des Etats-Unis et l'Europe. Votre technologie est-elle conçue pour les automobiles ?

—Pas pour le moment. Mais au bout du compte, en poussant plus avant les études, elle générera assez d'énergie propre pour alimenter tous les véhicules, y compris les trains et les avions. Nous avons dépassé le stade de la maquette. Nous travaillons actuellement sur le stade final de l'ingénierie avant de passer aux essais.

— Que donne le gadget au stade actuel ? insista Pitt.

Claus tiqua au mot *gadget*.

— Le Macha est un générateur autonome, capable de fournir une énergie électrique rentable à tous les logements, bureaux, ateliers et écoles du monde. La pollution atmosphérique, ce cauchemar du passé, sera oubliée. Aujourd'hui n'importe quel foyer, riche ou modeste, urbain ou rural, peut disposer de sa propre source d'énergie indépendante…

— Et vous donnez à cet appareil le nom de Macha ?

— C'est le Spectre lui-même qui l'a baptisé ainsi en voyant la première unité opérationnelle. Macha, nous a-t-il expliqué, du nom de la déesse celte de la ruse, connue aussi comme reine des fantômes.

— Encore les Celtes, marmonna Giordino.

— L'affaire se corse, dit Pitt.

— On approche, prévint Giordino posté contre la porte. Deux personnes, je crois.

Le silence dans la pièce se fit tel qu'on entendit très distinctement les voix des gardes qui vérifiaient toutes les portes du couloir. Les pas s'arrêtèrent juste devant celle des Lowenhardt sur le point de céder à la panique jusqu'au moment où ils virent Pitt et Giordino prendre leur automatique.

— *Este puerta aparece dañada.*

— La porte a l'air endommagée, traduisit Pitt dans un murmure.

L'un des gardes agita le loquet et poussa le battant contre lequel Giordino pesait de tout son poids.

— *Se parece seguro,* déclara-t-il en constatant que la porte ne bougeait pas.

— Elle a l'air bien fermée, traduisit à nouveau Pitt.

— *Lo tendremos reparados por la mañana.* (« Ils la

feront réparer demain matin.»), dirent-ils avant de poursuivre leur ronde.

—Nous allons devoir quitter l'île, annonça Pitt en se tournant vers les Lowenhardt, et vous devrez nous accompagner.

—Tu crois que c'est sage ? s'inquiéta Giordino.

—Indispensable en tout cas, expliqua Pitt. Ils détiennent la clef du mystère. Etant donné ce qu'ils savent, nous ne devons pas courir le risque qu'on nous surprenne en train de fureter dans les installations ; d'ailleurs nous n'apprendrions pas le quart de ce qu'ils savent.

—Non, non ! suffoqua Hilda. Nous ne partons pas ; ces monstres d'Odyssée s'en prendront à nos enfants dès qu'on leur apprendra notre disparition.

—Votre famille sera protégée, fit Pitt en lui prenant la main. Je vous le promets, il ne lui arrivera aucun mal.

—Je n'en suis pas convaincu, contesta Giordino. Nous avons abandonné le scooter des mers avec l'idée de voler un bateau ou un avion pour quitter l'île, puisque leurs forces de sécurité empêcheraient tout sauvetage par hélicoptère. En remorquant deux seniors…

—Vous avez oublié une chose, souligna Pitt en s'adressant aux Lowenhardt. Quand tous les savants retenus ici ne seront plus d'aucune utilité, le Spectre les fera éliminer ; il ne peut pas courir le risque que l'un d'eux décrive au monde ce qui s'est passé ici.

Ce fut une révélation pour Claus Lowenhardt, mais il n'arrivait pas à l'accepter pleinement.

—Pas tous. C'est diabolique. Ils n'oseraient pas nous tuer tous. Cela se saurait.

—L'avion supposé vous ramener chez vous peut fort bien s'écraser en mer et l'enquête qu'on ouvrira sur la catastrophe ne pas réussir à percer le mystère.

Claus regarda sa femme et lui passa un bras autour des épaules.

— Je crois malheureusement que M. Pitt a raison. Le Spectre ne laisserait aucun de nous en vie.

— Dès l'instant où vous aurez tout révélé aux médias, le Spectre n'osera pas s'attaquer aux autres membres de l'équipe scientifique. Les polices du monde mettront en commun tous leurs moyens et tout leur arsenal juridique contre le Spectre et son empire. Croyez-moi, il n'y a qu'une seule solution, partir maintenant et avec nous.

— Pouvez-vous nous garantir, hésita Hilda, que vous nous ferez quitter l'île sans encombre ?

— Je ne peux pas promettre ce que je suis incapable de prévoir avec certitude. En revanche, si vous restez ici, vous mourrez à coup sûr.

— Allons, suggéra Claus en serrant l'épaule de sa femme, il y a là une chance de revoir les nôtres.

Elle leva la tête et posa un baiser sur sa joue.

— Alors, nous partons ensemble.

— Ils reviennent, annonça Giordino, l'oreille collée à la porte.

— Habillez-vous s'il vous plaît, recommanda Pitt aux Lowenhardt, pendant que nous nous occupons des gardes.

Pitt et Giordino attendirent patiemment le moment où les gardes, revenant sur leurs pas, arrivaient à la hauteur de leur cellule. Giordino fit alors basculer le battant endommagé qui s'écrasa sur le sol. Trop surpris pour résister, les gardes se retrouvèrent dans la pièce, nez à nez avec un très gros pistolet automatique.

— *En el piso, rapidamente !* ordonna Pitt en leur faisant signe de s'allonger par terre tandis que Giordino commençait à déchirer les draps. Les gardes n'étaient pas encore revenus de leur stupeur qu'ils étaient déjà ligotés et bâillonnés.

Cinq minutes plus tard, Pitt, suivi de Claus et de Hilda, Giordino fermant la marche, franchissaient la grillé et descendaient à grands pas la rue envahie par les agents de sécurité et les pompiers s'affairant autour de la balayeuse toujours en flammes. Puis, sans que personne les eût remarqués, ils se glissèrent dans l'ombre.

38

Ils avaient du chemin à faire : un bon kilomètre et demi séparait l'extrémité de la piste de la prison des Lowenhardt, mais en plus de la photo satellite des installations, pour se guider, leur petite équipe disposait maintenant de la présence des savants et de leur connaissance du tracé des rues.

Claus Lowenhardt ralentit et entama un dialogue à voix basse avec Giordino.

— Est-ce que votre ami contrôle vraiment la situation ?

— Disons que Dirk est un homme plein de ressources capable de se tirer d'à peu près n'importe quelle situation difficile.

— Vous lui faites confiance. (C'était une affirmation plus qu'une question.)

— Je lui confierais ma vie. Voilà près de quarante ans que je le connais et il ne m'a encore jamais fait défaut.

— C'est un agent secret ?

— Pas vraiment, fit Giordino en étouffant un petit rire. Dirk est ingénieur maritime. Il dirige le département des Projets spéciaux pour la NUMA. Je suis son adjoint.

— Que Dieu nous aide ! murmura Lowenhardt. Je vous pensais agents de la CIA, donc extrêmement entraînés, sinon je n'aurais pas risqué la vie de ma femme en vous suivant.

—Vos vies ne sauraient être en des mains plus qualifiées, lui assura Giordino d'un ton sans réplique.

Pitt avançait d'un bâtiment à l'autre en s'efforçant d'éviter les zones éclairées par les lampadaires et les projecteurs installés sur les toits.

—C'est étonnant, murmura-t-il, on ne voit pas de patrouilles.

—Parce que les gardes lâchent les chiens jusqu'au matin, expliqua Hilda.

Giordino s'arrêta brusquement.

—Vous n'avez pas cité les chiens.

—Vous ne me l'aviez pas demandé.

—Des dobermans, je parie, murmura Giordino. J'ai horreur des dobermans.

—Jusque-là, dit Pitt, nous avons eu de la chance. Désormais, il va falloir redoubler de prudence.

—Et dire que nous n'avons plus de viande fraîche, marmonna Giordino.

Pitt allait ranger ses jumelles quand il remarqua une haute clôture grillagée hérissée de barbelés, ainsi que deux silhouettes gardant l'accès à la piste d'atterrissage ; Pitt braqua ses jumelles sur elles : la lumière lui permit de voir qu'il s'agissait de femmes en survêtement bleu. Deux chiens en liberté flairaient le sol à leurs pieds, des dobermans ; il sourit tout seul en pensant à Giordino.

—As-tu vu, fit Giordino qui s'était emparé des jumelles, la petite clôture qui double l'autre à quelques mètres à l'intérieur ?

—Pour protéger les chiens ?

—Sans doute pour les empêcher de griller. Sinon ils se transformeraient en viande à barbecue. (Giordino s'arrêta pour inspecter les parages.) Dommage, pas la moindre balayeuse en vue !

Brusquement le sol se mit à bouger dans un grondement sourd. Les arbres oscillaient et les fenêtres battaient. Une secousse comparable à celle qu'ils avaient
ressentie dans le phare et sur la rivière, mais plus
longue, une bonne minute. Les dobermans aboyaient
furieusement et les gardes s'agitaient, désemparés. Pas
question de se glisser discrètement auprès d'eux tant
que les chiens seraient ainsi excités.

—Nous avons déjà ressenti une secousse, signala
Pitt à Claus. Est-ce que cela vient du volcan ?

—Pas directement, commença-t-il avec calme. Le
Dr Alfred Honoma, un géophysicien de l'université de
Hawaii, expert en volcans, qu'on a attiré ici avec de
belles promesses, pense que les secousses n'ont rien à
voir avec l'évacuation de roches surchauffées par les
fissures du volcan ; selon lui un brusque glissement de
terrain sur les pentes du volcan et provoquant son
effondrement constitue le vrai danger, imminent de
surcroît.

—Quand ont-elles commencé ? demanda Pitt.

—Il y a un an, répondit Hilda. Leur fréquence
augmente de plus en plus : presque une par heure
maintenant.

—Leur intensité aussi s'est amplifiée, précisa Claus.
D'après le Dr Honoma, certains phénomènes inex-
pliqués survenus sous le volcan ont causé des déplace-
ments de terrain.

—Le quatrième tunnel passe sous la base du volcan,
rappela Pitt en se tournant vers Giordino. Honoma a
calculé un délai ?

—D'un instant à l'autre.

—Quelles conséquences ? interrogea Giordino.

—Toujours d'après les calculs du Dr Honoma, reprit
Claus, plus de deux mille mètres cubes de roche
seraient libérés et dévaleraient vers le lac à 130 kilomètres à l'heure.

— D'où vagues énormes, supposa Pitt.

— Oui ! et qui détruiraient en un rien de temps toutes les agglomérations des bords du lac.

— Et les installations d'Odyssée ?

— Balayées, ensevelies. (Claus marqua un temps puis ajouta d'un ton sinistre :) Avec tous ceux qui y travaillent.

— La direction d'Odyssée n'a donc pas conscience de la menace ?

— Leurs propres géologues ont prétendu que ce genre de glissement de terrain est extrêmement rare et ne se produit qu'une fois tous les dix mille ans. D'après ce que je sais, c'est M. Spectre lui-même qui a nié l'existence d'une menace.

— Le bien-être de ses employés ne compte pas au nombre de ses préoccupations, rappela Pitt évoquant l'épisode de l'*Ocean Wanderer*.

Brusquement, tous se figèrent et fouillèrent le ciel du regard : un hélicoptère approchait. A la lumière des projecteurs on en distinguait nettement la peinture lavande.

— Ils nous recherchent, fit Claus Lowenhardt d'une voix rauque en serrant sa femme contre lui.

— C'est peu probable, lui assura Pitt. Le pilote ne décrit pas de cercle : nous ne sommes pas encore repérés.

L'appareil les survola si bas que Giordino craignit qu'il n'allumât d'une seconde à l'autre ses phares d'atterrissage ; mais une fois de plus, la chance leur sourit : le pilote n'en eut besoin qu'un peu plus loin. L'hélico se dirigea vers le toit d'un grand immeuble de bureaux – vraisemblablement – au-dessus duquel il se mit en position stationnaire.

Pitt reprit les jumelles à Giordino et les braqua sur l'appareil qui était en train de se poser, les lames de ses rotors s'arrêtant lentement. Plusieurs silhouettes en survêtement lavande s'étaient groupées au pied de l'échelle de débarquement pour accueillir la femme vêtue d'un survêtement doré qui descendait les marches et à cause de laquelle Pitt régla soigneusement la distance : Rita Anderson ! il ne pouvait pas l'affirmer avec une absolue certitude, mais il l'aurait juré.

Le visage crispé de fureur, il rendit les jumelles à Giordino.

— Regarde bien la reine en survêtement doré.

Giordino examina attentivement la femme qui, entourée de son escorte, se dirigeait vers l'ascenseur.

— C'est notre copine du yacht, confirma-t-il, celle qui a tué Renée. Mon royaume pour un fusil à lunette.

— Nous ne pouvons rien faire, déplora Pitt. Priorité absolue au rapatriement à Washington des Lowenhardt sains et saufs.

— Au fait, comment allons-nous franchir une clôture électrique, puis passer devant trois dobermans et deux gardes armés jusqu'aux dents ?

— Pas devant, rétorqua calmement Pitt, mais AU-DESSUS.

Les Lowenhardt attendaient en silence ; ils ne comprenaient pas grand-chose à cette conversation. De toute façon, Pitt qui ne quittait pas des yeux l'hélicoptère et Giordino qui suivait son regard n'avaient plus besoin de se parler : un plan se dessinait entre eux.

— Ce sont les bureaux de la direction, dit-il. Ils n'ont pas l'air gardés.

— Parce que ceux qui y travaillent sont de fidèles employés d'Odyssée.

— Personne n'irait imaginer que des hôtes indésirables entrent par la grande porte. (Pitt reprit les jumelles : le pilote avait suivi Rita dans l'ascenseur, abandonnant momentanément l'hélicoptère.) Ne laissons pas passer une telle occasion, il ne s'en présentera jamais une meilleure.

—Magnifique occasion en effet, ironisa Giordino, que de traverser au bluff des bureaux bondés et d'accéder au dixième étage pour voler un hélicoptère en douce. Personne ne se doutera de rien !

—Et si je te dénichais un survêtement lavande ?

—J'en ai déjà assez fait, se révolta Giordino en foudroyant Pitt du regard. Trouve autre chose.

Pitt s'approcha des Lowenhardt qui attendaient, blottis l'un contre l'autre, certes un peu inquiets mais calmes.

—Nous allons pénétrer dans l'immeuble de la direction et monter sur le toit pour nous emparer de l'hélicoptère, expliqua Pitt. Restez tout près de moi. En cas de problème, couchez-vous pour ne pas gêner notre ligne de tir. L'audace est notre meilleur allié. Al et moi allons procéder comme si nous vous escortions à une réunion. Une fois sur le toit, précipitez-vous dans l'hélicoptère et bouclez vos ceintures, le décollage risque d'être un peu mouvementé.

Claus et Hilda s'engagèrent avec une certaine solennité à suivre à la lettre ses instructions. Ils avaient maintenant franchi le point de non-retour. Pitt savait qu'ils respecteraient ses consignes : ils n'avaient plus le choix.

Ils suivirent la rue jusqu'au perron commandant l'accès aux bureaux. Un camion, en passant, les prit dans le faisceau de ses phares mais le chauffeur ne fit pas attention à eux. Près de la porte d'entrée, deux femmes, l'une en survêtement lavande, l'autre en blanc, fumaient une cigarette. Suivant Giordino qui souriait poliment à la ronde, ils franchirent les grandes baies vitrées qui donnaient sur le hall. Plusieurs femmes et un seul homme circulaient là mais rares furent celles qui tournèrent la tête dans leur direction ; de toute façon elles les regardaient sans méfiance.

Giordino entraîna le petit groupe dans un ascenseur

vide prêt à partir ; il s'apprêtait à appuyer sur le bouton de la terrasse lorsqu'une jolie blonde en survêtement lavande s'engouffra dans la cabine et se pencha devant lui pour choisir le huitième étage.

Elle se retourna pour examiner les Lowenhardt d'un air méfiant.

— Où les emmenez-vous ? demanda-t-elle en anglais.

Giordino hésita mais Pitt, sans se démonter, passa devant lui et bredouilla dans un mauvais espagnol : « *Perdomenos para inglés no parlante.* » (Excusez-nous de ne pas parler anglais.)

— Je ne m'adressais pas à vous mais à la dame, lança-t-elle en le foudroyant du regard.

Giordino craignait de se trahir, et quand il se décida à parler, ce fut d'une voix haut perchée qui résonna bizarrement dans la cabine.

— Je parle un petit peu *inglés*.

Il n'en fallut pas plus pour inciter la femme à le dévisager longuement puis à lui frotter la joue : sa barbe commençait à se voir.

— Un homme ! balbutia-t-elle. Elle pivota sur ses talons et tendit la main pour stopper l'ascenseur, mais Pitt, d'une claque sur le poignet, interrompit son geste.

La représentante d'Odyssée lança à Pitt un regard incrédule.

— Comment osez-vous ?

— Vous m'avez fait une telle impression, roucoula-t-il avec un sourire enjôleur, que je vous enlève.

— Vous êtes fou !

— Un peu.

L'ascenseur s'arrêta au huitième étage mais Pitt déprogramma l'arrêt et la cabine repartit vers le dixième.

— Qu'est-ce qui se passe ici ? (Pour la première fois, elle regarda de près les Lowenhardt que cette conversation semblait amuser. Son visage s'assombrit.) Je connais ces gens. La nuit, ils sont enfermés dans le bâtiment des prisonniers. Où les emmenez-vous ?

— Aux toilettes, répondit Pitt avec désinvolture.

La femme hésitait entre arrêter l'ascenseur ou se mettre à hurler. Son instinct féminin prenant le dessus, elle allait pousser un cri quand, sans l'ombre d'une hésitation, Pitt lui décocha un coup de poing en pleine mâchoire. Elle s'affala comme un sac de farine. Giordino la saisit sous les bras avant qu'elle ne touche le plancher et la tira dans un coin de la cabine d'où on ne la verrait pas quand les portes s'ouvriraient.

— Pourquoi ne l'avez-vous pas simplement bâillonnée ? s'insurgea Hilda, choquée de voir Pitt frapper brutalement une femme.

— Parce qu'elle m'aurait mordu la main et que je ne me sentais pas d'humeur assez chevaleresque pour la laisser faire.

L'ascenseur arriva enfin au dixième étage qui permettait d'accéder à la terrasse. Les portes s'ouvrirent toutes grandes et ils sortirent... pour se trouver nez à nez avec quatre gardes en uniforme que dissimulait un appareil de climatisation.

Sandecker arpentait son penthouse du Watergate à Washington, laissant derrière lui un nuage de fumée bleue. D'autres se seraient conduits en gentlemen et auraient épargné aux dames présentes l'odeur des cigares, mais pas l'amiral. Soit elles acceptaient, soit il se passait d'elles. Et, malgré ce handicap, de nombreuses femmes célibataires de Washington n'hésitaient pas à franchir le seuil de sa porte.

Veuf et père d'une fille qui vivait à Hong Kong avec ses trois enfants, Sandecker était considéré comme un excellent parti et croulait sous les invitations à dîner au cours desquelles on lui présentait très fréquemment de séduisantes célibataires en quête d'un mari ou d'une aventure. L'amiral était passé maître dans l'art de jongler avec cinq dames à la fois, ce qui expliquait pourquoi il entretenait constamment sa forme.

La cavalière de la soirée s'appelait Bertha Garcia ; elle avait repris le mandat de sénateur de son défunt mari. Dans une élégante robe de cocktail noire, elle contemplait d'un œil amusé la nervosité de Sandecker.

— Vous feriez mieux de vous asseoir, Jim, avant d'user la moquette.

Il s'arrêta et se rapprocha d'elle.

— Pardonnez-moi ; j'ai un problème avec deux de mes hommes au Nicaragua. (Il se laissa tomber auprès d'elle sur le divan.) Et si je vous disais que tout l'est de notre pays et l'Europe tout entière sont menacés d'hivers terribles ?

— On réussit toujours à survivre à une année difficile.

— Je parle de siècles.

— Le réchauffement de la planète nous les épargnera, rétorqua-t-elle en posant son verre sur une table basse.

— Malgré le réchauffement de la planète, affirma-t-il.

La sonnerie du téléphone retentit et il se précipita pour décrocher.

— Oui ?

— Amiral, fit la voix de Gunn, c'est Rudi. Toujours pas de nouvelles.

— Ont-ils réussi à entrer ?

— Pas un mot depuis qu'ils ont pris leur scooter des mers pour traverser le lac.

— Je n'aime pas cela, murmura Sandecker. Ce n'est pas normal.

— Il faudrait laisser ce genre de missions à des agents de renseignement, observa Gunn.

—Je suis bien d'accord, mais le moyen d'arrêter Dirk et Al ?

—Ils s'en tireront, fit Gunn d'un ton rassurant. Ils s'en tirent toujours.

—Oui, murmura Sandecker. Mais un jour, la loi des probabilités les rattrapera et leur chance tournera.

39

Les gardes furent aussi surpris de voir sortir le petit groupe de l'ascenseur que Pitt de tomber sur eux : trois d'entre eux portaient le survêtement bleu des gardes de sécurité. Le quatrième, vêtu de vert, était en réalité une femme et elle parut aux yeux de Pitt être la plus gradée. En effet, contrairement aux hommes, elle n'avait pas de fusil d'assaut ; sa seule arme était un petit automatique qu'on apercevait dans un étui passé à sa ceinture. Pitt s'empressa de prendre l'initiative et s'approcha d'elle.

—C'est vous la responsable ? demanda-t-il avec calme et autorité.

Un instant prise au dépourvu, la femme le dévisagea.

—C'est moi. Que faites-vous ?

Soulagé de constater qu'elle parlait anglais, il désigna les Lowenhardt.

—Nous avons trouvé ces deux-là qui traînaient au quatrième étage. Personne n'avait l'air de savoir comment ils étaient arrivés là et on nous a dit de les remettre aux gardes sur le toit. Ils sont à vous.

La femme examina les Lowenhardt qui regardaient Pitt avec une inquiétude grandissante.

—Je connais ces gens : ils travaillent sur le projet et ont interdiction de quitter leur bâtiment.

—Il y a eu un incident, un véhicule a pris feu. Ils ont dû profiter de l'agitation pour s'échapper.

Un peu déconcertée, elle ne pensa pas à demander

comment les Lowenhardt se retrouvaient dans l'immeuble de la direction.

— Qui vous a dit de les amener sur la terrasse ?

— Une dame en survêtement lavande, lâcha Pitt en haussant les épaules.

Les trois gardes, prêts à tirer, parurent se détendre. Ils gobaient cette histoire, même si leur supérieure semblait réticente.

— Où sont vos postes de travail ? demanda-t-elle.

Giordino fit quelques pas vers l'hélicoptère, détourna la tête et fit comme s'il admirait la machine. Pitt regardait la femme droit dans les yeux.

— Dans les tunnels. C'est notre contremaître qui nous a envoyés à la surface pour deux jours de permission.

Du coin de l'œil, il repéra le mouvement imperceptible de Giordino pour se glisser derrière les gardes.

Cette histoire avait déjà marché ; il espérait que cela continuerait. En effet, la femme hocha la tête.

— Cela n'explique pas pourquoi vous vous trouviez dans les bureaux de la direction à une heure pareille.

— On nous a ordonné de redescendre demain et de venir ici prendre nos passes. (Il venait de commettre une erreur.)

— Quel passe ? On n'en délivre pas aux ouvriers des tunnels. Vos badges devraient suffire.

— Je fais ce qu'on me dit, s'énerva-t-il. Prenez-vous en charge ces prisonniers, oui ou non ?

Elle n'eut pas le temps de répondre : Giordino avait sorti son gros pistolet, et mis hors d'état de nuire deux des gardes – un coup de crosse sur le crâne, un autre sur la nuque ; le troisième lâcha de lui-même son fusil en voyant le 50 automatique de Giordino braqué sur lui.

— Voilà qui est mieux, déclara Pitt. Beau travail, ajouta-t-il en se tournant vers Giordino.

— N'est-ce pas ?

— Prends leurs armes.

— A votre place, je ne ferais pas ça, suggéra Pitt à la femme qui glissait une main vers son pistolet.

Folle de rage, mais intelligente, elle réalisait que les chances n'étaient pas de son côté. Elle leva les mains et Giordino la désarma.

— Qui êtes-vous ? siffla-t-elle.

— Si on pouvait cesser de me poser cette question. (Pitt s'adressa au garde encore debout.) Ôte ton uniforme. Vite !

Le garde s'empressa de faire glisser la fermeture de son survêtement et de s'en défaire. Pitt fit de même avec sa combinaison noire et enfila la bleue.

— Allongez-vous sur la terrasse auprès de vos hommes, ordonna Pitt à la femme et au garde à demi nu.

— Qu'est-ce que tu comptes faire ? interrogea Giordino d'un ton détaché.

— Les compagnies aériennes ont horreur de faire décoller des appareils à moitié vides, eh bien, moi aussi !

Giordino comprit le projet de Pitt et vint se planter au-dessus des prisonniers de manière qu'ils voient le canon de son pistolet pointé sur eux.

— Il est temps d'embarquer, annonça-t-il aux Lowenhardt.

Le couple monta docilement dans l'hélicoptère tandis que Pitt se dirigeait vers l'ascenseur. Quelques secondes plus tard, la porte se refermait et il avait disparu.

Le dixième étage, juste sous le toit, abritait des bureaux somptueux ; la couleur lavande y dominait comme s'ils avaient été balayés par une lame de fond de la même couleur. Au plafond, des fresques représentaient d'étranges rites religieux et des danses exécutées par des femmes vêtues de longs voiles dans des paysages de forêts, de lacs et de montagnes. L'épaisse moquette lavande, elle aussi, était pailletée d'or ; des sièges de marbre blanc rappelaient les trônes qu'on retrouve souvent sur les mosaïques grecques. Lavande encore, les lustres, les murs et les épais rideaux.

Deux femmes étaient assises sur une couche en marbre recouverte de coussins confortables. Devant elles, sur une table en verre, un seau à champagne d'où dépassait une bouteille à l'étiquette lavande. Vêtue l'une d'une tunique dorée, l'autre de pourpre, leurs longs cheveux d'un roux parfaitement identique comme si le même coiffeur avait utilisé le même flacon de teinture, elles auraient pu, si elles n'avaient pas bougé, être assimilées à cet invraisemblable décor.

La femme en tunique rouge rapporta d'une voix neutre :

— Tout se passe comme prévu. Dès les premières neiges, dix millions d'unités de Macha seront mises en vente. Ensuite les chaînes de montage de nos amis chinois tourneront à plein. A la fin de l'été leurs nouveaux ateliers fonctionneront et la production montera à deux millions d'unités par mois.

— Les canaux de distribution sont en place ? s'assura la femme en or qui était belle à tomber.

— Les entrepôts que nous avons construits ou loués dans l'Europe entière et le nord-est des Etats-Unis reçoivent déjà les arrivages des cargos chinois.

— Heureusement que Druantia a succédé à son père ; ainsi elle a pu répondre à nos besoins impérieux en platine.

— Sans cela, impossible de satisfaire la demande.

— Avez-vous fixé une date pour l'ouverture des tunnels ?

— Le 10 septembre, répondit la femme en rouge. Selon le calcul de nos savants, il faudra soixante jours pour abaisser la température du Gulf Stream jusqu'au niveau qui provoquera un froid extrême dans les régions du nord.

La femme en or sourit et se versa une autre coupe de champagne.

— Alors, tout est en place.

Sa compagne acquiesça et leva son verre.

— A toi, Epona, qui sera bientôt la femme la plus puissante de l'histoire du monde.

— Et à toi, Flidais, grâce à qui c'est possible.

Pitt avait fort bien vu en situant les bureaux de la direction au dernier étage juste sous la terrasse. Les secrétaires et les employés avaient quitté les lieux depuis des heures et les couloirs étaient vides quand il sortit de l'ascenseur. Grâce à son survêtement bleu, il entra sans problème dans le vestibule de la suite lavande sous le nez de deux gardes qui ne bronchèrent pas. Il poussa très doucement la porte que personne ne surveillait, entra, referma derrière lui et s'immobilisa, abasourdi par le décor qu'il découvrait.

Il entendit des voix dans la pièce voisine et se glissa entre un mur et des rideaux lavande dont les plis en retombant formaient un passage voûté. Il aperçut alors les deux femmes allongées sur le lit de marbre : elles étaient seules. Il s'avança et admira leur beauté pendant qu'elles continuaient à converser sans se rendre compte de sa présence.

— Tu pars bientôt ? demanda Flidais à Epona.

— Dans quelques jours. Une petite affaire à régler à Washington. Une commission du Congrès enquête sur nos récentes opérations minières dans le Montana : les politiciens de l'Etat sont très énervés parce que nous nous réservons la totalité du minerai d'iridium et que nous n'avons rien à vendre aux entreprises américaines pas plus qu'à leur gouvernement. Et toi, ma chère, s'enquit Epona en se calant contre les coussins, quel est ton programme ?

— J'ai engagé des enquêteurs pour retrouver la trace de deux hommes qui ont pénétré notre système de sécurité et rôdé dans les tunnels avant de s'échapper par le système de ventilation du phare.

— Une idée de leur identité ?

— Je les soupçonne d'appartenir à la NUMA. Ceux auxquels j'ai échappé après qu'ils ont détruit notre yacht.

— Tu crois que cela risque de compromettre nos efforts pour garder le secret ?

— Je ne pense pas, fit Flidais en secouant la tête. En tout cas pas encore. Nos agents n'ont signalé aucune activité des services de renseignements américains à propos des tunnels. Silence étrange, comme si ces diables de la NUMA avaient disparu de la surface du globe.

— Inutile de nous inquiéter. Il est trop tard, les Américains n'entraveront pas notre opération. Et d'ailleurs, je serais surprise qu'ils aient découvert le véritable but du tunnel. Dans huit jours nous les ouvrons et ils commenceront à pomper le courant sud-équatorial dans le Pacifique.

— J'espère que leur silence ne signifie pas qu'ils ont deviné la menace.

— Cela expliquerait leur inaction.

— D'un autre côté, réfléchit Epona à voix haute, le meurtre d'un membre de leur équipe suscitera certainement des représailles.

— Cette exécution s'imposait, assura Flidais.

— Je ne suis pas d'accord, lança Pitt. Un meurtre de sang-froid ne s'impose jamais.

La coupe de champagne s'échappa des doigts fuselés d'Epona et tomba sans bruit sur l'épaisse moquette. Les deux têtes pivotèrent brusquement, les longs cheveux roux suivant le mouvement, tandis que les yeux passaient de la surprise à l'irritation causée par l'intrusion de leur propre garde. Puis elles virent le Colt de Pitt braqué sur elles.

Pitt surprit le coup d'œil d'Epona vers une petite télécommande dorée posée sous la table en verre. Son pied commençait à glisser dans cette direction.

— Ce ne serait pas malin, chérie, lança-t-il nonchalamment.

Le pied d'Epona s'arrêta à quelques centimètres d'un des boutons. Puis lentement, elle ramena sa jambe vers le lit.

— Vous ! s'écria Flidais en reconnaissant Pitt.

— Bonjour, Rita ou je ne sais qui. Vous avez fait du chemin, dirait-on.

— Comment êtes-vous entré ? demanda-t-elle le regard flamboyant.

— Vous n'aimez pas mon survêtement de grand couturier ? ironisa-t-il en pivotant tel un mannequin. Pourtant il ouvre un nombre étonnant de portes.

— Flidais, demanda Epona en examinant Pitt comme un animal de zoo, qui est cet homme ?

— Je m'appelle Dirk Pitt. J'ai rencontré votre amie au large de la côte Ouest du Nicaragua. Si je me souviens bien, elle portait un bikini jaune et naviguait sur un yacht.

— Que vous avez détruit, cracha Flidais.

— Je ne me rappelle pas que vous nous ayez laissé le choix.

— Que voulez-vous ? interrogea Epona.

— Que Flidais – c'est bien ainsi que vous l'appelez ? – réponde de ses crimes.

— Précisez vos intentions, lui intima-t-elle en le dévisageant.

Cette femme a de la classe, se dit-il, rien ne la démonte, pas même le canon de mon pistolet.

— L'emmener faire un petit tour dans le Nord.

— Rien que ça.

— Rien que ça, confirma Pitt en hochant la tête.

— Et si je refuse ? ricana Flidais, méprisante.

— Disons simplement que les conséquences risquent de ne pas vous plaire.

— Vous me tuerez si je n'obtempère pas, c'est ça ?

Il posa le canon du Colt 45 contre son visage, à côté de son œil gauche.

— Non, je vous ferai simplement sauter les yeux. Cela ne vous empêchera pas de vivre jusqu'à un âge avancé, mais aveugle et monstrueuse comme le péché.

— Aussi vulgaire et grossier que la plupart des hommes, proféra Epona avec indignation. Je n'en attendais pas moins de vous.

— Je suis ravi de ne pas décevoir une aussi belle créature.

— Inutile de le prendre de haut avec moi, monsieur Pitt.

— Je ne vous prends pas de haut, Epona, je vous tolère, précisa-t-il assez content de lui. Peut-être nous rencontrerons-nous un autre jour dans des circonstances plus plaisantes.

— N'y comptez pas, monsieur Pitt. Je ne vois pas que des jours heureux dans votre avenir.

— Tiens, une gitane ! Vous n'en avez pas l'air pourtant.

Il pressa doucement le canon de son pistolet sur l'épaule de Flidais puis s'arrêta sur le seuil pour s'adresser à Epona.

— Avant que je n'oublie, ce ne serait pas une bonne idée d'ouvrir le tunnel et de détourner le courant sud-équatorial pour congeler toute l'Europe. Je connais un tas de gens à qui ça ne plairait pas.

Il prit Flidais par le bras et l'entraîna dans le couloir jusqu'à l'ascenseur. Une fois dans la cabine, Flidais se cambra et lissa les plis de sa robe avant de déclarer :

—Non seulement vous êtes un rustre, monsieur Pitt, mais vous êtes également extrêmement stupide.

—Pourquoi ?

—Vous ne quitterez jamais ce bâtiment. Il y a des agents de sécurité à chaque étage. Vous n'espérez tout de même pas passer par le hall sans être appréhendé.

—Qui a parlé de passer par le hall ?

Flidais ouvrit de grands yeux en constatant que l'ascenseur montait.

—Je ne voudrais pas vous bousculer, mais ça va commencer à chauffer par ici, dit-il en la poussant hors de la cabine.

Elle aperçut les gardes gisant sur le sol et Giordino braquant d'une main nonchalante le canon d'un fusil d'assaut successivement sur chaque tête. Puis son regard se posa sur l'hélicoptère et elle comprit que tout espoir de voir les gardes intercepter Pitt et son complice était vain. Elle jeta à Pitt un regard méchant.

—Vous n'êtes pas capable de faire voler cet appareil.

—Navré de vous décevoir, contesta-t-il sans se départir de sa patience. Je sais, Al aussi d'ailleurs, piloter un hélicoptère.

Giordino jeta un coup d'œil à Flidais et remarqua avec un sourire mauvais :

—Je vois que tu as retrouvé Rita. Tu l'as levée à une soirée ?

—A une soirée privée où on buvait du champagne millésimé. Elle s'appelle Flidais et elle vient avec nous. Surveille-la bien.

—Et comment, lâcha Giordino d'un ton glacial.

Pitt monta dans le cockpit et s'installa aux commandes. Il vérifia tout soigneusement, puis se pencha pour crier à Giordino :

— Saute !

Giordino, loin d'être aussi courtois que Pitt, balança Flidais sur le plancher comme un vulgaire paquet avant de monter à son tour et de refermer la porte coulissante. La cabine, élégamment aménagée, proposait quatre grands fauteuils de cuir équipés de consoles montées sur un support de noyer ; l'une d'elles contenait un système complet avec ordinateur, fax et téléphone satellite avec télévision. Au milieu, un bar avec des carafons de cristal et des verres.

Les Lowenhardt, leur ceinture bouclée, observaient sans mot dire Giordino qui soulevait Flidais puis la poussait sans ménagements sur un siège dont il boucla la ceinture. Il tendit alors à Claus Lowenhardt le fusil d'assaut.

— Si elle bouge le petit doigt, abattez-la.

Claus assura qu'il n'y manquerait pas.

— Nos agents vous attendront à Managua, cracha Flidais avec mépris.

— Voilà une nouvelle réconfortante.

Giordino tourna les talons, entra dans le cockpit et se laissa tomber à la place du copilote. Pitt vit se refermer les portes de l'ascenseur que les gardes, alertés par la femme restée dans la suite, avaient dû appeler afin de se précipiter sur la terrasse. Pitt tira sur le manche et mit les gaz à fond ; l'hélicoptère bondit dans les airs et atteignit bientôt la vitesse maximale, trois cents kilomètres à l'heure ; il survola les installations d'Odyssée, dépassa la piste d'atterrissage, atteignit les pentes du Madera dont il contourna le sommet et, enfin, redescendit à moins de dix mètres de la cime des arbres avant de s'engager au-dessus du lac.

— J'espère que tu ne mets pas le cap sur Managua :

son Altesse royale a dit qu'on nous y attendrait, précisa Giordino en coiffant ses écouteurs.

—Ça ne m'étonnerait pas, fit Pitt avec un grand sourire. C'est pourquoi nous faisons route vers l'est au-dessus du Pacifique avant de virer au sud vers San José, Costa Rica.

—Nous avons assez de carburant ?

—Une fois à la vitesse de croisière, nous devrions y arriver avec la réserve, une dizaine de litres en général.

Pitt volait à basse altitude pour éviter les radars d'Odyssée. A une dizaine de milles en mer, il vira au sud et reprit un peu d'altitude tandis que Giordino fixait le cap sur San José.

Le temps était un peu couvert ; il ne pleuvait pas mais les nuages étaient assez denses pour masquer les étoiles. Complètement épuisé, Pitt passa les commandes à Giordino ; avant de se permettre un petit somme, il tira son téléphone satellite d'un sac étanche et composa le numéro personnel de Sandecker.

—Oui ! répondit presque aussitôt la voix de l'amiral.

—Nous rentrons, marmonna Pitt.

—Il serait temps.

—Nous n'avons pas eu besoin de prolonger notre visite.

—Où êtes-vous maintenant ?

—A bord d'un hélicoptère volé en route vers San José, au Costa Rica.

—Il ne vous a pas paru nécessaire d'inspecter les installations de jour ?

—Nous avons eu un coup de chance, répondit Pitt, luttant contre le sommeil.

—Vous avez recueilli les éléments dont nous avons besoin ? insista Sandecker.

—Nous avons tout, assura Pitt. Le Spectre a pris des savants en otages et leur a fait mettre au point une technique permettant d'obtenir de l'énergie propre à partir d'azote et d'hydrogène. Les Chinois sont en train de fabriquer des millions de générateurs de chaleur qu'ils seront prêts à vendre dès que, après l'ouverture des tunnels, le froid aura atteint la côte américaine et l'Europe.

— Ce projet insensé aurait pour but de vendre des radiateurs ? résuma Sandecker, sceptique.

— Nous évoquons des centaines de milliards de dollars, sans parler de la puissance qu'induit un monopole. A la première neige, le Spectre contrôlera l'économie mondiale.

— Vous êtes certain : il aurait perfectionné cette technologie qui échappe encore aux plus brillants esprits du monde ? récapitula Sandecker.

— Le Spectre dispose des esprits les plus brillants, répéta Pitt. Vous entendrez tous les détails de l'histoire de la bouche même de deux d'entre eux.

— Ils sont avec vous ? fit Sandecker, brûlant d'impatience.

— Assis juste derrière moi avec la meurtrière de Renée Ford.

— Celle-là aussi ?

— Affrétez un avion pour nous à San José et demain, à cette heure-ci, nous la déposerons à vos pieds.

— Je mets tout de suite Rudi là-dessus, assura Sandecker. Dès votre arrivée, rendez-vous à mon bureau.

— …

— Dirk, vous êtes toujours là ?

Pitt avait cédé au sommeil et involontairement coupé la communication.

40

L'avion d'Air Canada amorçait sa descente vers la Guadeloupe. Summer regardait par le hublot le bleu sombre de la mer virer au turquoise tandis que l'appareil survolait les récifs et les lagons. Assis auprès d'elle, Dirk étudiait la carte des Saintes, un petit archipel au sud de la Guadeloupe.

Elle contemplait avec une curiosité croissante le papillon que dessinaient les deux îles de Basse-Terre et de Grande-Terre : Basse-Terre, l'aile occidentale, avec ses collines boisées et sa forêt tropicale abritant certaines des plus hautes cascades des Caraïbes et la Soufrière, le volcan toujours menaçant qui culmine à plus de quatorze cents mètres, et Grande-Terre, l'aile orientale du papillon, très différente, dont les champs de canne à sucre alimentent les trois distilleries produisant le célèbre rhum de la Guadeloupe. Les deux îles dont la surface totale correspond à peu près à celle du Luxembourg étaient séparées par un étroit chenal bordé de palétuviers, la rivière Salée.

Summer rêvait de profiter de ces innombrables plages de sable noir ou blanc, bordées de palmiers comme sur une carte postale, mais elle savait qu'une fois terminées leurs recherches sur les navires disparus d'Ulysse, l'amiral Sandecker les rappellerait sans leur permettre de souffler un seul jour.

L'avion décrivit un large cercle et amorça sa descente vers l'aéroport de Pointe-à-Pitre. Un bref instant, les derniers rayons du soleil couchant flamboyèrent sur les hublots, puis l'appareil se posa sur la piste. Summer aimait les débuts de soirée sous les tropiques, l'heure où la brise du large dissipe d'ordinaire la moiteur de la journée.

—Comment est ton français ? lui demanda Dirk en descendant les marches de l'échelle de coupée.

—A peu près aussi bon que ton swahili. Pourquoi me demandes-tu ça ?

—Seuls les touristes parlent anglais. Les gens du pays utilisent le français ou le créole.

—Comme nous n'avons ni l'un ni l'autre fait des études de langues très poussées, il nous faudra recourir au langage des signes.

Dirk regarda sa sœur en riant et lui tendit un petit livre.

—Voici un dictionnaire anglais-français. Je compte sur toi pour me servir d'interprète.

Ils entrèrent dans le terminal et suivirent les premiers passagers vers le service d'immigration. Le préposé les dévisagea avant de tamponner leurs passeports.

—Vous venez à la Guadeloupe pour affaires ou pour le plaisir ? demanda-t-il dans un anglais parfait.

—Pour le plaisir, répondit Summer en fronçant son petit nez et en exhibant ce qui pouvait passer pour un gros diamant à sa main gauche. Nous sommes en voyage de noces.

L'agent baissa les yeux vers son corsage, hocha la tête et sourit en donnant un coup de tampon.

—Bon séjour, lança-t-il, presque égrillard.

—Qu'est-ce que c'est que cette histoire de lune de miel ? Et où as-tu trouvé cette bague ? demanda Dirk, une fois hors de portée.

—Des jeunes mariés, c'est une bonne couverture,

non ? répondit-elle. Quant à la bague, elle est en toc, elle m'a coûté huit dollars !

— J'espère que personne ne la regardera de trop près sinon je passerai pour le mari le plus radin du monde.

Après avoir récupéré leurs bagages et passé la douane, ils gagnèrent le hall où une trentaine de personnes attendaient pour accueillir amis ou parents. Un petit homme en complet blanc avec le teint un peu coloré des créoles brandissait une pancarte sur laquelle on pouvait lire : PITT.

— C'est nous, se présenta Dirk. Voici Summer et je suis Dirk Pitt.

— Charles Moreau, dit le petit homme en tendant la main. (Il avait les yeux d'un noir d'encre et un nez en lame de couteau. Très mince, il arrivait tout juste aux épaules de Summer.) Votre vol n'avait que dix minutes de retard : c'est un record. (Puis il s'inclina, prit la main de Summer et des lèvres lui effleura le bout des doigts.) L'amiral Sandecker m'avait dit que vous étiez un très beau couple.

— Je pense qu'il vous a dit aussi que nous sommes frère et sœur.

— En effet. Ça pose un problème ?

— Je voulais juste que ce soit clair, fit Dirk en jetant un coup d'œil à Summer.

Summer et Moreau franchirent les portes du terminal tandis que Dirk les suivait avec le chariot à bagages. Une fort jolie femme aux cheveux d'un noir de corbeau et arborant la tenue créole traditionnelle – une jupe de madras aux couleurs vives avec un foulard assorti autour des cheveux, un corsage de dentelle blanche et une écharpe nouée sur une épaule – bouscula violemment Dirk. Habitué aux voyages, il vérifia aussitôt que son portefeuille n'avait pas disparu de la poche où il l'avait rangé.

—Je suis désolée. C'était ma faute, s'excusa-t-elle tout en se massant l'épaule.

—Vous vous êtes fait mal ? demanda Dirk avec sollicitude.

—Je sais maintenant quel effet ça fait de rentrer dans un arbre. (Elle leva les yeux vers lui avec un grand sourire.)

—Je m'appelle Simone Raizet. Peut-être que je vous reverrai en ville.

—Peut-être, répondit Dirk sans éprouver le besoin de se présenter.

La femme se tourna vers Summer.

—Vous avez un bien charmant compagnon.

—Il peut l'être parfois, dit Summer en souriant.

Là-dessus la femme tourna les talons et s'engouffra dans le terminal.

—Qu'est-ce que vous dites de cela ? fit Pitt interloqué.

—Ce n'est pas la timidité qui l'étouffe, murmura Summer.

—Bizarre, fit Moreau. Je suis né sur cette île et pourtant je n'ai jamais croisé cette femme qui a l'air de vivre ici.

—Si vous voulez mon avis, déclara Summer qui paraissait un peu préoccupée, cette collision n'était pas le fruit du hasard.

—Je suis d'accord, acquiesça Dirk. Elle voulait quelque chose, je ne sais pas quoi, mais notre rencontre n'avait rien de fortuit.

Moreau les entraîna jusqu'au parking et s'arrêta devant une BMW 525. Dirk y déposa les bagages dans le coffre et Moreau prit la route de Pointe-à-Pitre.

—Je vous ai réservé une petite suite avec deux chambres au Canella Beach Hotel, un établissement très fréquenté, parfait pour un jeune couple aux moyens limités. Selon les instructions de l'amiral Sandecker, vous tenez à garder un profil bas durant votre chasse au trésor.

— Un trésor historique, précisa Summer.

— Il a raison, fit Dirk. S'il venait à se savoir que la NUMA se lance dans une chasse au trésor, nous aurions toute la presse à nos trousses.

— Et vous vous feriez expulser des Antilles, ajouta Moreau. Notre gouvernement protège très sérieusement notre héritage sous-marin.

— Si nous réussissons, affirma Summer, vous bénéficierez d'une découverte qui fera date.

— Raison de plus pour garder le secret sur votre expédition.

— Etes-vous un vieil ami de l'amiral ?

— J'ai rencontré James voilà des années quand je m'occupais des intérêts de la Guadeloupe au consulat français de New York. Depuis que j'ai pris ma retraite, il m'associe à certains projets de la NUMA dans cette région des Antilles.

Moreau traversa les collines verdoyantes qui descendaient jusqu'au port et contourna la ville pour gagner la côte Sud de Grande-Terre. Arrivé dans les faubourgs de Gosier, il prit un petit chemin de terre qui serpentait dans la vallée avant de rejoindre la grand-route.

Par sa vitre, Summer admirait les maisons blotties au fond de magnifiques jardins.

— Vous nous faites visiter le pays ?

— Un taxi nous suit depuis l'aéroport, expliqua Moreau. Je voulais vérifier.

Dirk se retourna pour regarder par la vitre arrière.

— La Ford verte ?

— Exactement.

Moreau quitta le quartier résidentiel et se mit à zigzaguer parmi les cars, les voitures, les scooters et les innombrables taxis. Le chauffeur de la Ford verte s'efforçait de ne pas les perdre de vue, mais la circula-

tion le gênait. Moreau réussit à se faufiler entre deux
cars qui bloquaient la voie et vira brusquement à droite
dans une petite rue bordée de maisons de style colonial,
tourna une nouvelle fois à gauche puis encore au
carrefour suivant pour se retrouver sur la grand-route.
Le taxi obliqua sur une allée latérale, rattrapa son retard
et se colla presque au pare-chocs arrière de Moreau.

—C'est bien à nous qu'il s'intéresse, constata Dirk.

—Voyons si j'arrive à le semer, dit Moreau.

Il attendit un ralentissement puis, au lieu de tourner,
il fonça à travers les files de voitures et prit une rue
latérale. Gêné par un embouteillage de scooters, de
voitures particulières et de cars, le taxi perdit au moins
trente secondes avant de pouvoir reprendre sa poursuite.

Moreau cependant avait tourné à un coin de rue et,
ayant momentanément perdu de vue le taxi, s'engouffra
dans l'allée d'une maison pour se garer derrière un gros
buisson de laurier-rose. Quelques instants plus tard, le
taxi vert passa en trombe dans la rue et disparut dans
un nuage de poussière. Après avoir attendu quelques
minutes, Moreau repartit en marche arrière et replongea
dans la circulation.

—Nous l'avons semé, mais j'ai bien peur que ce ne
soit que provisoire.

—Comme il nous a manqués, réfléchit Dirk à haute
voix, il va peut-être nous faire le même coup et nous
attendre.

—J'en doute, fit Summer d'un ton assuré, je parierais qu'il est toujours sur une fausse piste.

—Perdu, fit Dirk en riant, et par le pare-brise il
désigna la Ford verte garée sur le côté de la route, et
son chauffeur portable en main parlant avec animation.
Arrêtez-vous donc à côté de lui, Charles.

Débouchant lentement derrière le taxi, Moreau se

rabattit soudain et s'arrêta à quelques centimètres. Dirk se pencha par la vitre et frappa à la portière du taxi.

— C'est nous que vous cherchez ?

Abasourdi, le chauffeur jeta un coup d'œil au visage souriant de Dirk, lâcha son portable, appuya à fond sur la pédale de l'accélérateur et démarra en direction de Sainte-Anne, ses pneus crissant sur l'asphalte. Moreau se rangea et s'arrêta en regardant le taxi disparaître dans le flot des voitures.

— La dame de l'aéroport et maintenant ça, maugréa Moreau. Qui donc s'intéresse à deux représentants de la NUMA qui préparent une plongée ?

— Au mot *trésor*, nombreux sont ceux qui accourent, fit Summer. Certains sont au courant de nos projets, apparemment.

Dirk fixait au loin le point de la route où le taxi avait disparu.

— Demain, quand nous mettrons le cap sur l'île de Branwyn, nous identifierons celui qui nous suit.

— Vous connaissez cette île ? s'informa Summer auprès de Moreau.

— Assez pour savoir qu'il est dangereux de s'en approcher, déclara Moreau. On disait l'Ile Rouge autrefois en raison de son sol volcanique rougeâtre. Le nouveau propriétaire l'a rebaptisée, du nom d'une déesse celte, la Vénus des mers septentrionales ou la déesse de l'amour et de la beauté. Les indigènes les plus superstitieux continuent à y voir l'île de la mort.

— A cause de ses dangereux récifs ou de la violence des courants ?

— Non, expliqua Moreau en freinant brutalement pour éviter deux enfants qui traversaient la rue, le propriétaire de l'île n'aime pas les intrus.

— Notre ordinateur a trouvé dans ses banques de données, dit Summer, qu'il s'agit d'une femme, Epona Eliade.

—Très mystérieuse. Elle n'aurait, en effet, jamais mis les pieds à Basse-Terre, pas plus qu'à Grande-Terre d'ailleurs.

—L'entretien d'une belle demeure à Branwyn implique certainement beaucoup de personnel, remarqua Summer.

—Les photos satellite montrent un terrain d'aviation, quelques bâtiments, une curieuse colonnade circulaire et une très belle maison, précisa Moreau. Les courants ont déposé sur une plage de Basse-Terre, à des kilomètres de là, des cadavres, probablement ceux de pêcheurs, ou de touristes, qui avaient essayé de débarquer sur l'île.

—La police n'a pas enquêté ?

Moreau secoua lentement la tête tout en allumant ses phares car la nuit commençait à tomber.

—Elle n'a pu prouver ni l'acte criminel ni que les victimes avaient débarqué sur l'île.

—A-t-on déterminé les circonstances de ces décès ?

—Les corps, fit Moreau avec un petit rire, ont été examinés par le personnel médical disponible au moment et à l'endroit où la mer les a rejetés. Leur état de décomposition n'a permis aucune conclusion définitive. La plupart du temps on a attribué leur décès à la noyade. Et pourtant, ajouta-t-il, à en croire certaines rumeurs, on avait arraché le cœur des victimes.

—C'est morbide, murmura Summer.

—Raison de plus, renchérit Moreau, pour ne pas s'approcher.

—Ça me paraît difficile puisque nous comptons examiner le fond de la rade.

—Soyez toujours aux aguets, conseilla Moreau. Voici le numéro de mon portable. Si vous flairez des problèmes, appelez-moi aussitôt. En dix minutes, je vous enverrai une vedette de la police.

Moreau suivit la route sur trois kilomètres encore avant de tourner dans l'allée de l'hôtel. Un chasseur se précipita pour ouvrir la portière de Summer; puis il sortit les bagages et le matériel de plongée du coffre et les porta jusqu'à leurs chambres.

— Vous trouverez à quelques minutes d'ici quantité de restaurants, de boutiques et de boîtes de nuit, les renseigna Moreau. Je passerai vous prendre demain matin à neuf heures; je vous conduirai au bateau que j'ai affrété pour vos recherches. Le détecteur sous-marin de métaux et la sonde à ultrasons que le commandant Rudi Gunn a expédiés par avion de Floride sont à bord et prêts à fonctionner. J'ai également fait monter sur le pont un petit compresseur pour alimenter votre drague et votre sonde.

— Vous pensez à tout, le félicita Dirk.

— Merci de votre aide et de votre courtoisie, dit Summer tandis que leur guide lui baisait la main.

— Et merci pour le gymkhana, ajouta Dirk en serrant la main de Moreau.

— Je n'en étais pas totalement responsable, fit Moreau avec un petit sourire. (Puis son visage s'assombrit.) Je vous en prie, soyez prudents. Il se passe ici quelque chose qui nous dépasse. Je ne veux pas vous voir finir comme les autres.

— Qu'est-ce que tu penses de tout cela? demanda Summer en regardant du perron Moreau repartir.

— Ça me laisse tout à fait perplexe et j'avoue que la présence de Papa et de Al me rassurerait.

41

Aucune élégante représentante du Congrès, aucune somptueuse voiture de collection, cette fois, pour accueillir Pitt et Giordino, mais des soldats de la base militaire voisine entourant l'appareil, une Lincoln noire, une conduite intérieure turquoise de la NUMA et une camionnette banalisée.

Rudi se tenait auprès du véhicule de la NUMA.

—Je me demande quand j'aurai le temps de prendre une douche et d'avaler un steak, gémit Giordino, convaincu que Sandecker avait envoyé Gunn pour les emmener directement aux bureaux de la NUMA.

—Epargnez-moi ces jérémiades, fit Gunn, car l'amiral n'a pas besoin de vous voir avant demain après-midi. Vous avez rendez-vous à deux heures à la Maison-Blanche où vous serez reçus par les conseillers du Président.

Les Lowenhardt descendirent à leur tour et les rejoignirent. Hilda se dressa sur la pointe des pieds et embrassa Pitt sur les deux joues tandis que Claus serrait énergiquement la main de Giordino.

—Nous ne vous remercierons jamais assez, dit-elle, la voix étranglée par l'émotion.

—Nous vous serons toujours redevables, approuva Claus, rayonnant, en regardant les immeubles de Washington.

—On va bien s'occuper de vous, fit Pitt en lui

passant un bras autour des épaules, et on m'a assuré que vos enfants sont protégés et sur le point de vous rejoindre ici.

— Je vous promets notre pleine coopération. Nous nous ferons un plaisir de partager tout ce que nous savons de la technologie de l'énergie propre avec vos savants. N'est-ce pas Hilda ? fit-il en se tournant vers elle.

— Mais oui, Claus, affirma-t-elle en souriant. Nous offrirons notre découverte au monde.

Ensuite ce furent les adieux et la Lincoln, conduite par un agent du FBI, les emmena dans une planque de Washington.

Puis vint le tour de Flidais qui, menottes aux mains, passa devant Pitt, Giordino et Gunn, poussée par deux robustes agents du FBI jusqu'à la camionnette. Elle jeta à Pitt un regard brûlant de haine auquel il répondit par un sourire avant que ne se referment les portes.

— Je vous enverrai des oranges.

Giordino et lui montèrent dans la voiture de la NUMA que conduisait Gunn. Celui-ci exhiba son badge pour franchir le poste de garde et se dirigea vers le pont le plus proche enjambant le Potomac.

— Et si nous faisions une pause maintenant, suggéra Giordino. Dire que j'aurais pu, il y a quatre jours, inviter à dîner une charmante personne. Eh bien non, il a fallu que tu insistes pour infiltrer le saint des saints du Spectre.

— Je ne me souviens pas avoir eu à discuter, observa Pitt.

— Tu m'as pris dans un moment d'égarement.

— Allons, si on tire parti rapidement de nos renseignements, nous aurons contribué à épargner aux Etats-Unis et à l'Europe un bien sale temps.

— Qui empêchera Odyssée d'ouvrir les tunnels ? lança Giordino. Le gouvernement nicaraguayen, une équipe des forces spéciales américaines, une résolution des Nations unies ? Les diplomates européens se perdront en parlotes pendant que leurs pays se transformeront en glaçons. Personne n'aura le cran de s'occuper d'Odyssée avant qu'il ne soit trop tard.

— Tu as probablement raison, reconnut Pitt, mais ce n'est plus notre problème. Nous les avons prévenus. Nous ne pouvons faire plus.

Gunn franchit le pont en direction d'Alexandria où résidait Giordino.

— On peut dire que vous avez fait le bonheur de l'amiral. Il est l'homme du jour à la Maison-Blanche. Pour des raisons évidentes, on garde encore le secret sur votre découverte mais, dès que les conseillers à la Sécurité du Président auront trouvé un plan pour mettre un terme aux activités du Spectre et d'Odyssée, ça va être le ramdam. Les médias vont s'emparer de l'affaire et c'est la NUMA qui décrochera la timbale.

— Eh bien tant mieux, murmura Giordino, indifférent. Vous me déposez d'abord ?

— Puisque vous habitez le plus près, dit Gunn. Ensuite, je prendrai l'autoroute de Mount Vermont pour conduire Dirk à son hangar.

Quelques minutes plus tard, un Giordino épuisé et chargé de bagages grimpait le perron de son immeuble. Il se retourna et leur fit un geste las avant d'entrer chez lui.

Après avoir longé un moment le Potomac, Gunn franchit les portes de l'aéroport Ronald-Reagan et suivit un chemin de terre jusqu'au vieux hangar de Pitt, à quelques centaines de mètres au bout d'une piste. Bâti au début des années 30 pour abriter les avions d'une compagnie aérienne depuis longtemps disparue, Pitt avait réussi à faire classer le site monument historique après l'avoir acheté et réaménagé pour y loger ses voitures et ses avions de collection.

— Vous passez me prendre pour la réunion ? demanda Pitt.

— Je ne fais pas partie des invités, fit Gunn en se grattant la tête avec un petit sourire. Le Secret Service vous enverra une voiture.

Pitt tourna les talons et déclencha l'ouverture de la porte à la peinture écaillée en tapant une série de codes.

Ce qu'il découvrait en pénétrant chez lui lui procurait toujours le même bonheur : les murs, la voûte arrondie et le plancher, tout était peint en blanc de manière à rehausser les couleurs éblouissantes des trente-cinq automobiles de collection. A côté de la Marmon V-16, une Duesenberg 1929, une Stutz 1922, une L 29 Cord 1929 et une Pierce Arrow 1936 avec sa remorque d'origine. Plus loin, une Ford de course 1936, la Météore de Dirk et une Allard J2X 1953 rouge vif. On apercevait deux avions au fond du hangar : un trimoteur Ford début des années 30 et un Messerschmitt 262 de la Seconde Guerre mondiale. Le long d'un mur un wagon Pullman sur les flancs duquel on pouvait lire MANHATTAN LIMITED. Les seuls objets insolites dans cet ensemble étaient la cabine d'un voilier monté sur un radeau de caoutchouc et une baignoire équipée d'un moteur hors-bord.

Il grimpa l'escalier métallique en colimaçon qui, à l'extrémité nord du hangar, desservait son appartement, véritable vitrine d'un magasin d'antiquités nautiques : meubles provenant de vieux vaisseaux à voile, marines et maquettes de bateaux alignées sur des étagères. Le plancher, en teck, avait été le pont d'un vapeur échoué sur l'île de Kauai à Hawaii.

Il ouvrit son sac, jeta son linge sale dans un panier auprès de la machine à laver et se dépouilla de ses vêtements qui suivirent le même chemin. Il passa dans sa cabine de douche en bois de teck, ouvrit largement l'eau chaude et se savonna vigoureusement. Quand il eut terminé, il se sécha et gagna son lit où, s'allongeant sur la couverture, il s'endormit aussitôt.

La nuit était tombée quand Loren Smith, qui avait sa propre clef, entra dans le hangar. Elle monta directement à l'appartement où elle trouva Pitt allongé nu en travers du lit, dormant profondément. Avec un petit sourire, elle se pencha et tira sur lui une couverture.

Quand Pitt s'éveilla six heures plus tard, il aperçut des étoiles par la lucarne et son nez repéra aussitôt l'odeur d'un steak qui grillait. La vue de la couverture étalée sur le lit le fit sourire : Loren était passée par là. Il se leva, enfila un short kaki et une chemise à fleurs puis passa des sandales.

Bronzée grâce aux bains de soleil qu'elle prenait sur sa terrasse, Loren était ravissante dans son short blanc moulant et son chemisier de soie rayé. Elle poussa un petit soupir quand Pitt la prit par la taille en la serrant doucement contre lui.

— Pas maintenant, dit-elle en feignant d'être irritée. Je suis occupée.

— Comment as-tu deviné que je rêve d'un steak depuis cinq jours ?

— Pas besoin d'être médium, tu n'aimes que ça. Occupe-toi de préparer la purée.

Pitt obéit et entreprit d'écraser les pommes de terre. Il nappa deux assiettes de purée tandis que Loren apportait un superbe châteaubriand coupé en deux. Elle ajouta une salade César et s'installa. Pitt, lui, déboucha une bouteille de chardonnay bien fraîche.

— Il paraît qu'Al et toi en avez vu de dures, dit-elle en coupant son steak.

— Quelques petits problèmes en effet, mais rien de bien sérieux.

Elle le regarda tendrement, mais son ton n'en était pas moins résolu.

—Tu commences à te faire vieux pour ce genre d'escapade. Il serait temps que tu ralentisses un peu.

—Que je prenne ma retraite et que je joue au golf dans un club cinq jours par semaine ? Je ne crois pas.

—Je ne te parle pas de retraite, mais de diriger des expéditions moins dangereuses.

Il emplit son verre et se renversa sur son siège en la regardant boire à petites gorgées. Il examinait ses traits séduisants, ses cheveux, ses oreilles délicates, son petit nez gracieux, son menton énergique et ses pommettes hautes. Elle aurait pu avoir tous les hommes de Washington, depuis les membres du cabinet présidentiel jusqu'aux sénateurs et aux membres du Congrès, en passant par les riches avocats, les pontes de la finance et les dignitaires étrangers mais, depuis vingt ans, malgré quelques aventures sans lendemain, elle n'avait jamais aimé que Pitt. Même si parfois elle vagabondait, elle lui revenait toujours. Elle avait vieilli maintenant, elle avait de petites rides autour des yeux et, même si grâce à la gymnastique elle gardait un corps ferme, ses rondeurs étaient moins accentuées. Pourtant, dans un salon, noyée parmi une nuée de superbes jeunes femmes, tous les regards masculins se tourneraient vers Loren.

—Oui, articula-t-il lentement, je pourrais rester davantage à la maison. Mais il faudrait que j'aie une raison.

Comme si elle n'avait pas entendu, elle annonça :

—Mon mandat au Congrès se termine bientôt et j'ai annoncé que je ne me représenterai pas.

—As-tu réfléchi à ce que tu feras ensuite ?

—On m'a fait plusieurs propositions, déclara-t-elle, la direction de diverses organisations, ma collaboration dans au moins quatre groupes de pression et trois cabinets d'avocats. Mais je préférerais prendre ma retraite, voyager un peu, écrire ce livre sur les dessous du Congrès auquel je pense depuis longtemps et passer plus de temps à peindre.

— Tu as manqué ta vocation, tes paysages sont excellents.

— Et toi ? demanda-t-elle en croyant connaître la réponse. Tu vas repartir avec Al pour flirter avec la mer et essayer de sauver tous les océans du monde ?

— Je ne peux pas parler pour Al, mais en ce qui me concerne, les guerres, c'est fini. Je vais me laisser pousser une belle barbe blanche et faire joujou avec mes vieilles automobiles en attendant qu'on pousse ma petite voiture dans une maison de retraite.

— J'ai du mal à l'imaginer, fit-elle en riant.

— Et j'espère que tu m'accompagneras.

Elle s'arrêta et le regarda avec de grands yeux.

— Qu'est-ce que tu dis ?

Il lui prit la main et la serra avec force.

— Ce que je dis, Loren Smith, c'est que je crois le moment venu de vous demander votre main.

Elle le dévisagea d'un air incrédule.

— Tu ne... tu ne plaisantes pas, bredouilla-t-elle d'une voix étranglée.

— Je suis extrêmement sérieux, confirma-t-il en découvrant les larmes qui brillaient dans ses yeux. Je t'aime, je t'aime depuis une éternité et je veux que tu sois ma femme.

Elle ne bougeait plus, bouleversée, la dame de fer de la Chambre des Représentants, celle que n'avaient jamais fait reculer les pressions politiques, la femme plus forte que n'importe quel homme de Washington. Puis elle cacha ses yeux derrière ses mains tandis que des sanglots la secouaient.

Il fit le tour de la table et la prit par les épaules.

— Je suis navré, je ne voulais pas te bouleverser.

Elle leva vers lui des yeux pleins de larmes.

—Crétin, si tu savais depuis combien de temps je les attends ces mots ?

—Mais, fit Pitt, stupéfait, lorsqu'il en a été question tu as toujours rétorqué que nous étions déjà mariés à notre travail.

—Tu crois toujours ce qu'une femme te dit ?

Pitt la fit lentement se lever et posa un baiser sur ses lèvres.

—Pardonne-moi d'avoir été aussi lent que stupide. Mais je te pose la question : veux-tu m'épouser ?

Loren se jeta à son cou en lui couvrant le visage de baisers.

—Mais oui, espèce d'idiot, s'exclama-t-elle. Oui, oui, oui !

42

Quand il se réveilla le lendemain matin, Loren était déjà repartie chez elle pour prendre une douche et se changer avant d'affronter de nouveaux combats au Congrès. Il gardait encore le souvenir de leurs joyeuses étreintes et, malgré son rendez-vous à la Maison-Blanche, il ne se sentait pas d'humeur à jouer les bureaucrates en costume trois pièces. D'ailleurs, depuis qu'il avait décidé de prendre sa retraite, il ne se sentait plus obligé d'impressionner les conseillers du Président. Il passa donc un pantalon de flanelle, un polo et une veste de sport.

Une Lincoln noire conduite par un agent du Secret Service l'attendait. Le chauffeur, un robuste gaillard avec plus qu'un soupçon de brioche, ne salua pas Pitt et le laissa ouvrir lui-même sa portière. Il ne se montra pas plus loquace pendant le trajet jusqu'à l'appartement d'Al.

Giordino s'installa auprès de Pitt et la voiture repartit. Le chauffeur ne prenant pas l'itinéraire habituel, Giordino se pencha vers lui.

—Excusez-moi, mon vieux, mais vous prenez le chemin des écoliers, on dirait ?

Pas de réponse.

Giordino se tourna vers Pitt.

—Un vrai moulin à paroles, ce garçon !

—Demande-lui où il nous conduit.

—Dites-moi, fit Giordino en s'adressant au chauffeur, si ce n'est pas à la Maison-Blanche, où nous menez-vous ?

Toujours pas de réponse.

L'homme ne s'occupait pas de Giordino et conduisait tel un robot.

—Qu'est-ce que tu en dis ? murmura Giordino. Au prochain feu rouge nous lui plantons un pic à glace dans l'oreille et nous nous emparons de la voiture ?

—Qu'est-ce qui nous prouve qu'il appartient vraiment au Secret Service ? dit Pitt.

Dans le rétroviseur, l'expression du chauffeur n'avait pas changé mais il brandit sa carte par-dessus son épaule.

—Il vient du Secret Service, fit Giordino.

Renonçant à engager la conversation, Pitt et Giordino se laissèrent conduire sans un mot. La voiture finit par s'arrêter devant une lourde grille qu'un garde, reconnaissant le chauffeur, ouvrit. La limousine descendit une rampe qui plongeait dans un tunnel. Pitt connaissait ce réseau souterrain qui desservait dans le sous-sol de Washington la plupart des bureaux entourant le Capitole. Le président Clinton l'utilisait souvent pour ses virées dans les boîtes de la ville. Au bout d'un bon kilomètre, le chauffeur s'arrêta devant un ascenseur, sortit et leur ouvrit la portière.

—Messieurs, nous sommes arrivés.

—Mon Dieu, s'exclama Giordino, il a parlé !

L'ascenseur descendit trois ou quatre cents mètres avant de s'arrêter ; les portes s'ouvrirent sans bruit devant un Marine en grande tenue qui gardait une porte d'acier. Il examina soigneusement Pitt et Giordino, compara leurs visages avec les photographies de leurs papiers puis, satisfait, pianota un code et s'écarta.

Ils se trouvaient dans une longue salle de réunion équipée d'écrans de contrôle, de cartes et de tableaux

lumineux, une salle d'état-major. Sandecker se leva
pour les accueillir.

— Eh bien, cette fois-ci, vous avez vraiment ouvert
une boîte de Pandore.

— J'espère, déclara Pitt avec modestie, que les résultats de nos recherches se sont révélés utiles.

— C'est le moins qu'on puisse dire, s'exclama
l'amiral en se tournant vers un homme aux cheveux
gris vêtu d'un costume à rayures noires. Je crois que
vous connaissez le conseiller à la Sécurité du Président,
Max Seymour.

Pitt serra la main qu'on lui tendait.

— J'ai eu l'occasion de le rencontrer aux barbecues
qu'organisait mon père le samedi après-midi.

— Le sénateur Pitt et moi nous connaissons de
longue date, confirma Seymour avec chaleur. Comment
va votre charmante mère ?

— A part un peu d'arthrite, très bien, répondit Pitt.

Sandecker présenta rapidement les trois autres
hommes debout autour de la longue table. Jack Martin,
conseiller scientifique de la Maison-Blanche, Jim Hecht,
directeur adjoint de la CIA, et le général Arnold Stack,
dont les fonctions précises au Pentagone n'avaient
jamais été révélées. Chacun reprit sa place et Sandecker
demanda à Pitt de faire son rapport sur ce que Giordino et
lui avaient découvert dans les tunnels et dans les installations d'Odyssée sur l'île d'Ometepe.

Une secrétaire annonça que le magnétophone fonc-
tionnait bien et Pitt commença, laissant de temps en
temps la parole à Giordino pour compléter un point ou
un autre. Ils conclurent par le récit de leur évasion avec
les Lowenhardt et la meurtrière travaillant pour Odyssée. Personne ne les avait interrompus.

Les hommes du Président mirent quelques instants à
assimiler les redoutables conséquences du désastre qui
menaçait.

— Un coup que vos gens ont laissé filer, Jim, assena froidement Max Seymour à Jim Hecht de la CIA.

— Sans photos satellite d'un chantier susceptible de porter atteinte à la sécurité des Etats-Unis et, surtout, sans demande d'enquête de la part de la Maison-Blanche, nous n'avions aucune raison d'envoyer des agents.

— Et les installations d'Ometepe ?

— Nous avons vérifié, répondit Hecht qui commençait à s'énerver, et constaté qu'on y faisait des recherches sur l'énergie propre. Nos analystes n'ont vu aucune mise au point d'armes de destruction massive par Odyssée. Nous n'avons donc pas insisté puisque notre principal objectif est de surveiller et d'analyser la pénétration de la République populaire de Chine en Amérique centrale, et particulièrement dans la zone du canal.

— Ce retard de nos meilleurs savants dans la conception d'une énergie propre me préoccupe beaucoup. Odyssée a réussi un extraordinaire exploit technique que les Chinois convertissent déjà en millions de machines.

— Nous ne pouvons pas toujours être les premiers en tout, rétorqua le général Stack. Donc, si je vous ai bien écoutés, poursuivit-il en s'adressant à Pitt et à Giordino, Odyssée a attiré dans ses installations du Nicaragua un certain nombre d'éminents spécialistes de l'énergie des cellules pour mettre au point la machine capable d'exploiter leur découverte.

— Exact.

— J'ai en tête le nom d'au moins quatre de nos universitaires qui ont abandonné leurs laboratoires de recherche et disparu sans laisser de trace, intervint Martin.

— Etes-vous certain, reprit Hecht en regardant Pitt, de la coopération des Lowenhardt ? Ils nous donneront bien les éléments techniques nécessaires pour recréer le résultat de leurs travaux ?

— Je leur ai promis que nous ferions venir ici leurs enfants et qu'ils bénéficieraient de la protection du gouvernement. Ensuite ils ont donné leur accord.

— Bonne décision, fit Sandecker, même si vous avez outrepassé vos pouvoirs.

— Cela m'a paru la moindre des choses, répliqua Pitt.

Jack Martin griffonnait sur un bloc.

— Dès qu'ils seront remis de leurs épreuves et reposés, nous commencerons à les interroger. Quels détails de leur procédé vous ont-ils livrés ? demanda-t-il à Pitt.

— Seulement que l'hydrogène leur paraissant un carburant peu pratique, ils l'ont éliminé au profit de l'azote puisque ce gaz entre à 70 % dans la composition de l'air que nous respirons. En l'extrayant de l'atmosphère avec de l'oxygène, ils ont ingénieusement créé un carburant alimenté par des gaz naturels et qui ne laisse d'autre déchet que de l'eau pure. D'après Claus, ils ont conçu une machine extrêmement simple qui comprend moins de huit pièces. C'est cette simplicité qui a permis aux Chinois de produire si rapidement autant d'unités.

— Parvenir à une telle production en si peu de temps est tout simplement stupéfiant, grommela le général Stack.

— Tout cela a dû exiger des quantités phénoménales de platine pour enduire les anodes qui séparent les protons des électrons du gaz, remarqua Martin.

— Ces dix dernières années, compléta Hecht, Odyssée a fait main basse sur 80 % des mines de platine du monde. Ce qui a coûté très cher à l'industrie automobile qui a besoin de platine pour certaines pièces de moteur.

— Quand nous connaîtrons la technique des Lowenhardt, intervint Seymour, nous nous heurterons au même problème : trouver des quantités suffisantes de platine pour faire face à la production chinoise.

— Ils ne sont pas encore parvenus au carburant pour automobiles, fit remarquer Giordino. Ils l'ont bien précisé.

— Toujours grâce aux données des Lowenhardt, suggéra Martin, et en y consacrant tous nos efforts, il nous reste l'espoir de damer le pion, dans ce domaine, à Odyssée et aux Chinois.

— Ça vaut certainement la peine d'essayer, répondit aussitôt le général Stack, maintenant que les travaux préliminaires ont été réalisés et qu'on nous fournit la technologie sur un plateau. Ce qui nous amène à examiner, poursuivit-il en se tournant vers Seymour, la façon de régler le problème d'Odyssée et des tunnels.

— Bloquer une série de tunnels et maîtriser un dictateur disposant d'armes de destruction massive, comme Saddam en Irak, sont deux opérations très différentes, rappela Seymour. Je ne peux pas conseiller délibérément au Président de faire usage de la force.

— Mais les conséquences qu'entraînerait un terrible refroidissement au-dessus du trentième parallèle seraient tout aussi épouvantables.

— Max a raison, dit Martin. Il serait pratiquement impossible de convaincre le reste du monde du danger.

— Quoi qu'il en soit, coupa Sandecker, il faut bloquer ces tunnels et le faire vite. Dès l'ouverture, ils déverseront des millions de litres d'eau de l'Atlantique dans le Pacifique, et il deviendra beaucoup plus difficile de les détruire.

— Pourquoi ne pas envoyer clandestinement une petite équipe avec des explosifs pour faire le travail ?

— Ils n'arriveraient jamais à franchir le barrage de sécurité d'Odyssée, déclara Giordino.

— Dirk et vous l'avez bien fait, rétorqua Sandecker.

—Nous ne trimbalions pas avec nous cent tonnes d'explosif et tout le nécessaire.

Pitt s'était levé pour examiner les écrans de contrôle et les cartes qui s'étalaient sur les murs. Une grande photo satellite des installations d'Odyssée sur Ometepe attira tout particulièrement son attention : il regarda de plus près pour examiner la pente du mont Concepción et une idée commença à germer dans son esprit. Puis il tourna les talons et regagna sa place.

—Un B-52 larguant des bombes à pénétration d'une tonne ferait l'affaire, suggéra Stack.

—Malgré la menace, démentit Seymour, nous ne pouvons pas nous amuser à lâcher des bombes sur des pays amis.

—Alors, insista Stack, vous reconnaissez que les perspectives d'un brutal refroidissement du climat constituent une menace pour la sécurité nationale.

—Cela va sans dire, admit Seymour avec une certaine lassitude. Ce que je cherche à vous expliquer, c'est qu'il doit exister une solution, logique, qui ne ferait pas passer aux yeux des autres nations le Président et les membres du gouvernement des Etats-Unis pour des monstres.

—Sans oublier, ajouta Hecht avec un sourire narquois, les implications politiques et les retombées avant la prochaine élection si nous prenons la mauvaise décision.

—Il pourrait y avoir une autre approche, déclara alors lentement Pitt sans quitter des yeux la photo satellite. Une approche qui donnerait satisfaction à tout le monde.

—Très bien, monsieur Pitt, riposta le général Stack d'un ton sec. Expliquez-moi comment détruire les tunnels sans envoyer les Forces spéciales ou une escadrille de bombardiers ?

L'assistance tout entière avait les yeux fixés sur Pitt.

— Je propose de confier cette tâche à Mère Nature, formula-t-il à l'assistance qui, médusée, commençait à se demander s'il n'avait pas perdu la tête. Ce fut Martin, le savant, qui rompit le silence.

— Pourriez-vous nous expliquer ?

— Les géologues s'attendent à un glissement de terrain sur les flancs du volcan Concepción, dû, à n'en pas douter, au creusement du tunnel sous le bord extérieur du volcan. Quand Al et moi nous trouvions dans la partie du tunnel la plus proche du noyau, nous avons pu sentir une montée conséquente de la température.

— Plus de quarante degrés, précisa Giordino.

— Les Lowenhardt nous ont parlé de l'un des savants retenus en otage, un certain Dr Honoma, de l'université de Hawaii…

— Qui figure sur notre liste de disparus, intervint Martin.

— Le Dr Honoma, donc, parle d'un glissement de terrain imminent qui provoquera l'effondrement du volcan avec des résultats catastrophiques.

— De quel ordre ? demanda le général pas encore convaincu.

— Le centre de recherche d'Odyssée et tous ceux qui s'y trouvent seraient ensevelis sous des millions de tonnes de roche, et la lame de fond qui s'ensuivrait détruirait toutes les localités des bords du lac.

— Donc, en admettant que votre hypothèse soit vraie, fit Seymour en regardant Pitt, c'est la montagne qui fera le travail à notre place et qui anéantira les tunnels.

— C'est un scénario.

— Nous n'avons donc rien d'autre à faire que d'attendre tranquillement.

— Les géologues n'en ont pas vu suffisamment pour avancer une date précise : le glissement de terrain peut se produire dans quelques jours ou dans quelques années. Il serait alors trop tard pour éviter le refroidissement du climat.

— Nous ne pouvons pas rester assis sur nos fesses, déclara Stack brutalement, et attendre sans réagir que les tunnels soient prêts à fonctionner.

— Nous pourrions le faire, dit Pitt, mais il y a une autre solution.

— Nous direz-vous enfin le fond de votre pensée ? s'impatienta Sandecker.

— Informer le gouvernement nicaraguayen de la menace planant sur le volcan Concepción, l'affoler en évoquant les milliers de morts possibles et puis lui lancer l'hameçon.

— L'hameçon ? répéta Seymour sans comprendre.

— Nous leur proposons notre aide pour évacuer vers les hauteurs les travailleurs des installations et les habitants des rives du lac Nicaragua. Ensuite, de quinze mille mètres, on lâche tranquillement une bombe sur le flanc du volcan sans que personne s'en doute, ainsi on déclenche le glissement de terrain et les tunnels sont anéantis.

Sandecker se renversa dans son fauteuil et réfléchit.

— Non, trop simple, trop élémentaire pour un événement aussi énorme.

— D'après ce que je connais de la région, dit Martin, le mont Concepción est encore en activité. Une bombe risquerait de déclencher une éruption.

— Lâcher une bombe dans le cratère du volcan pourrait en effet provoquer une éruption, dit Pitt. Mais nous devrions pouvoir l'éviter si nous la larguons de manière qu'elle explose au pied du volcan.

Pour la première fois, le visage du général Stack s'éclaira d'un sourire.

— La solution de monsieur Pitt me paraît d'une admirable simplicité. Je propose de l'étudier.

— Et les ouvriers qui travaillent au fond des tunnels ? demanda Seymour. Ils n'auraient pas la moindre chance de s'en tirer.

— Ne vous inquiétez pas, répondit Giordino. Ils seraient partis plus de vingt-quatre heures avant l'ouverture des tunnels sur la mer.

— Il n'y a pas de temps à perdre, assura Pitt. Les deux femmes du quartier général d'Odyssée disaient il y a trois jours que l'ouverture du tunnel était prévue huit jours plus tard. Il ne nous en reste plus maintenant que cinq.

— Max, dit Hecht en s'adressant à Seymour, à vous de jouer. Il nous faudra l'approbation du Président.

— Je l'aurai dans l'heure qui suit, affirma Seymour. Il me faudra ensuite convaincre le secrétaire d'Etat Hampton d'entamer sans tarder des négociations avec les responsables nicaraguayens pour qu'ils autorisent notre force de secours à entrer dans le pays. Quant à vous, général, dit-il en jetant un coup d'œil à Stack, je compte sur vous pour monter et diriger les opérations d'évacuation. Et vous, Jack, pour flanquer la frousse au gouvernement nicaraguayen.

— Je vous donnerai un coup de main, proposa Sandecker. Je connais très bien deux des grands océanographes de ce pays.

Pour finir, Seymour se tourna vers Pitt et Giordino.

— Messieurs, nous avons une grande dette envers vous.

— J'ai un service à vous demander, dit Pitt en regardant Hecht. J'aimerais voir votre rapport sur le Spectre et sur le conglomérat Odyssée.

— Je vous le ferai porter aux bureaux de la NUMA. Vous croyez qu'il contient quelque chose qui pourrait nous servir ?

— Je n'en sais rien, dit franchement Pitt. Mais je vais quand même le regarder attentivement.

—Mes analystes l'ont étudié en profondeur, mais n'ont rien trouvé de particulier.

—Peut-être, dit Pitt, tomberai-je sur un détail qui n'a pas attiré l'attention.

Dirk et Summer sortirent de l'hôtel à neuf heures précises avec les sacs contenant le matériel de plongée ; ils trouvèrent Moreau en short blanc, chemisette blanche à col ouvert et chaussettes montantes. Le chasseur rangea leurs bagages dans le coffre et ils s'installèrent dans la BMW 525.

On accédait au quai où Moreau avait amarré le bateau par une route sinueuse qui descendait sur trois kilomètres. Ils s'arrêtèrent sur une étroite jetée de pierre qui avançait dans une eau passant du vert-jaune au vert bleuté à mesure qu'elle devenait plus profonde. Le bateau arborait son nom à la poupe, en lettres d'or : *DEAR HEART*.

C'était un joli petit voilier de huit mètres avec seulement un mètre vingt de tirant d'eau. Pour suppléer à ses quarante mètres carrés de voilure, le bateau disposait d'un petit moteur diesel de 10 chevaux. La cabine pouvait accueillir facilement deux passagers et leur proposait une douche et une petite cuisine. Le détecteur de métal et la sonde de sédiment promis par Moreau attendaient, prêts à fonctionner, dans le cockpit. Dirk installa une échelle et, avec l'aide de Moreau, descendit les bagages jusqu'à la cabine.

— Bon voyage, dit Moreau à Summer. Je garderai en permanence mon portable sur moi. N'hésitez pas à appeler si vous avez des problèmes.

— Nous en aurons sûrement, prédit Summer.

Puis elle glissa jusqu'au bas de l'échelle pour rejoindre Dirk qui mettait en marche le petit diesel. A son signal, Moreau largua les amarres et les regarda partir, le front barré d'un pli soucieux.

Une fois passée la dernière bouée, Dirk hissa la grand-voile et le foc tandis que Summer tenait la barre. La toile d'un rouge vif se détachait sur le bleu du ciel et, ses voiles gonflées par le vent, le *Dear Heart* se mit à filer dans la houle. Dirk admira le pont : briqué et astiqué. Le *Dear Heart* semblait avoir à peine un an.

— On est à quelle distance de Branwyn ? demanda Summer.

— Une bonne vingtaine de milles, répondit Dirk. Mets le cap plein sud. L'île a un feu bien reconnaissable à la pointe est.

Dirk, torse nu, orientait les voiles tandis que Summer, en bikini vert à motif fleuri, ses cheveux flottant au vent, barrait d'une main ferme et habile ; elle gardait un œil sur les îles qui se dessinaient à l'horizon et l'autre sur le compas, comme si elle participait à une régate au large de la côte californienne. Au bout d'une heure, elle prit les jumelles.

— Je crois que je vois le phare, dit-elle.

Dirk suivit la direction qu'elle montrait du doigt. Il ne distinguait pas tout à fait le feu, mais une tache à l'horizon prit bientôt le contour d'une île.

— Ce doit être Branwyn. Mets le cap droit dessus. Le port est sur la rive sud.

Un banc de poissons volants jaillit devant l'étrave pour se disperser dans toutes les directions ; certains bondissaient le long du bateau en quête de nourriture. Cinq dauphins les remplacèrent en gambadant autour du *Dear Heart* comme des clowns avides d'applaudissements.

Sur l'île, maintenant à moins de trois milles de

distance, on voyait nettement le phare et une maison de trois étages aux volets fermés ; le ponton qui partait de la plage de sable était inoccupé.

Ils échangèrent leurs places : Dirk prit la barre et Summer, accrochée au gréement, inspectait l'île qui n'offrait aucun des charmes des tropiques. Elle ne dégageait pas non plus, comme la plupart des îles, une odeur caractéristique de moisissure, de plantes tropicales ou de cuisine locale, mais un parfum de mort comme si elle puait le mal. Summer perçut le grondement lointain du ressac sur un récif et découvrit à l'extrémité d'une longue piste d'atterrissage un petit bâtiment qui avait dû servir de hangar. Mais, aucun signe de vie. Branwyn faisait penser à un cimetière abandonné.

Attentif à ne pas trop approcher du récif, Dirk inspectait l'eau et le fond lisse et sablonneux. Fréquemment, il s'assurait en jetant un coup d'œil au sonar que le fond ne remontait pas brusquement vers la quille. Tenant la barre d'une main ferme, il contourna l'île pour atteindre l'extrémité sud. Il consulta sa carte et changea légèrement de cap avant de s'engager dans le chenal que lui indiquait le sonar.

L'entrée n'était pas facile car le courant le poussait à bâbord mais, pensa-t-il, pour Ulysse et ses hommes qui avaient traversé l'Atlantique cela avait dû être un jeu d'enfant, car ils pouvaient se diriger à la rame. Dirk aurait pu mettre le moteur en marche, mais il préférait se fier à sa technique.

Une fois le goulet franchi, il retrouva une eau plus calme ; il rendit la barre à Summer et amena les voiles. Puis il mit en marche le petit diesel et entreprit d'explorer la rade qui ne faisait pas plus de huit cents mètres de long et qui était moitié moins large. Tandis que Summer, penchée par-dessus bord, surveillait la moindre anomalie du fond, Dirk croisa nonchalamment en s'efforçant de sentir le courant et s'imaginant sur le pont de l'un des vaisseaux d'Ulysse ; il essayait de deviner où les marins de l'Antiquité avaient jeté l'ancre voilà bien des siècles. Il finit par s'arrêter dans un secteur protégé des vents dominants par un monticule de sable d'une trentaine de mètres de hauteur. Il coupa le moteur et laissa tomber l'ancre de la proue.

—L'endroit n'a pas l'air mal pour plonger.

—Ça semble plat comme un parquet de salle à manger, ajouta Summer. Je n'ai vu aucune bosse. Il est évident que le bois d'une épave celte se serait décomposé depuis des millénaires et qu'on ne pourrait en trouver qu'en profondeur.

—Allons-y. Je mesure la consistance du sable et de la vase. Toi, tu nages dans les parages et tu inspectes les lieux.

Ils s'équipèrent puis Dirk vérifia que l'ancre était bien enfoncée et que le bateau ne risquait pas de dériver. N'ayant pas besoin de se protéger de l'eau froide – la température était d'environ trente degrés – ou des aspérités du corail, ils se contentèrent de leur costume de bain pour plonger dans une eau extraordinairement transparente, avec une visibilité de près de soixante mètres, des conditions de plongée parfaites.

Quarante minutes plus tard, Dirk remonta et se débarrassa de ses bouteilles et de sa ceinture lestée. Il avait passé un détecteur de métaux sous la surface du fond à la recherche d'une couche d'argile plus dure, mais n'avait trouvé que cinq mètres de sable avant d'atteindre la roche. Pendant quelques minutes, il regarda les bulles d'air que laissait Summer dans son sillage ; elle remonta bientôt à bord pour déposer avec précaution un objet incrusté de coraux sur le pont.

—Qu'as-tu trouvé ? demanda Dirk.

—Je ne sais pas, mais ça me paraît trop lourd pour

une pierre. Cela dépassait du sable à une centaine de mètres au large.

Dirk inspecta le rivage, qui semblait toujours désert. Il ressentait pourtant une étrange sensation au creux de l'estomac, comme si on les surveillait. Avec son couteau, il détacha doucement le corail de l'objet et eut bientôt entre les mains un oiseau aux ailes déployées.

— On dirait un aigle ou un cygne, dit-il. (Là-dessus, la pointe de son couteau fit une petite entaille argentée.) S'il est lourd, c'est parce qu'il a été fondu dans du plomb.

Summer le prit dans ses mains et examina les ailes et la tête avec le bec tourné vers la droite.

— Est-ce que cela pourrait être une antiquité celtique ?

— Le fait que ce soit du plomb est un bon indice. Le Dr Chisholm a expliqué que la Cornouaille attirait les envahisseurs non seulement pour son étain mais aussi pour ses mines de plomb. As-tu marqué le site où tu l'as trouvé ?

— J'ai laissé ma sonde dans le sable avec un petit drapeau orange.

— C'est loin ?

— A une quinzaine de mètres dans cette direction, précisa-t-elle.

— Bon, avant de draguer ou de sonder, nous allons passer ton site au détecteur de métaux. Le sonar ne nous sera pas d'une grande utilité si l'épave est ensevelie dans sa totalité.

— Nous devrions peut-être nous faire envoyer un magnétomètre par Rudi.

— Un magnétomètre, fit Dirk en souriant, décèle le champ magnétique du fer ou de l'acier. Les voyages d'Ulysse se sont passés bien avant l'âge de fer. Un détecteur de métaux sera sensible à la présence du fer aussi bien qu'à celle de la plupart des autres métaux, y compris l'or et le bronze.

Summer mit donc en marche le détecteur de métaux tandis que Dirk le branchait au lecteur entourant le palpeur. Remettant alors en marche le moteur diesel, Dirk entreprit de quadriller le secteur à l'affût de la moindre anomalie. A peine un quart d'heure plus tard, l'aiguille du cadran se mettait à zigzaguer en même temps qu'un bourdonnement s'amplifiait dans les écouteurs de Summer.

— Nous arrivons sur quelque chose, annonçait-elle quand les deux appareils qui, au moment de leur passage au-dessus de la sonde plantée par Summer, avaient légèrement réagi, s'affolèrent. (Ils indiquaient la présence d'objets métalliques sous la quille.) Une assez grosse masse par ici. Quelle direction suivons-nous ?

— Est-ouest.

— Repasse sur le site, mais cette fois du nord au sud.

Dirk obéit. Les instruments une nouvelle fois s'affolèrent. Summer nota les indications sur un carnet et se tourna vers Dirk.

— C'est une cible linéaire, d'une quinzaine de mètres de long, qui pourrait ressembler à l'épave d'un navire à voile brisé.

— Dans la zone prévue, en plus. Vérifions.

— Quelle est la profondeur de l'eau ?

— Seulement trois mètres.

Dirk fit faire un nouveau demi-tour au bateau, coupa le moteur et laissa le *Dear Heart* dériver. Quand les chiffres du GPS commencèrent à correspondre à ceux de l'anomalie métallique, il largua l'ancre, puis mit en marche le compresseur.

Ils enfilèrent leur équipement de plongée et entrèrent dans l'eau chacun d'un côté du bateau. Dirk ouvrit la valve de la sonde à compression et poussa le jet dans le sable : après cinq tentatives vaines, il rencontra soudain un obstacle solide à un mètre environ au-dessous de la surface du sable.

—Là, quelque chose, s'écria-t-il. Des dimensions comparables à celles d'un navire antique.

—Ça pourrait être n'importe quoi, l'arrêta Summer, l'épave d'un vieux bateau de pêche, ou des déchets largués par une péniche…

—Nous n'avons plus qu'à sortir la drague.

Ils regagnèrent le *Dear Heart* et mirent la drague à l'eau. Dirk se chargerait de creuser tandis que Summer resterait à bord pour surveiller le compresseur.

Le sable était mou et, en moins de vingt minutes, le cratère mesurait un mètre vingt de diamètre sur près d'un mètre de profondeur. Dirk y découvrit un objet rond : une antique jarre à huile en terre cuite, comme celle dont le Dr Boyd avait montré les photos lors de leur réunion à la NUMA. Vinrent ensuite une tasse en terre cuite, puis deux autres, et bientôt la garde et la lame très abîmées d'une épée. Il allait remonter à la surface quand il tomba sur une sorte de dôme d'où jaillissaient deux protubérances ; son cœur se mit à battre : il était en train de dégager un exemplaire du casque de l'âge de bronze orné de cornes décrit par Homère.

Dirk acheva de l'extraire du sable où il reposait depuis plus de trois mille ans. Il était épuisé par cette plongée d'une cinquantaine de minutes mais il avait trouvé la preuve qu'il cherchait : la flotte d'Ulysse avait fait naufrage aux Antilles et non en Méditerranée. Serrant sa trouvaille contre lui comme s'il s'agissait d'un nouveau-né, il remonta à bord du *Dear Heart*.

Summer l'attendait en haut de l'échelle. Il souleva le casque hors de l'eau et le lui tendit avec précaution.

—Prends-le, mais fais attention, il est rongé par

l'érosion, lui recommanda-t-il avant de replonger aussitôt chercher les autres objets.

Quand il se retrouva sur le pont, Summer était occupée à immerger le casque dans l'eau salée.

— Formidable, ne cessait-elle de répéter. Je n'en crois pas mes yeux. Un casque, un vrai casque antique en bronze.

— Quel coup de chance, ajouta Dirk, une trouvaille pareille dès le début.

— Parce que tu penses vraiment à la flotte d'Ulysse ?

— Cette identification est du ressort d'experts tels que Boyd et Chisholm. Heureusement, ils étaient ensevelis dans la vase, qui les a conservés.

Après un repas léger et une petite heure de repos, Dirk redescendit pour faire marcher la drague, laissant Summer nettoyer les objets.

Il trouva cette fois des lingots – quatre de cuivre et un d'étain – dont les bords, concaves, les dataient bien de l'âge du bronze. Il découvrit ensuite un marteau de pierre. Puis, plus bas, des fragments de planche et de poutre qu'un laboratoire de dendrochronologie parviendrait peut-être à dater. L'après-midi se terminait quand Dirk vint à bout de ses multiples tâches ; il trouva Summer contemplant un magnifique coucher de soleil.

— Ouvre une bouteille de vin, suggéra-t-elle, pendant que je prépare le dîner.

— Que dirais-tu d'un petit cocktail pour fêter cela ? surenchérit-il en souriant. J'ai acheté à la boutique de l'hôtel du rhum de la Guadeloupe. Je vais nous préparer un punch.

Summer regardait l'eau virer au bleu marine à mesure que le soleil disparaissait dans la mer.

— Je me demande quels autres trésors se cachent là-bas.

— Peut-être plus aucun.

Elle lut le doute dans son regard.

—Qu'est-ce qui te fait dire cela ?

—J'ai l'impression que le site sur lequel j'ai travaillé a déjà été fouillé.

—Fouillé par qui ?

—Il me semble que les objets ont été déplacés. Et par des mains humaines, pas par les courants.

—Nous nous inquiéterons de cela demain, le rassura Summer. Je meurs de faim et de soif.

Summer réchauffa une soupe aux moules et fit cuire deux homards qu'elle avait attrapés en plongeant ; elle couronna le tout par un dessert à la banane. Après ce festin, ils s'allongèrent sur le pont pour contempler les étoiles et bavarder en écoutant l'eau clapoter contre la coque du *Dear Heart* jusqu'à près de minuit.

Dirk et Summer étaient très proches mais, contrairement aux vrais jumeaux, en dehors du travail, chacun suivait sa voie. Summer fréquentait un jeune diplomate du département d'Etat que son grand-père, le sénateur, lui avait présenté. Dirk, lui, puisait dans une collection de filles dont le physique et la personnalité étaient sans cesse différents. Il ne partageait pas non plus les intérêts de son père même si, comme lui, il aimait les voitures de collection et les vieux avions et avait la passion de la mer. Dirk aimait le motocross et les courses de canoë à moteur, il avait l'esprit de compétition. Son père, en revanche, préférait les sports impliquant l'effort d'une équipe.

Après avoir longuement discuté d'Ulysse et de ses voyages, ils finirent par décider qu'il était temps de se coucher. Summer s'installa sur l'une des couchettes de la cabine tandis que Dirk préféra passer la nuit sur des coussins disposés sur le pont.

A quatre heures du matin, la mer était d'un noir d'encre. Une petite pluie masquait les étoiles. Dirk s'enroula dans un ciré et retourna à ses rêves.

Ce ne fut pas le moteur d'un bateau qui le tira de son

sommeil car il n'y avait ni bateau ni moteur. Ils
jaillirent de l'eau silencieusement, comme des fantômes
se dressant hors de leur pierre tombale par une nuit
d'Halloween. Ils étaient quatre : trois hommes et une
femme. Dirk n'entendit pas le bruit de leurs pas légers
sur l'échelle qu'il avait oublié de remonter.

Les dormeurs réveillés en plein sommeil par des intrus
réagissent de différentes façons. Dirk n'en eut même
pas le temps. Contrairement à son père, il ne savait pas
encore qu'il ne fallait pas compter sur la chance mais,
comme les boy-scouts, se tenir « toujours prêts ». Avant
même d'avoir repéré la présence d'étrangers sur le *Dear
Heart*, il sentit le ciré s'enrouler autour de sa tête et une
matraque ou une batte de base-ball s'abattre sur sa nuque
et le plonger bien au-delà de ses rêves dans un puits sans
fond.

44

Les consignes d'évacuation de l'île d'Ometepe arrivèrent par fax. Il avait fallu quatre jours au secrétaire
d'Etat George Hampton pour convaincre le Président
nicaraguayen, Raul Ortiz, que les intentions des Etats-
Unis étaient purement humanitaires ; il promit que
toutes les forces américaines quitteraient le pays sitôt
la population en sécurité. De leur côté, Jack Martin et
l'amiral Sandecker avaient avisé des savants nicaraguayens de l'imminence de la catastrophe et ceux-ci
apportèrent tout leur soutien à l'opération.

Comme il fallait s'y attendre, les fonctionnaires
locaux, soit dûment arrosés par le Spectre, soit bom-
bardés de consignes par les Chinois, opposèrent une
violente résistance. Mais, lors de la conférence organisée par Martin, Sandecker et lui terrifièrent les dirigeants du pays en décrivant la catastrophe qui menaçait
et le nombre de victimes probable dans un rayon de
deux kilomètres autour du lac. La panique fit bientôt
cesser toute opposition.

En étroite liaison avec le général Juan Morega,
commandant en chef des forces armées nicaraguayennes, le général Stark mit en place les éléments
de sa force d'intervention qui, sitôt l'autorisation reçue,
se mit à l'œuvre. On réquisitionna tous les bateaux
du lac pour évacuer les habitants des localités non
desservies par une route, et camions et hélicoptères de

l'armée américaine transportèrent les autres sur les hauteurs. En même temps, on rassemblait un groupe des Forces spéciales pour donner l'assaut aux installations d'Odyssée.

On se doutait que les services de sécurité d'Odyssée s'efforceraient désespérément de garder le secret sur leur redoutable projet et sur la présence des savants retenus en otages. On craignait aussi que le Spectre n'ordonnât leur massacre et ne fît disparaître les corps et toute trace même de leur existence. Le général Stack n'était pas insensible à de tels arguments, mais le risque de perdre des milliers d'êtres humains et des milliards de dollars pesait plus lourd que vingt ou trente vies. Il donna l'ordre d'évacuer le plus rapidement possible les installations et tous ceux, ouvriers et scientifiques, qui se trouvaient encore sur l'île.

Il plaça Pitt sous le commandement du lieutenant-colonel d'une unité de reconnaissance des Marines, Bonaparte Nash, Bony pour ses proches. Nash accueillit Pitt et Giordino sur la base provisoire d'évacuation par hélicoptère à San Jorge, sur la côte occidentale.

— Je suis très honoré de faire votre connaissance, messieurs. On m'a parlé de vos états de service à la NUMA. Très impressionnants. Je compte sur vous pour nous mener, mes hommes et moi, jusqu'aux bâtiments où les savants sont gardés prisonniers.

— Nous le ferons, affirma Pitt.

— Mais, si j'ai bien compris, vous n'êtes allés sur place qu'une seule fois.

— Si nous avons réussi de nuit, rétorqua Giordino, un peu agacé, cela devrait être possible en plein jour.

Nash étala sur un coin de table une grande photo satellite des installations et commença :

— Je dispose de cinq hélicoptères Chinook CH-47, transportant chacun trente hommes. J'ai prévu d'en faire atterrir un sur le terminal, un deuxième sur les quais, un troisième devant l'immeuble qui sert de Q.G. aux services de sécurité et un quatrième au milieu des entrepôts. Vous m'accompagnerez à bord du cinquième pour nous désigner la prison des savants.

— Permettez-moi une suggestion, proposa Pitt. (Il tira de sa poche un stylo et désigna un bâtiment auprès d'une rue bordée de palmiers.) Ce sont les bureaux de la direction. Vous pouvez vous poser sur le toit et vous emparer des principaux dirigeants d'Odyssée avant qu'ils n'aient le temps de s'échapper avec leur propre hélicoptère.

— Comment savez-vous cela ? demanda Nash.

— Al et moi nous sommes évadés il y a six jours en volant un hélico sur ce même toit.

— L'immeuble est surveillé par une dizaine de gardes dont vos hommes devront s'occuper, précisa Giordino.

Nash les regardait avec un respect croissant mais demeurait cependant un peu sceptique.

— Il y avait des gardes quand vous vous êtes échappés ?

— Oui, quatre, répondit Pitt, conscient de la méfiance de Nash.

— Je vous croyais océanographes, finit par lâcher Nash.

— En effet, acquiesça calmement Giordino.

— Si vous le dites, céda Nash en secouant la tête. Cela étant, je ne peux pas vous donner d'armes. Vous nous accompagnerez en qualité de guides et vous laisserez à mes hommes et à moi le soin du combat.

Pitt et Giordino échangèrent un bref regard : le 45 de Pitt et le 50 de Giordino étaient bien dissimulés sous les pans de leurs chemises à fleurs.

— En cas de problème, lui assura Giordino, nous jetterons des cailloux et vos hommes viendront nous tirer d'affaire.

—Décollage dans dix minutes, annonça Nash qui commençait à s'énerver. Suivez-moi. Une fois posés, contentez-vous de vous assurer que nous ne nous trompons pas d'immeuble car nous ne pourrons nous permettre de perdre du temps à chercher notre chemin alors que les otages risquent à tout moment d'être exécutés par les gardes d'Odyssée.

—D'accord, fit Pitt.

Dix minutes plus tard, Giordino et lui bouclaient leurs ceintures dans le gros hélicoptère de transport en compagnie du lieutenant-colonel Nash. Avec eux, trente gaillards silencieux et décidés, en tenue camouflée avec gilet pare-balles, armés de pistolets dignes d'un film de science-fiction et de lance-roquettes.

Le pilote décolla et, une vingtaine de kilomètres plus loin, arriva en vue du centre d'Odyssée. La réussite de l'opération reposait sur l'effet de surprise. Nash avait prévu de maîtriser les gardes, de sauver les otages puis d'évacuer les ouvriers par centaines dans des bateaux qui fonçaient déjà vers Ometepe. Une fois la dernière personne en sécurité sur les hauteurs, Nash devait donner au pilote d'un bombardier B-52 tournant à dix-huit mille mètres d'altitude le signal de larguer au pied de la montagne une bombe à forte pénétration : une avalanche se produirait qui provoquerait l'effondrement des tunnels et balaierait dans le lac les installations de recherche et de production.

Le vol parut très court à Pitt : à peine l'hélicoptère avait-il décollé qu'il se posait déjà pour lâcher Nash et ses hommes hurlant aux gardes de jeter leurs armes.

Les quatre autres hélicos avaient atterri sans difficulté : quelques gardes firent feu mais sentant qu'ils avaient affaire à plus forts qu'eux et que toute résistance était inutile, ils ne tardèrent pas à se rendre : ils avaient été engagés pour surveiller des locaux, non pour soutenir une bataille rangée contre des professionnels ; de plus aucun n'avait une vocation de martyr.

Pitt, Giordino sur ses talons, se précipita et fonça sur la porte principale de l'immeuble, avant même Nash et ses hommes. Les gardes n'eurent pas le temps de comprendre d'où arrivaient les automatiques de gros calibre braqués sur eux.

— Donnez-moi ces pistolets ! ordonna Nash, furieux de découvrir que Pitt et Giordino étaient armés.

Pitt et Giordino, sans s'émouvoir, ouvrirent à coups de pied toutes les portes successivement. Personne. Pitt revint en courant vers les gardes que les hommes de Nash entraînaient dehors, empoigna le plus proche et enfonça le canon de son Colt contre les narines de l'homme.

— Anglais ?

— Non, *señor.*

— *¿ Donde están los científicos ?*

— *Ellos fueron tomados lejos a la darsena y colocados en el transbordador*, répondit le garde complètement affolé.

— Que se passe-t-il ? interrogea Nash. Où sont les otages ?

Pitt éloigna son Colt.

— C'est ce que je viens de lui demander. On les a emmenés sur les quais et embarqués sur un ferry.

— Sans doute pour les couler en plein milieu du lac, déclara Giordino.

Pitt se tourna vers Nash.

— Donnez-nous vos hommes et un hélico pour les rattraper avant que les gardes d'Odyssée ne sabordent le ferry.

— Désolé, fit Nash en secouant la tête, pas possible. J'ai pour ordre de m'assurer de la base et d'évacuer la totalité du personnel. Je ne peux me passer ni de mes hommes ni d'un hélicoptère.

— Mais ces gens représentent un atout précieux pour les intérêts de notre pays, insista Pitt. Ils possèdent la technique de l'énergie cellulaire.

— Mes ordres sont impératifs, répéta Nash, impassible.

— Alors, prêtez-nous un lance-grenades et nous poursuivrons nous-mêmes le ferry.

— Je ne peux pas fournir d'armes à des civils.

— Merci de votre aide, lança Giordino. Ne perdons pas de temps à discuter avec cette tête de mule. (Giordino désigna un chariot de golf comme celui qu'il avait piloté dans les tunnels.) Si nous n'arrivons pas à les arrêter sur le quai, nous pourrons peut-être prendre une des vedettes de patrouille d'Odyssée.

Pitt, avant de se précipiter vers le chariot, lança à Nash un regard chargé de mépris. Huit minutes plus tard, déboulant sur le quai, ils purent constater avec désespoir qu'un vieux ferry appareillait, suivi d'une vedette de surveillance.

— Trop tard, gémit Giordino. Ils ont pris un canot pour récupérer les gardes quand ils auront fait sauter le ferry.

— Viens, on embarque, répondit Pitt qui venait d'apercevoir un petit hors-bord amarré à moins de vingt mètres de là.

C'était un Boston Whaler équipé d'un moteur Mercury de 150 chevaux. Pitt actionna le démarreur tandis que Giordino larguait les amarres.

— Que fera-t-on quand nous les aurons rejoints ? cria Giordino par-dessus le rugissement du moteur.

— Je trouverai un moyen le moment venu, répondit Pitt.

D'un coup d'œil Giordino estima la distance qui séparait les deux embarcations.

— Trouve vite, ils ne sont pas armés de pistolets à

bouchon, eux, mais de vrais fusils d'assaut et, en plus, d'un vilain canon à l'avant de la vedette.

— Je vais virer de manière que le ferry se trouve entre nous et le patrouilleur, ce qui neutralisera leur ligne de tir. Ensuite il ne nous restera qu'à nous ranger le long du ferry pour sauter à bord, proposa Pitt. Qu'en penses-tu ?

— J'ai connu des plans moins insensés, fit Giordino, résigné, mais pas depuis dix ans.

— On dirait qu'il y a deux, peut-être trois gardes sur le pont supérieur auprès de la timonerie. Prends mon Colt et joue les desperados, un pistolet dans chaque main. Si tu réussis à les intimider, peut-être qu'ils lèveront les mains pour capituler.

— Croisons les doigts.

Pitt fit décrire au Whaler une large trajectoire en contournant le ferry avant que l'équipage du patrouilleur n'intervienne avec son canon. Le bateau bondit par-dessus la crête du sillage laissé par le ferry et retomba dans le creux, ce qui leur évita d'être atteints par la grêle de balles qui passa au-dessus de leurs têtes. Giordino répliqua en pressant la détente de ses deux pistolets aussi vite que ses doigts pouvaient le lui permettre. La rafale prit les gardes par surprise. L'un s'affaissa, touché à la jambe, un autre se retourna en se tenant l'épaule tandis que le troisième lâchait son fusil et levait les mains.

— Tu vois, dit Pitt. Qu'est-ce que je te disais ?

— Bien sûr, mais il a quand même fallu que j'en mette deux au tapis.

A vingt mètres du ferry, Pitt ralentit et donna un léger coup de barre à tribord. Avec l'habileté que lui donnaient des années de pratique, il glissa le canot le long de la coque du ferry en le heurtant à peine. Giordino monta le premier et désarmait les gardes quand Pitt sauta sur le pont.

—J'ai remis un chargeur plein, dit-il en lançant à Pitt son automatique. Prends-le !

Pitt le saisit au vol et s'engouffra par un panneau d'écoutille pour dévaler l'échelle. Soudain un grondement leur parvint de la salle des machines, qui ébranla tout le bateau. Un des gardes avait actionné les détonateurs et l'explosion avait ouvert une brèche dans la cale. Projeté à terre, Pitt reprit aussitôt ses esprits et se précipita dans la coursive centrale en donnant au passage des coups de pied à chaque porte.

—Sortez, vite ! criait-il aux savants qu'il délivrait. Le navire va couler ! (Il arrêta un homme à la barbe et aux cheveux gris.) Il y en a d'autres ailleurs ?

—Oui, quelques-uns dans un magasin au fond de la coursive.

Pitt courut jusqu'à la porte de la soute, pataugeant dans l'eau déjà jusqu'aux chevilles. La porte était trop solide pour l'enfoncer à coups de pied.

—Eloignez-vous du battant ! prévint-il en braquant le pistolet de Giordino sur la serrure. La balle fracassa le verrou, ce qui permit à Pitt de pousser la porte d'un coup d'épaule. Dix personnes étaient groupées là, six hommes et quatre femmes.

—Filez maintenant ! Abandonnez le bateau avant qu'il coule !

Il avait déjà poussé le dernier des savants vers l'échelle et s'apprêtait à lui emboîter le pas quand une seconde explosion plus forte le plaqua contre une cloison. Sonné par le choc, il se retrouva quelques instants plus tard assis dans l'eau qui montait maintenant jusqu'à sa poitrine. Il se releva péniblement et grimpa tant bien que mal l'échelle.

Moins d'une minute plus tard, le ferry commençait à s'enfoncer dans le lac. Pitt perçut le grondement de l'eau qui déferlait, un étrange bruit sourd. Il se posa de multiples questions au sujet des gens qu'il avait dirigés jusqu'au pont. Se sont-ils noyés ? Ont-ils été abattus comme des lapins par le patrouilleur ? Et Al ? Etait-il en train d'aider les survivants ? Toujours mal en point, il rassembla ses dernières forces pour se hisser par-dessus le bastingage. Les bruits sourds qu'il avait remarqués lui parurent plus forts et il aperçut Giordino cramponné à une élingue et qui semblait flotter dans l'air. Ce n'est qu'alors que Pitt remarqua l'hélicoptère. Dieu soit loué, Nash a changé d'avis, se dit-il.

Il attrapa Giordino par la taille tandis que des bras musclés l'empoignaient sous les aisselles. Juste au moment où il sentit la traction du treuil, le ferry se déroba sous ses pieds et sombra.

—Les savants ? murmura-t-il à Giordino, car il ne voyait personne dans l'eau.

—Hissés à bord de l'hélico, cria Giordino. Les gardes ont renoncé en voyant arriver Nash et ses hommes, ils se sont enfuis à bord du patrouilleur.

—Tout le monde a évacué l'île ? demanda-t-il à Nash qui était venu s'agenouiller auprès de lui.

—Jusqu'aux chiens et aux chats errants, annonça Nash avec un sourire satisfait. Nous avons bouclé l'opération plus tôt que prévu, ce qui nous a permis de venir vous chercher. Comme vous ne remontiez pas, nous vous avons cru mort ; sauf Al qui, avant que j'aie pu l'en empêcher, est redescendu par le câble de halage sur le pont ; vous avez réapparu au même moment.

—Heureusement que vous êtes arrivé à temps.

—C'est pour quand le final ? s'informa Giordino.

—Les personnes évacuées d'Ometepe et celles habitant dans un rayon de moins de trois kilomètres autour du lac ont été transportées sur les hauteurs par camions et par cars. Encore trente-cinq minutes, fit Nash en jetant un coup d'œil à sa montre, et elles seront tout à fait en sûreté. Quand j'en aurai la confirmation, j'enverrai le signal et le pilote larguera sa bombe.

—Avez-vous eu affaire à un petit groupe de femmes en uniforme ? demanda Pitt.

—En survêtement d'une drôle de couleur ? se fit préciser Nash en souriant.

—Lavande et vert ?

—Elles se sont battues comme des amazones, répondit Nash qui n'y croyait pas encore tout à fait. Trois de mes hommes ont été blessés pour avoir cessé de tirer sur des femmes, mais comme elles les visaient, ils ont été obligés de riposter.

Giordino regarda le bâtiment des bureaux au moment où l'hélicoptère le survolait. Des torrents de fumée s'échappaient du dixième étage.

—Combien en avez-vous abattu ?

—Au moins neuf. (Nash avait l'air intrigué.) La plupart de ces femmes étaient superbes. Ça a été dur pour mes hommes : je suis persuadé que certains souffriront de problèmes psychologiques à leur retour chez eux. Ils ne sont pas entraînés à tirer sur des femmes en civil.

—Y en avait-il une en survêtement doré ? interrogea Pitt.

Nash réfléchit un moment puis secoua la tête.

—Non. (Il marqua un temps puis reprit :) Rousse ?

—Oui, elle avait les cheveux roux.

—Comme toutes celles qui ont péri. Elles se sont battues comme des fanatiques. Incroyable !

L'hélicoptère resta en position stationnaire au-dessus de l'île. Nash apprit que l'évacuation s'était terminée avec presque une minute d'avance sur ses prévisions. Sans une seconde d'hésitation, il donna l'autorisation au B-52 de larguer la bombe.

Le bombardier volait si haut qu'on ne pouvait pas le voir ni distinguer la bombe qu'il lâcha à dix-huit mille mètres d'altitude. On ne vit pas davantage la bombe toucher la pente du volcan au-dessus des installations Odyssée et pénétrer profondément dans le sol. Quelques secondes plus tard, monta du versant du mont Concepción un grondement assourdi – différent du bruit que fait une bombe qui explose en touchant le sol – bientôt suivi d'une sorte de roulement de tonnerre : le versant du volcan se détachait du cône et commençait à dévaler la pente à la vitesse incroyable de 130 kilomètres à l'heure.

Du haut des airs, on aurait dit que le complexe de recherche dans son intégralité – ateliers, bâtiments, quais, terminal d'aviation… – glissait sous la surface du lac comme un monstrueux galet lancé par la main d'un géant. Des nuages de débris et de poussière jaillirent dans le ciel tandis qu'une vague gigantesque s'élevait à plus de soixante mètres. Puis la crête se recourba pour balayer le lac à une vitesse stupéfiante ; elle s'écrasa contre le rivage et inonda tout ce qui se trouvait sur son chemin avant de revenir, comme à regret, dans le lit du lac.

Le temps de tourner deux pages d'un livre, et l'immense centre de recherche créé par le Spectre, l'empire d'Odyssée avec ses directrices et les tunnels souterrains avaient disparu.

Le courant sud-équatorial ne serait pas détourné, le Gulf Stream continuerait sa course comme il le faisait depuis un million d'années et l'Europe et l'Amérique du Nord attendraient la prochaine ère glaciaire pour subir un refroidissement de leur climat.

45

Dirk reprenait peu à peu connaissance : il ressentit tout d'abord un froid pénétrant, puis les élancements douloureux qui lui vrillaient le crâne. Prenant sur lui, il se souleva sur les coudes et regarda autour de lui.

Il gisait dans une petite cellule d'un mètre cinquante sur un mètre. Le plafond, le sol et trois des murs étaient en béton. Une porte métallique rouillée et sans poignée occupait le quatrième. Un peu de lumière filtrait par une fenêtre grande comme une assiette aménagée dans le plafond. Ni couchette ni couverture, un trou dans le sol en guise de toilettes.

Jamais il n'avait éprouvé pareille gueule de bois. Il tâta une bosse, au-dessus de son oreille gauche, grosse comme une souris d'ordinateur. Se mettre debout exigea un immense effort. Sans illusion, il poussa la porte ; autant essayer d'abattre un chêne à mains nues. Quand il s'était endormi sur le pont, il ne portait qu'un caleçon et un T-shirt. Il constata qu'ils avaient disparu et qu'il était drapé dans un peignoir de soie blanche si incongru dans un tel décor qu'il n'en imaginait même pas la raison.

Puis ses pensées se concentrèrent sur Summer : qu'était-il advenu d'elle ? Où était-elle ? Il ne se souvenait de rien d'autre que du lever d'une demi-lune au-dessus de la mer. Sa douleur à la tête commençait à se calmer un peu. On l'avait probablement matraqué, transporté à terre et jeté dans cette cellule. Il connaissait son sort. Mais celui de Summer ? Le désespoir de se savoir prisonnier et impuissant commençait à le gagner.

Vers ce qu'il estima être la fin de l'après-midi, il entendit du bruit à l'extérieur de sa cellule, le déclic d'un verrou. Une femme blonde aux yeux bleus, en survêtement vert, qui braquait sur lui un gros automatique.

— Venez avec moi, dit-elle doucement et sans la moindre brutalité.

Dans d'autres circonstances, Dirk l'aurait trouvée très séduisante, mais pour l'heure il la jugea aussi déplaisante qu'une sorcière de *Macbeth*.

— Pour aller où ? tenta-t-il.

Elle ne répondit pas, se contentant de le diriger du canon de son arme dans un long couloir bordé de plusieurs portes métalliques. Dirk se demanda si l'une d'elles cachait Summer. Ils arrivèrent au pied d'un escalier qu'il se mit à gravir sans qu'on eût à le lui ordonner et qui menait à une porte donnant sur un vestibule dallé de marbre et aux murs incrustés de mosaïque dorée. Le cuir des sièges et la marqueterie des tables étaient de la même couleur, lavande.

La femme l'escorta devant une double porte dorée à laquelle elle frappa avant de s'écarter pour laisser Dirk entrer.

Face à Dirk, complètement abasourdi, quatre superbes créatures rousses en robe lavande et or siégeaient autour d'une longue table de conférence taillée dans un bloc de corail rouge. Summer était présente elle aussi à la table, mais vêtue d'une robe blanche.

— Tu vas bien ? lui demanda-t-il en se précipitant vers elle.

Elle se tourna lentement et le regarda comme si elle était en transe.

— Evidemment, je vais bien.

—Qu'est-ce qu'on t'a fait ? s'écria-t-il, comprenant qu'on l'avait droguée.

—Asseyez-vous, je vous prie, monsieur Pitt, ordonna la femme drapée dans une robe d'or assise en bout de table. Elle parlait d'une voix calme et musicale mais avec un soupçon d'arrogance.

Dirk perçut un mouvement derrière lui : son accompagnatrice venait de sortir en refermant la porte derrière elle. Il crut un bref instant être capable de faire assez de dégâts pour les mettre, même plus nombreuses, hors d'état de nuire, et de s'enfuir avec Summer, mais il comprit qu'elle était à ce point bourrée de calmants qu'elle ne pourrait aller nulle part. Il approcha lentement un siège à l'autre bout de la table et s'installa.

—Puis-je vous demander vos intentions en ce qui concerne ma sœur et moi ?

—Vous pouvez, dit la femme qui de toute évidence commandait. (Puis, sans s'occuper de lui, elle se tourna vers sa compagne de droite.) Tu as fouillé leur bateau ?

—Oui, Epona. Nous avons trouvé du matériel de plongée et des appareils de détection sous-marine.

—Pardonnez-moi cette intrusion, fit Dirk, nous pensions l'île déserte.

Epona le fixa d'un regard glacial.

—Nous savons comment traiter les intrus.

—Il s'agit d'une expédition archéologique pour découvrir d'anciennes épaves. Rien de plus.

Elle jeta un coup d'œil à Summer avant de revenir à Dirk.

—Nous savons ce que vous cherchiez. Votre sœur s'est montrée beaucoup plus coopérative : elle nous a fait un rapport détaillé.

—Après l'avoir droguée, lança Dirk, à deux doigts de bondir pour s'en prendre à cette femme.

—Monsieur Pitt, le prévint-elle comme si elle avait

lu dans ses pensées, ne songez pas à résister. Mes gardes réagiraient aussitôt.

Dirk se força à prendre un air indifférent.

— Alors, que vous a raconté Summer ?

— Que vous travailliez pour la NUMA et que vous espériez retrouver ici la flotte perdue d'Ulysse, détruite selon Homère par les Lestrygoniens.

— Vous avez lu Homère ?

— Homère le Celte, c'est toute ma vie, non pas Homère le Grec.

— Alors vous connaissez la véritable histoire de Troie et celle du voyage d'Ulysse à travers l'océan ?

— C'est la raison pour laquelle mes sœurs et moi nous nous trouvons ici. Il y a dix ans, après de longues années de recherche, nous sommes arrivées à la conclusion que les Celtes, et non les Grecs, avaient affronté les Troyens, non pas pour l'amour d'Hélène mais pour les mines d'étain de Cornouaille, cet étain indispensable à la fabrication du bronze. Comme vous, nous avons suivi le sillage d'Ulysse à travers l'Atlantique. Cela vous intéressera peut-être d'apprendre que sa flotte n'a pas été détruite par d'énormes rochers lancés par les Lestrygoniens, mais par un hurricane.

— Et le trésor ?

— Récupéré il y a huit ans et utilisé pour bâtir l'empire financier d'Odyssée.

Dirk restait immobile mais, sous la table, ses mains tremblaient. Ces femmes laisseraient peut-être Summer en vie, mais elles ne l'autoriseraient pas, lui, à contempler encore une fois le lever du soleil.

— Puis-je vous demander en quoi consistait le trésor ?

— Je ne vois aucune raison de ne pas vous le décrire, fit Epona en haussant les épaules. Nos plongeurs ont récupéré plus de deux tonnes de bijoux en or, de plats, de sculptures et autres objets décoratifs, tous celtes. Ce peuple était passé maître dans le travail des métaux. Leur vente à travers le monde entier nous a permis de récolter un peu plus de sept cents millions de dollars.

— N'était-ce pas risqué ? interrogea Dirk. Les Français à qui appartient la Guadeloupe, les Grecs et les nations européennes qui étaient jadis sous le joug des Celtes, ne sont-ils pas intervenus pour réclamer leur part ?

— Le secret a été bien gardé. Tous les acheteurs souhaitaient rester anonymes et la totalité des transactions a été menée avec la plus grande discrétion, y compris les dépôts de lingots d'or en Chine.

— Vous parlez naturellement de la République populaire de Chine.

— Bien sûr.

— Et les entreprises de renflouement et les plongeurs ? Ils devaient s'attendre à toucher une part et ça n'a pas dû être facile d'obtenir leur silence.

— Ils n'ont rien reçu, dit Epona d'un ton mordant, et le secret a disparu avec eux.

— Vous les avez tués, fit-il. (Il s'agissait plus d'une affirmation que d'une supposition.)

— Disons simplement qu'ils ont rejoint les marins d'Ulysse disparus, commenta-t-elle avec un sourire énigmatique. Aucun de ceux qui ont abordé sur cette île n'a survécu pour en parler. Cela concerne aussi bien les touristes que de simples pêcheurs. Impossible de leur laisser le loisir de divulguer ce qu'ils avaient vu.

— Pour l'instant, je n'ai rien vu qui mérite qu'on me supprime.

— Vous ne verrez rien.

— Pourquoi tant de cruauté ? Pourquoi massacrer des innocents ? De qui tenez-vous ces tendances asociales, et qu'espérez-vous accomplir ?

— Monsieur Pitt, reprit Epona avec un peu d'agacement, vous avez parfaitement raison : mes sœurs et moi sommes toutes des sociopathes. Nous menons nos vies et nous conduisons notre destin sans émotion. Voilà pourquoi nous en avons tant accompli en quelques années. Si on les laissait faire, les sociopathes feraient d'excellents gouvernants car ils ne sont pas paralysés par le sens moral et ne se laissent ni influencer ni entraver par l'éthique. Cette totale absence de sentiment leur permet d'atteindre plus facilement leurs objectifs. Les génies les plus remarquables se recrutent chez les sociopathes, c'est la seule chose qui compte. Oui, monsieur Pitt, je suis une sociopathe, de même pour notre petite communauté de déesses.

— Une communauté de déesses, répéta Dirk en articulant chaque syllabe. Vous vous êtes donc promues au rang de divinités. Il ne vous suffit pas de vivre en simples mortelles.

— Les grands dirigeants du passé étaient tous des sociopathes, dont quelques-uns ont failli gouverner le monde.

— Comme Hitler, Staline, Attila et Napoléon, entre autres. Les asiles regorgent de pensionnaires atteints de la folie des grandeurs.

— Ceux-là ont échoué parce qu'ils ont surestimé leurs pouvoirs. Nous ne commettrons pas cette erreur.

Dirk examina les magnifiques créatures réunies autour de la table. Il remarqua que les cheveux roux de sa propre sœur étaient assortis aux leurs.

— Même si vous avez la même couleur de cheveux, vous ne pouvez pas être toutes sœurs de sang.

— C'est vrai, nous n'avons même aucun lien de parenté.

— Qu'entendez-vous par *nous* ?

— Les femmes de notre communauté. *Nous*, monsieur Pitt, appartenons à la religion des druides. Nous suivons l'enseignement depuis longtemps oublié que se sont transmis les druides celtes au long des siècles.

— Les druides relevaient plus du mythe que de la réalité.

— Ils ont existé cinq mille ans durant, riposta Epona.

— Ils sont du terreau dont on fait les légendes. Il n'existait aucune trace de leur religion, aucun rituel moins de cent ans avant le Christ.

— C'est vrai qu'il n'y avait pas de traces écrites, mais tout au long de centaines de générations, leurs connaissances se transmettaient oralement. Les druides sont nés dans les anciennes tribus celtes. Quand, la nuit, ils faisaient cercle autour des feux de camp, ils offraient aux populations des rêves de bonheur qui leur faisaient oublier les efforts de la vie quotidienne. Ils sont parvenus à créer une religion qui a inspiré et éclairé tout le monde celte. Leurs rôles étaient multiples : médecins, magiciens, prophètes, mystiques, conseillers et – le plus important peut-être – ils sont devenus les maîtres éveillant autour d'eux le désir d'apprendre. Grâce à eux l'intelligence s'est développée dans le monde occidental. Pour accéder au statut de druide, les jeunes gens et les jeunes femmes étudiaient jusqu'à vingt ans pour emmagasiner un savoir encyclopédique. Le Grec Diogène a dit des druides qu'ils étaient les plus sages philosophes du monde. Parmi eux figuraient de nombreuses femmes qui devenaient des déesses dont on célébrait le culte à travers le monde celte.

— Le druidisme, rétorqua Dirk en haussant les épaules, illusion pitoyable et maléfique, d'ailleurs. Ils pratiquaient alors le sacrifice humain et aujourd'hui vous vaquez à vos occupations en tuant sans pitié. Voilà des siècles que le druidisme s'est éteint, mais vous ne voulez pas l'accepter.

— Comme la plupart des hommes vous avez une pierre à la place du cerveau. Même si le druidisme est une conception très ancienne, il est aussi vivace aujourd'hui qu'il y a cinq mille ans. Ce que vous ne saisissez pas, monsieur Pitt, c'est que le druidisme, empreint d'une sagesse éternelle, connaît aujourd'hui une Renaissance universelle.

— Implique-t-il toujours des sacrifices humains ?

— Si le rituel l'exige, oui.

Dirk songeait avec dégoût que ces femmes pouvaient tuer en invoquant l'excuse d'une religion. Il devenait de plus en plus clair que c'était le sort qui les attendait s'ils ne parvenaient pas à s'évader. Pour se calmer, il observa les lieux et remarqua au passage une longue tringle à rideaux qui ferait une arme très acceptable.

— En adhérant aux principes du druidisme, reprit Epona, mes sœurs et moi avons contribué à créer une formidable entreprise mondiale dans le domaine de l'immobilier, de la construction et du développement, secteurs traditionnellement dominés par les hommes à qui pourtant nous avons toujours damé le pion. Oui, nous avons édifié un empire si puissant que bientôt, grâce à notre technologie de la pile à hydrogène, nous contrôlerons la quasi-totalité de l'économie occidentale.

— Avec le temps, on arrive à reproduire n'importe quelle technologie et personne, pas même votre empire, n'est capable de maintenir longtemps un monopole. Il existe dans le monde assez de grands esprits scientifiques disposant de toutes les facilités matérielles nécessaires pour rendre votre modèle obsolète.

— Ils n'en sont encore qu'aux balbutiements, et dès l'instant où notre opération sera lancée, il sera trop tard.

— Je ne comprends malheureusement pas de quelle opération vous parlez.

— Vos amis de la NUMA le savent.

Dirk n'écoutait que d'une oreille, ayant relevé qu'aucune des autres femmes assises autour de la table ne parlait, véritables statues d'un musée de cire. Elles n'étaient pas droguées, mais totalement envoûtées par Epona, résultat probable d'un lavage de cerveau.

— Ils n'ont pas pris la peine de m'informer et j'ignore tout de l'opération que vous évoquez.

— Sous ma direction, le Spectre… (Elle s'interrompit.) Vous savez de qui je parle ?

— Je ne connais de lui que ce que j'ai lu dans les journaux, affirma Dirk. Un riche excentrique, dans le genre d'Howard Hughes.

— Le Spectre incarne le génie qui a bâti la réussite d'Odyssée. Ce que nous avons accompli, nous le devons à son intelligence supérieure.

— Il me semblait que vous étiez le cerveau de l'organisation.

— Mes sœurs et moi ne faisons qu'exécuter les directives de M. Spectre.

On frappa à la porte et une femme en survêtement vert entra, fit le tour de la table et tendit une feuille de papier à Epona avant de repartir. Epona lut le message et son visage se décomposa d'un seul coup ; il n'exprima plus que l'horreur. Elle porta la main à sa bouche et d'une voix étranglée par l'émotion elle annonça :

— Cela vient de notre bureau de Managua. Un glissement de terrain sur le flanc du volcan Concepción a anéanti notre centre de recherche d'Ometepe ainsi que les tunnels.

— Il ne reste plus rien ? demanda une des femmes, incrédule.

— La nouvelle a été confirmée, déclara Epona. Le centre de recherche gît maintenant au fond du lac Nicaragua.

— Est-ce que tout le monde a été tué ? demanda une autre. Y a-t-il des survivants ?

— Les ouvriers ont tous été sauvés par une flottille de bateaux naviguant sur le lac et des hélicoptères des

Forces spéciales des Etats-Unis qui ont attaqué nos bureaux. Mais nos sœurs, qui les ont héroïquement défendus, ont toutes péri.

Epona se leva, prit Summer par le bras et l'obligea à se mettre debout. Puis toutes deux se dirigèrent d'un pas saccadé vers la porte, l'une plongée dans un rêve et l'autre dans un cauchemar. Un rictus crispait les lèvres d'Epona quand elle se tourna un instant vers Dirk.

—Savourez vos dernières heures sur terre, monsieur Pitt.

Une des gardes appuya le canon de son fusil contre la tempe de Dirk qui s'était levé en esquissant un geste vers Epona. Fou de rage, il s'arrêta net.

—Et dites adieu à votre sœur. Vous ne la reverrez plus.

Puis, prenant Summer par la taille, elle l'entraîna dans le couloir.

46

Un soleil écrasant brillait sur l'asphalte devant le terminal privé de l'aéroport international de Managua quand Pitt et Giordino virent se poser le jet de la NUMA et, tout de suite après, Rudi Gunn en descendre.

—Oh, non, gémit Giordino. Je le sentais. On ne rentre pas chez nous.

Gunn leur fit signe d'approcher.

—Montez, nous n'avons pas de temps à perdre.

Pitt et Giordino lancèrent leurs sacs dans la soute à bagages. A peine s'étaient-ils assis que les turbines rugirent, arrachant l'avion à la piste.

—Pourquoi tant de précipitation ? demanda Pitt.

—Dirk et Summer ont disparu, annonça Gunn sans préambule.

—Disparu ? s'écria Pitt. Où ça ?

—D'une petite île de la Guadeloupe. L'amiral les y avait envoyés pour retrouver les vestiges de la flotte d'Ulysse censée avoir été détruite là-bas lors de son retour de Troie.

—Continuez.

—M. Charles Moreau, notre représentant dans cette région des Caraïbes, a appelé hier soir pour nous signaler qu'il n'avait plus aucun contact avec vos enfants. Malgré des efforts répétés, impossible de communiquer avec eux.

—Une tempête ?

— Non, le temps était idéal, déclara Gunn en secouant la tête. Moreau a loué un avion et survolé l'île de Branwyn où devaient se rendre Dirk et Summer. Leur bateau avait disparu et aucune trace de leur présence ni sur l'île ni dans les alentours.

Un poids terrible pesait tout à coup sur la poitrine de Pitt qui se refusait ne serait-ce qu'à envisager l'horrible possibilité que ses enfants puissent être blessés ou morts. Mais, levant les yeux vers Giordino, il lut l'inquiétude sur son visage.

— C'est là que nous allons ? murmura-t-il alors.

Gunn acquiesça.

— Nous allons nous poser à Pointe-à-Pitre d'où un hélicoptère loué par Moreau nous conduira directement à Branwyn.

— A-t-on la moindre idée de ce qui a pu leur arriver ? demanda Giordino.

— Nous ne savons rien de plus.

— Parlez-moi de cette île. Elle est habitée ? Il y a un village de pêcheurs ?

— C'est une propriété privée.

— A qui appartient-elle ?

— A une femme du nom d'Epona Eliade.

— Epona, murmura Pitt, bien sûr.

— Hiram Yaeger a fait des recherches sur elle. Elle occupe un poste très élevé à Odyssée ; elle est le bras droit du Spectre. (Il s'arrêta et regarda Pitt.) Vous la connaissez ?

— Nous nous sommes brièvement rencontrés lors du sauvetage des Lowenhardt et de l'enlèvement de Flidais. Elle avait en effet l'air d'être haut placée dans la hiérarchie d'Odyssée. Elle n'a donc pas été tuée durant les combats.

— Apparemment elle a réussi à filer avant la destruction du centre. L'amiral Sandecker a demandé à la CIA de la retrouver et un de leurs agents a signalé que son avion privé avait été repéré par satellite en procédure d'approche vers le terrain de l'île de Branwyn.

Pitt avait du mal à maîtriser son appréhension. Au bout d'un moment, il déclara avec une conviction inébranlable :

— Si, par la faute d'Epona, il arrive quoi que ce soit à Dirk ou à Summer, elle ne touchera pas sa retraite.

La nuit tombait quand l'avion de la NUMA atterrit à la Guadeloupe. Il roula jusqu'à un hangar privé où Moreau attendait Pitt, Giordino et Gunn. Il se présenta et les entraîna au pied d'un hélicoptère garé à une trentaine de mètres de là.

— Un vieux Bell Jet Ranger, dit Giordino en admirant le bel hélico superbement restauré. Ça fait un moment que je n'en ai pas vu.

— Il sert à promener des touristes, expliqua Moreau. C'est tout ce que j'ai pu trouver dans d'aussi brefs délais.

— Ça ira parfaitement, assura Pitt.

Il jeta son sac à l'intérieur et alla droit dans le cockpit où il eut une brève conversation avec le pilote, un homme d'une soixantaine d'années avec des milliers d'heures de vol sur une vingtaine d'appareils différents. Après la mort de sa femme, Gordy Shepard avait pris sa retraite de commandant de bord sur une grande compagnie pour s'installer à la Guadeloupe où il pilotait à mi-temps des touristes.

— Je n'ai pas tenté cette manœuvre depuis longtemps, dit Shepard après avoir écouté les instructions de Pitt. Mais je pense que j'y arriverai.

— Sinon, ajouta Pitt, mon ami et moi heurterons l'eau comme des boulets de canon.

Gunn remercia Moreau et ferma la porte tandis que les pales du rotor commençaient à tourner lentement.

Il leur fallut moins d'un quart d'heure pour parcourir les quarante-cinq kilomètres qui séparaient l'aéroport de l'île. A la demande de Pitt, le pilote survola l'eau tous feux éteints. Piloter au-dessus de la mer en pleine nuit, c'était comme être assis les yeux bandés dans un placard aux portes scellées par du ruban adhésif. Mais, utilisant le phare de l'île comme guide, Shepard arriva directement au-dessus de la côte Sud.

Pitt et Giordino mirent le temps du trajet à profit pour s'équiper : ils enfilèrent leur combinaison et de gros chaussons en caoutchouc ; aucun équipement de plongée, ni masque ni palmes, rien que des ceintures de lest pour compenser la tendance à flotter. Pour tout matériel, Pitt emportait son téléphone satellite dans une petite poche étanche accrochée à son ventre. Puis ils se rendirent à l'arrière de la cabine et ouvrirent le panneau.

— Rudi, j'appellerai si jamais nous avons besoin de décamper rapidement, expliqua Pitt à Gunn.

Gunn brandit son téléphone en souriant.

— Il ne quittera pas ma main jusqu'à ce que vous me disiez de vous évacuer, Al, toi et les deux gosses.

Pitt ne partageait pas totalement l'optimisme de Gunn, pourtant l'assurance qu'il affichait le réconforta. Il décrocha un téléphone de la cloison et appela le pilote.

— Paré de notre côté.

— Soyez prêts, lui ordonna Shepard. Dans trois minutes nous allons passer au-dessus du port. Vous êtes sûrs que l'eau est assez profonde pour que vous plongiez ?

— Pour sauter, précisa Pitt. Si vous avez bien programmé les coordonnées du GPS et que vous vous mettez en position stationnaire à cet endroit, nous devrions avoir assez d'eau pour ne pas heurter le fond.

— Je vais faire de mon mieux, dit Shepard. Ensuite, votre ami, M. Gunn, et moi, ferons semblant de nous diriger vers une île voisine d'où nous reviendrons dès que vous nous le demanderez.

— C'est ça.

— Bonne chance, les gars, dit Shepard en coupant la communication avec la cabine des passagers.

Là-dessus, il se redressa sur son siège et se concentra sur la manœuvre à effectuer.

Plongée dans l'obscurité, l'île semblait déserte ; seul le feu de la balise brillait sur son cadre métallique. Pitt distinguait à peine le contour des bâtiments et la réplique de Stonehenge sur un petit tertre au milieu de l'île. L'approche ne s'annonçait pas facile, mais Shepard paraissait aussi tranquille qu'un bookmaker dans une loge au derby de Kentucky et qui sait que le meilleur cheval ne terminera pas la course parce qu'il a payé le jockey.

Shepard amena le vieil hélico juste au milieu du chenal donnant accès au port. A l'arrière, Pitt et Giordino attendaient devant le panneau. L'hélico volait à près de deux cents kilomètres à l'heure quand les mains et les pieds de Shepard entamèrent une danse au-dessus des commandes ; l'appareil se dressa sur sa queue pour stopper brusquement en penchant à tribord, ce qui permit à Pitt et à Giordino de sauter dans le noir. Shepard reprit alors de la vitesse et, après un virage au-dessus de l'île, mit le cap sur la mer. La manœuvre avait été impeccable : un observateur posté sur l'île ne pouvait pas avoir remarqué l'imperceptible arrêt de l'hélicoptère.

Retenant leur souffle, Pitt et Giordino tombèrent d'une dizaine de mètres avant de toucher l'eau. Malgré leurs efforts pour tomber les pieds en avant, la brusque inclinaison de l'hélicoptère les avait empêchés de faire un saut parfait. Ils basculèrent dans l'air pliés en deux, les bras noués autour des genoux pour éviter de heurter la muraille liquide à plat ventre, dans une position qui aurait pu les blesser ou du moins leur couper le souffle et leur faire perdre connaissance. Les combinaisons de plongée absorbèrent l'essentiel du choc, mais ils s'enfoncèrent quand même à près de trois mètres de profondeur.

Avec l'impression d'avoir échappé à des sadiques les rossant à coups de planche, ils remontèrent à la surface juste à temps pour voir deux projecteurs s'allumer et éclairer l'hélicoptère comme un arbre de Noël. Mais Shepard, en vieux pro qui avait piloté au Vietnam, l'avait prévu ; il plongea en piqué vers la mer juste au moment où une rafale d'armes automatiques déchirait la nuit et arrosait le secteur à une bonne trentaine de mètres derrière le rotor de queue ; puis il vira brusquement et prit de l'altitude, échappant une nouvelle fois au feu de ses ennemis.

Shepard savait que ces cabrioles ne lui feraient pas éviter plus longtemps ses poursuivants, surtout avec le faisceau des projecteurs qui collaient à lui comme des sangsues. Anticipant les gestes des tireurs, il stoppa brusquement l'hélicoptère et resta une fraction de seconde en position stationnaire. Les tireurs, instruits par l'expérience, ouvrirent le feu sur la trajectoire prévue, criblant de balles l'air à une quinzaine de mètres devant le cockpit.

Aussi incroyable que cela puisse paraître, Shepard avait gagné près de huit cents mètres sur ses adversaires et prenait le large tandis que les derniers coups de feu frôlaient le fuselage, se rapprochaient du cockpit et finirent par faire voler en éclats le pare-brise. Une balle toucha Shepard au bras et lui traversa le biceps sans toucher l'os. Gunn qui s'était jeté sur le plancher sentit une balle lui érafler le haut du crâne.

Depuis l'eau, Pitt vit avec soulagement l'hélicoptère échapper aux tireurs de l'île et disparaître dans les ténèbres. Il ignorait si Gunn et Shepard avaient été blessés, mais en tout cas il savait qu'ils ne pourraient pas revenir aussi longtemps qu'un feu aussi nourri rayerait le ciel au-dessus de l'île.

— Si nous tenons à les revoir, il faut nous débarrasser des projecteurs, résuma Giordino qui faisait la planche comme s'il nageait dans la piscine de son immeuble.

— Nous réglerons ce petit problème quand nous connaîtrons le sort de Dirk et de Summer.

Pitt scrutait l'île et sa voix vibrait avec l'assurance de celui qui sait quelque chose que les autres ignorent. Puis le faisceau des projecteurs s'abaissa pour éclairer les eaux de la rade.

Ils plongèrent d'un même mouvement. A trois mètres de profondeur, Pitt bascula sur le dos et, regardant la surface, vit le faisceau lumineux balayer la mer comme un rayon de soleil. Ils ne refirent surface pour reprendre haleine que quand la lumière se fut éloignée. Ils avaient passé plus d'une minute sous l'eau mais ils avaient l'habitude des plongées en apnée.

Alternant plongées et remontées, ils se dirigèrent vers le rivage. Puis les projecteurs s'éteignirent et ils purent se remettre à nager en surface. Dix minutes plus tard, leurs pieds touchaient le sable. Se débarrassant de leurs ceintures de lest, ils se glissèrent à l'ombre d'un banc rocheux pour examiner la situation.

— Où va-t-on ? murmura Giordino.

— Nous sommes au sud de la maison, à environ deux cents mètres de la réplique de Stonehenge, répondit Pitt calmement.

— La folie.

— Quoi ?

— Les faux châteaux forts et les copies de monuments anciens, on appelle ça des folies. Tu ne te souviens pas ?

— Tu penses, murmura Pitt, c'est gravé dans ma

mémoire. Viens. Trouvons les projecteurs et sabotons-les. Sinon nous sommes faits comme des lapins.

Cela leur prit huit minutes ; à vrai dire, ils faillirent tomber dessus dans l'obscurité ; sans leurs combinaisons noires qui les rendaient presque invisibles ils auraient été découverts par les gardes qui les manœuvraient, l'un allongé sur le sable, l'autre scrutant la mer avec des jumelles à vision nocturne. Ils ne s'attendaient pas à ce que des intrus approchent par-derrière, aussi ne se méfiaient-ils pas.

Giordino fut trahi en sortant de l'ombre par le crissement de ses chaussons en caoutchouc ; l'homme aux jumelles se retourna juste à temps pour voir une ombre bondir sur lui ; il saisit un fusil appuyé contre le socle du projecteur et tourna le canon vers Giordino, mais il n'eut jamais l'occasion de presser la détente. Pitt avait surgi de l'autre côté à cinq pas devant son ami et arraché l'arme des mains du garde qu'il assomma d'un grand coup de crosse sur la tête. Giordino s'occupa alors du gaillard qui paressait sur le sol et le mit K.O. d'un direct à la mâchoire bien asséné.

—Tu ne te sens pas mieux maintenant que tu es armé ? fit Giordino tout guilleret en tendant un fusil à Pitt.

Sans répondre, Pitt ouvrit la vitre du projecteur et, silencieusement, réduisit en poussière les filaments.

—D'abord un coup d'œil à la maison. Ensuite on va voir ta folie.

Bien que la nuit fût sans lune, ils ne négligeaient aucune précaution et avançaient prudemment, presque sans voir le sol sous leurs pas. Heureusement les grosses bottes de caoutchouc les protégeaient des fragments acérés de corail qui pointaient çà et là dans le sable. Une branche de palmier leur servit à masquer leurs empreintes car s'ils ne réussissaient pas à quitter l'île avant le lever du jour, il leur faudrait se cacher en attendant que Moreau et Gunn viennent les rechercher.

Une large véranda courant tout autour de la maison soulignait son style colonial. Ils l'atteignirent sans bruit. Une seule lumière filtrait par une fente dans un volet. Pitt se coula à quatre pattes jusqu'à la fenêtre et regarda par la fente : il aperçut une pièce complètement vide et qui semblait n'avoir pas été habitée depuis des années.

Pitt se redressa et s'adressa à Giordino d'une voix normale.

—Cet endroit est abandonné depuis pas mal de temps.

—C'est curieux, fit Giordino. Posséder un îlot des Antilles et ne jamais mettre les pieds dans la maison. Quel intérêt ?

—Moreau a dit qu'à certaines périodes de l'année des gens arrivaient par avion. Il doit y avoir un autre bâtiment pour les invités.

—Sous terre alors, suggéra Giordino, parce qu'il n'y a pas d'autre construction en surface que la maison, la folie et un petit hangar.

—Alors pourquoi ce comité d'accueil armé ? fit Pitt, songeur. Qu'est-ce qu'Epona essaye donc de dissimuler ?

Les accents d'une musique étrange lui répondirent, suivis d'un déchaînement de lumières de toutes les couleurs jaillissant autour de la folie de Stonehenge.

La porte de la cellule de Dirk s'ouvrit brutalement. On sentait encore la chaleur de l'après-midi et on étouffait dans le petit réduit. Pourtant, quand du canon d'un fusil on le poussa dans le couloir, Dirk sentit un froid si soudain qu'il en eut la chair de poule. Inutile d'interroger la gardienne, elle ne lui dirait rien.

Ils dépassèrent la salle de réunion pour s'engager

dans un interminable couloir. Après avoir parcouru environ un kilomètre et demi ils débouchèrent sur un escalier circulaire de quatre étages. En haut, un palier permettait d'accéder par une arche de pierre à un grand siège, sorte de trône, baignant dans une lumière dorée. Deux femmes en robe bleue émergèrent de l'obscurité pour l'enchaîner à des anneaux fixés dans les montants du siège. L'une d'elles lui noua sur la bouche un bâillon de soie noire. Puis toutes les trois disparurent dans les ténèbres.

Soudain, des lumières lavande fusèrent et se mirent à tourbillonner à l'intérieur d'un grand amphithéâtre de pierre. Des rayons-laser en batterie illuminaient le ciel noir, éclairant des colonnes disposées autour de l'amphithéâtre et doublées à l'extérieur de piliers de lave noire. Dirk distingua alors un énorme bloc noir en forme de sarcophage dans lequel il reconnut une sorte d'autel utilisé pour les sacrifices rituels ; il banda tous ses muscles mais les chaînes le paralysèrent aussitôt. Les yeux agrandis par l'horreur, il vit Summer, en robe blanche, ligotée bras et jambes en croix, sur la dalle. Glacé de peur, il se débattit comme un fou mais en vain ; impossible de rompre ses chaînes ou de les arracher de leurs anneaux.

Les lumières s'éteignirent soudain et les sons étranges d'une musique celte retentirent. Dix minutes plus tard, elles se rallumaient, révélant les trente femmes dans les plis colorés de leurs robes. Leur chevelure rousse brillait et les paillettes d'argent sur leur peau étincelaient comme des étoiles. Puis les faisceaux décrivirent une spirale avant qu'Epona n'apparût dans sa tunique dorée. Elle s'avança jusqu'à l'autel noir du sacrifice, leva la main et se mit à psalmodier : « *Ô filles d'Odyssée et de Circé, ôtons la vie à ceux qui n'en sont pas dignes.* »

La voix d'Epona continuait, monotone, et s'interrompait quand ses compagnes, levant les bras, chantaient à l'unisson. Comme lors du rassemblement précédent, le cantique se répétait de plus en plus fort avant de baisser jusqu'à n'être plus qu'un murmure inaudible quand elles laissaient retomber leurs bras.

Dirk sentait Summer indifférente à tout ce qui l'entourait ; elle fixait sans les voir Epona et les colonnes qui se dressaient autour de l'autel ; ses yeux ne reflétaient aucune crainte. Elle était droguée à un point tel qu'elle ne mesurait pas les menaces qui pesaient sur elle.

Epona glissa les mains entre les plis de sa robe et brandit au-dessus de sa tête le poignard de cérémonie. Les autres femmes gravirent les marches pour faire cercle autour de leur déesse, exhibant elles aussi un poignard qu'elles tenaient au-dessus de leur tête.

Dirk s'affolait, il hurlait d'angoisse, mais le bâillon étouffait le son de sa voix.

Epona entonna alors le chant de mort :

« *Ici gît celui qui n'aurait pas dû naître.* »

Son poignard et ceux de ses compagnes étincelèrent dans le tourbillon des lumières.

47

A l'instant précis où elles s'apprêtaient à plonger leurs lames dans le corps inerte de Summer, deux fantômes entièrement vêtus de noir surgirent comme par magie devant l'autel. Le plus grand saisit le poignet levé d'Epona, lui tordit le bras et l'obligea à s'agenouiller devant les femmes éperdues.

— Pas ce soir, le spectacle est terminé, intervint Pitt.

Giordino, armé, tournait comme un fauve autour des complices pour prévenir toute réaction de leur part.

— Reculez ! ordonna-t-il. Lâchez vos couteaux et descendez au bas des marches.

Une main appuyant le canon de son fusil contre le sein d'Epona et l'autre détachant la courroie tendue sur le ventre de Summer, Pitt entreprit de libérer sa fille.

Désemparées, terrifiées, les femmes aux cheveux roux s'éloignèrent lentement de l'autel pour se regrouper, comme poussées par le besoin instinctif de se protéger. Giordino ne s'y laissa pas prendre. Leurs sœurs avaient lutté comme des tigresses contre les Forces spéciales sur Ometepe. Il se crispa en constatant qu'aucune n'avait lâché son poignard et qu'une sorte de ronde commençait à s'organiser autour de lui. L'heure n'était plus aux pourparlers : il ne réitérerait pas son ordre ; aussi, visant avec soin, fit-il sauter la boucle d'oreille gauche de la femme qui semblait diriger le mouvement.

Aucun signe de souffrance ou d'émotion, pas un geste pour contrôler le filet de sang qui ruisselait du lobe de son oreille, seulement un regard bouillant de rage fixé sur Giordino.

— J'ai besoin d'un coup de main. Ces folles furieuses ont l'air prêtes à charger, cria-t-il à Pitt.

— Ça n'est qu'un début. Les gardes de sécurité de l'île vont rappliquer quand ils s'apercevront qu'il se passe quelque chose.

Les trente femmes commençaient à refluer vers l'autel. Abattre froidement une femme ne faisait pas partie des principes de Pitt ; mais ils mourraient tous les deux et ses enfants aussi s'il n'empêchait pas les trente membres déchaînés de la communauté de se jeter sur eux pour les poignarder. La scène évoquait l'encerclement de deux lions par une meute de loups. Avec des fusils contre des couteaux, même à un contre cinq, les hommes avaient l'avantage, pourtant quinze femmes se ruant ensemble sur l'un d'eux, cela donnait à réfléchir.

Abandonnant la libération d'une Summer à demi inconsciente, Pitt s'écarta ; Epona en profita pour s'arracher à l'emprise du poignet de Pitt, lui entaillant la paume avec la pierre acérée de sa bague. Il lui saisit la main et jeta un coup d'œil à l'anneau qui venait de lui labourer les chairs : le cheval d'Uffington y était gravé dans de la tanzanite. Sans se soucier des élancements qui lui brûlaient la peau, il la repoussa, puis ramassa son fusil. Incapable de tuer de sang-froid mais prêt malgré tout à blesser pour épargner à son meilleur ami et à ses enfants une mort horrible, il tira calmement quatre coups de feu sur les pieds des femmes les plus proches qui s'écroulèrent en poussant des cris de douleur et de surprise. Les autres hésitèrent mais, portées par la colère et le fanatisme, elles se mirent à avancer tout en brandissant leurs poignards.

N'étant pas davantage préparé à tuer une femme, Giordino suivit l'exemple de Pitt et cinq femmes supplémentaires s'effondrèrent.

— Arrêtez !

L'une des femmes encore indemnes, vêtue d'une robe argent, leva très haut son poignard et le laissa retomber sur les dalles avec un bruit métallique. Lentement, l'une après l'autre, ses compagnes l'imitèrent.

— Soignez vos blessées !

Pitt s'empressa de libérer Summer tandis que Giordino tenait les femmes en respect et guettait l'arrivée des gardes. Il étouffa un juron en découvrant qu'Epona avait disparu à la faveur de la mêlée. Pitt jeta Summer qui n'était pas en état de marcher toute seule sur son épaule et se dirigea vers le trône où, avec le canon de son fusil, il fit rapidement sauter les anneaux qui retenaient Dirk.

A peine débarrassé de son bâillon, Dirk demanda d'une voix haletante :

— Papa, d'où venez-vous, Al et toi ?

— Nous sommes tombés du ciel, répondit Pitt en étreignant son fils.

— Vous êtes arrivés à temps. Encore quelques secondes et…

— Maintenant, il faut trouver un moyen de sortir d'ici. (Il scruta le regard vitreux de Summer.) Elle va bien ? s'inquiéta-t-il auprès de Dirk.

— Ces sorcières l'ont droguée jusqu'aux narines.

Pitt regrettait d'avoir lâché le poignet d'Epona : elle avait abandonné ses sœurs et disparu dans les ténèbres derrière les pierres rituelles. Il sortit le téléphone du sac accroché à sa ceinture et composa un numéro.

— Dirk ? répondit au bout d'un long moment la voix de Gunn.

— Où en êtes-vous ? demanda Pitt. Vous avez dégusté ?

— Shepard a reçu une balle dans le haut du bras, mais c'était une blessure bien nette et je l'ai pansée de mon mieux.

— Est-ce qu'il peut encore piloter ?

— C'est un coriace.

— Et vous ?

— Une balle a rebondi sur ma tête, répondit Gunn avec entrain, mais je crois que c'est le projectile qui a le plus souffert.

— Vous êtes en vol ?

— Oui, à environ trois milles au nord de l'île. (Puis d'un ton hésitant :) Et Dirk et Summer ?

— Sains et saufs.

— Dieu soit loué. Vous êtes prêts à vous faire récupérer ?

— Venez nous chercher.

— Pouvez-vous me dire ce que vous avez trouvé ?

— Les réponses, ce sera pour plus tard.

Pitt éteignit le téléphone et regarda Summer que Giordino et Dirk ramenaient lentement à la réalité en la faisant marcher de long en large pour rétablir sa circulation. En attendant l'hélicoptère, il arpenta les parages à l'affût du moindre signe des gardes de sécurité, mais aucun ne se montra. Puis les lumières autour des pierres s'éteignirent et la nuit retomba sur le site tandis que le silence s'installait sur l'amphithéâtre.

Quand Gunn et Shepard réapparurent, on entendait gronder des moteurs à réaction : des avions décollaient, les uns derrière les autres, du terrain de l'île.

L'intervention des gardes étant maintenant exclue, Pitt prévint Shepard qu'il pourrait allumer ses phares ; cela lui permit d'ailleurs, quand l'appareil tourna un instant avant de descendre, de constater qu'ils étaient bien seuls au milieu des pierres rituelles : les femmes avaient toutes disparu. Où est partie Epona ? Que projette-t-elle maintenant après l'engloutissement de ses extraordinaires installations prévues pour causer des souffrances inouïes à une partie de l'humanité ? se demandait Pitt en contemplant le ciel piqueté de millions d'étoiles.

On connaissait désormais les crimes qu'elle avait commis pour son patron, le Spectre, et toutes les polices du monde la rechercheraient. On passerait au crible les activités d'Odyssée. Les procès se multiplieraient en Europe et en Amérique. On pouvait se demander si Odyssée survivrait à un examen aussi approfondi. Et le Spectre ? En tant que chef, on devait le tenir pour responsable. Quels étaient les véritables rapports entre le Spectre et Epona ? Autant de questions sans réponses qui tournaient dans la tête de Pitt.

A d'autres le soin de résoudre l'énigme, songea-t-il. Dieu merci, Giordino et moi avons tenu notre rôle ; maintenant c'est fini. Il se concentra alors sur d'autres problèmes, comme celui de son propre avenir. Il leva les yeux en voyant Giordino s'approcher et se planter devant lui.

— Tu vas peut-être trouver que le moment est curieusement choisi, entama Giordino. Ces dix derniers jours m'ont donné de nombreuses occasions de réfléchir et je suis arrivé à une conclusion : je suis trop vieux pour courir les océans et me laisser entraîner dans les folles aventures de Sandecker. Suffit ! les exploits insensés, les folles escapades ou les expéditions qui risquent de mettre un terme à une vie amoureuse bien remplie. Je ne suis plus capable d'en faire autant qu'autrefois. J'ai des rhumatismes et mes muscles endoloris mettent deux fois plus de temps à se dénouer.

— Alors, fit Pitt en souriant, où veux-tu en venir ?

— L'amiral a le choix : soit il me met au vert en me trouvant un travail pépère dans une société de construction navale, soit il me confie le service des équipements techniques sous-marins de la NUMA. N'importe quel

poste qui n'impliquera pas que je me fasse mutiler ou
tirer dessus.

Pitt contempla un long moment les eaux noires de la
mer, puis il regarda son fils aider sa fille à embarquer :
voilà son avenir à lui.

—Lirais-tu dans mes pensées ? finit-il par dire.

CINQUIÈME PARTIE

Bas les masques

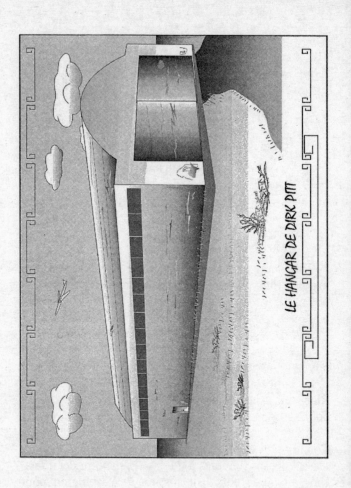

LE HANGAR DE DIRK PITT

48

11 septembre 2006,
Washington.

Trois jours après leur retour – il était neuf heures du matin –, Pitt nouait la cravate assortie à ce qu'il appelait son vrai costume, un trois-pièces noir à fines rayures. Il boutonna son gilet et glissa dans son gousset une vieille montre en or attachée à sa chaîne, également en or. Il ne s'habillait pas souvent ainsi, mais la journée qui démarrait était très spéciale.

La police avait cueilli le Spectre à San Juan, Porto Rico, que son pilote avait commis l'erreur de choisir pour se ravitailler en carburant en se rendant à Montréal. On lui remit une citation à comparaître devant la Commission du Congrès qui enquêtait sur ses douteuses opérations minières à travers le territoire des Etats-Unis, et on le conduisit aussitôt à Washington pour parer à toute fuite. Comme ses installations destinées à plonger dans le froid l'Amérique du Nord et l'Europe se situaient dans un pays étranger, hors de la juridiction américaine, on ne pouvait pas l'accuser d'un crime fédéral. A vrai dire, la Commission avait les mains liées et peu d'espoir de remporter une victoire juridique. Elle devrait vraisemblablement se contenter de dénoncer les manœuvres du Spectre et de lui interdire à l'avenir toute activité sur le sol des Etats-Unis.

Epona était passée à travers les mailles du filet et on n'avait pas la moindre idée de l'endroit où elle se trouvait. Encore un point sur lequel la Commission entendait questionner le Spectre.

Pitt se regarda une dernière fois dans la grande glace ancienne qui provenait d'une cabine de première classe d'un vieux paquebot. Seule sa cravate à motifs cachemire bleu et blanc le distinguait de la foule habituelle de Washington. Ses épais cheveux noirs étaient soigneusement brossés et ses yeux verts pétillaient comme d'habitude malgré une nuit entière passée avec Loren. Il prit sur son bureau le poignard qu'il avait arraché à Epona sur l'île de Branwyn ; le manche était incrusté de rubis et d'émeraudes, la lame mince et aiguisée des deux côtés. Il le glissa dans la poche intérieure de son veston.

Il descendit son escalier en colimaçon et traversa le rez-de-chaussée envahi de véhicules et d'avions de collection jusqu'au 4 × 4 Navigator de la NUMA garé devant la grande porte. Il aimait les reprises et le confort de cette voiture bien qu'elle soit un peu encombrante pour circuler dans les rues de la capitale. De plus les couleurs de la NUMA lui permettaient d'accéder à des parkings officiels.

Il se gara d'ailleurs dans l'un d'eux, à deux blocs du Capitole. Il gravit le grand escalier et pénétra sous le dôme, puis suivit les instructions de Loren pour gagner la salle où siégeait la Commission. Ne voulant entrer ni par la porte des journalistes ni par celles du public, il s'approcha d'un garde du Capitole en faction devant l'accès réservé aux membres, à leurs adjoints et aux avocats.

Pitt prit une feuille de papier et demanda au garde de la remettre à la représentante Loren Smith.

— Ça n'entre pas dans mes fonctions, protesta la sentinelle.

— C'est extrêmement urgent, exigea Pitt avec autorité. Je lui apporte un témoignage d'une importance capitale pour elle et pour la Commission.

Il exhiba sa carte de la NUMA pour prouver qu'il n'était pas un simple passant. Après avoir examiné la photo l'homme hocha la tête, prit le billet et entra dans la salle.

Dix minutes plus tard, à la faveur d'une pause, Loren passa la tête par la porte.

— Qu'est-ce qui se passe ? demanda-t-elle.

— Il faut que j'entre dans la salle.

— Tu aurais pu passer par l'entrée du public, lui rappela-t-elle, déconcertée.

— Je détiens une pièce qui va permettre de révéler le vrai visage du Spectre.

— Donne-la-moi et je la présenterai à la Commission.

— Pas question, fit-il en secouant la tête. Je dois la présenter moi-même.

— Je ne peux pas te laisser faire cela, répliqua-t-elle. Tu ne figures pas sur la liste des témoins.

— Fais une exception, insista Pitt. Demande au président de la Commission.

— Dirk, répéta-t-elle en le regardant droit dans les yeux, je ne peux pas. Il faut que tu me dises ce que tu veux faire.

Le garde, posté non loin de là, écoutait la conversation. La porte, fermée en temps normal, était légèrement entrebâillée. Pitt prit Loren par les épaules, la fit rapidement pivoter et la poussa contre le garde. Il ne leur laissa pas, ni à d'autres d'ailleurs, le temps de réagir ; en quelques secondes, il avait franchi le seuil et remonté l'allée jusqu'à la barre des témoins, jusqu'à la table derrière laquelle était assis le Spectre, flanqué de sa cohorte d'avocats.

Christopher Dunn, représentant du Montana, donna un coup de marteau sur son bureau en disant :

— Monsieur, vous interrompez une enquête de la plus haute importance. Je vous prie de sortir immédiatement, sinon je devrai demander aux gardes de vous expulser.

— Je vous demande de me pardonner, monsieur le Représentant, mais je vais donner à votre enquête une orientation tout à fait différente.

Dunn fit signe au garde qui avait poursuivi Pitt jusque dans la salle.

— Emmenez-le !

Pitt tira de son veston le poignard et le tendit vers le garde qui s'arrêta net, sa main toutefois glissant vers son pistolet ; il cessa son mouvement quand Pitt approcha la lame à deux centimètres de sa poitrine.

— Pardonnez-moi, répéta-t-il. Croyez-moi, monsieur le Représentant, vous ne perdrez pas votre temps à m'écouter.

— Qui êtes-vous, monsieur ? interrogea Dunn.

— Je m'appelle Dirk Pitt. Je suis le fils du sénateur George Pitt.

Dunn réfléchit un instant puis fit un signe de tête au garde.

— Attendez, je veux entendre ce que M. Pitt a à dire. (Puis il se tourna vers celui-ci.) Lâchez ce poignard. Je vous donne exactement une minute pour exposer votre cas. Soyez convaincant, sinon dans l'heure qui suit vous vous retrouverez derrière les barreaux.

— Vous arrêteriez le fils d'un respectable sénateur ? s'étonna Pitt.

— Un républicain, répliqua Dunn. Moi, je suis démocrate.

— Je vous remercie, monsieur le Représentant. (Pitt

posa le poignard sur la table et se planta devant le Spectre, vêtu de son costume blanc, l'habituelle écharpe drapée autour du bas de son visage à moitié dissimulé derrière des lunettes noires.)

—M. Spectre, voudriez-vous, je vous prie, vous lever ?

Un des avocats du Spectre se pencha vers le micro posé sur la table.

—Monsieur le Représentant Dunn, je proteste avec vigueur contre l'intrusion de cet homme dans cette salle. M. Spectre n'a aucune raison légale de l'écouter.

—Que redoute donc le Spectre ? lança Pitt. Aurait-il peur ? Serait-il lâche ?

Le Spectre mordit à l'hameçon. Il était trop arrogant pour ne pas relever les insultes de Pitt. Posant une main sur le bras de son avocat pour le calmer, il se leva lentement.

Pitt sourit et s'inclina légèrement. Tout d'un coup, sans que personne ait eu le temps de comprendre ce qu'il faisait, il saisit le poignard et en plongea la lame dans le ventre du Spectre, l'enfonçant dans le costume blanc jusqu'à la garde.

Des exclamations jaillirent dans la salle. La sentinelle se précipita vers Pitt, mais celui-ci l'attendait et l'arrêta d'un croche-pied. Puis il reposa le poignard sur la table devant le Spectre et ne bougea plus ; il jubilait.

Loren, qui s'était levée d'un bond en interpellant Pitt, se tut brusquement. Et fut parmi les premiers à constater que le Spectre ne saignait pas.

Rien, en effet, ne souillait le costume immaculé et l'assistance entière, interloquée, était en train de s'en rendre compte.

Très pâle, Dunn se tourna vers le Spectre en frappant avec son marteau comme un dément.

—Qu'est-ce qui se passe ici ? cria-t-il.

Pitt fit alors le tour de la table et dépouilla le Spectre

de ses lunettes de soleil, de son chapeau et de son écharpe. Une abondante chevelure rousse se répandit sur les épaules du Spectre.

Pitt s'approcha du président de la Commission.

—Monsieur, permettez-moi de vous présenter Epona Eliade, alias Spectre, fondateur de l'empire Odyssée.

—C'est vrai ? bégaya Dunn, abasourdi. Cette femme est vraiment le Spectre et non son sosie ?

—Garantie d'origine, lui assura Pitt. (Puis il se tourna vers Epona.) Aussi bizarre que cela paraisse, vous m'avez manqué, lança-t-il.

Elle aurait dû trembler comme une souris devant un serpent, mais elle resta debout sans répondre. Inutile d'ailleurs car les yeux flamboyants, les lèvres crispées, tout son visage exprimaient la haine et le mépris. C'est alors que la scène prit un tour absolument inconcevable : la fureur quitta son regard, et lentement, très lentement, Epona se dépouilla du costume blanc lacéré par le poignard ; elle apparut dans son extraordinaire beauté, vêtue d'une robe de soie blanche moulante, ses cheveux roux tombant en cascade sur ses épaules nues.

Les magistrats et le public assistaient à la représentation unique d'un spectacle qu'ils ne reverraient jamais.

—Vous avez gagné, monsieur Pitt, reconnut-elle d'une voix douce aux accents un peu rauques. Vous sentez-vous pour autant triomphant ? Avez-vous le sentiment d'avoir accompli un miracle ?

—Triomphant, non, fit Pitt en secouant lentement la tête, et je ne parlerai certainement pas de miracle. Mais satisfait, oui. Votre abominable tentative pour anéantir l'existence de millions de gens était profondément méprisable. Vous auriez pu faire don au monde des immenses progrès que vous avez réalisés dans la technique des piles à hydrogène, et vos tunnels sous le

Nicaragua auraient permis des économies de temps et d'argent. Mais non, vous vous êtes acoquinée avec une nation étrangère dans le seul but de vous enrichir et d'accéder au pouvoir.

Elle maîtrisait totalement ses émotions et ne se laisserait convaincre par aucun discours, c'était évident. Un sourire mystérieux se dessina sur ses lèvres. Aucun de ceux qui se trouvaient ce jour-là dans cette salle n'oublierait cette fascinante créature rayonnante de féminité.

— De bien belles paroles, monsieur Pitt, mais vides de sens. Je m'apprêtais à changer le cours de l'histoire. Tel était mon but, l'ultime réussite.

— Ils seront peu à déplorer votre échec, déclara Pitt.

Ce fut seulement à cet instant que Pitt perçut dans ses yeux une trace fugitive de désespoir. Puis elle se redressa et fit face.

— Faites de moi ce que vous voulez, mais vous aurez du mal à me convaincre de crime.

Dunn braqua son marteau vers deux hommes assis au fond de la salle.

— Inspecteurs, ordonna-t-il, veuillez procéder à l'arrestation de cette femme.

Les avocats d'Epona protestèrent aussitôt : un membre du Congrès ne jouissait pas d'une telle autorité. Dunn les foudroya du regard.

— Cette personne a commis un crime en tentant devant cette commission de se faire passer pour un autre. Elle restera en détention le temps que les services du ministre de la Justice examinent ses activités criminelles et entament la procédure qui convient.

Les policiers entraînèrent Epona vers la sortie ; avant de franchir la porte, elle dévisagea Pitt avec une expression sardonique mais, étrangement, dépourvue de toute colère.

— Mes amis de l'autre côté de l'océan ne permettront jamais qu'on me traîne en justice. Nos chemins se croiseront de nouveau, monsieur Pitt. Rien ici n'est terminé. A notre prochaine rencontre, vous tomberez dans ma toile, je vous l'affirme.

— La prochaine fois ? répéta Pitt en la regardant froidement. Je ne pense pas, Epona. Vous n'êtes pas mon type.

Ses lèvres de nouveau se crispèrent et elle pâlit. Pitt admira sa classe : rares étaient les femmes capables de faire une sortie aussi spectaculaire après une telle chute. Il sentit son estomac se nouer à l'idée qu'un jour leurs chemins pourraient se croiser à nouveau. Loren descendit jusqu'à la barre des témoins et, indifférente aux gens, serra Pitt dans ses bras.

— Tu es fou. On aurait pu te tirer dessus.

— Pardonne-moi l'aspect un peu théâtral, mais je me suis dit que c'étaient le lieu et l'heure pour dénoncer cette sorcière.

— Pourquoi ne m'en as-tu pas parlé ?

— Pour ne pas t'impliquer au cas où je me serais trompé.

— Tu n'étais pas sûr de toi ? demanda-t-elle, surprise.

— Je me savais sur un terrain solide, mais je n'étais pas absolument sûr.

— Qu'est-ce qui t'a mis sur la piste ?

— Au début, ce n'était qu'une intuition. Ce matin, en arrivant ici, je n'étais encore certain qu'à soixante pour cent. Mais, dès l'instant où je me suis trouvé en face du Spectre, son poids ne m'a pas paru réparti dans son fauteuil comme celui d'un homme de cent quatre-vingts kilos. (Pitt leva la main pour lui montrer l'estafilade au creux de sa paume.) Et puis j'ai reconnu la bague avec laquelle Epona m'a blessé à Branwyn. Ç'a été le déclic.

Dunn s'efforçait de rappeler à l'ordre les assistants.

Sans se soucier de ce qu'ils pouvaient penser, Loren planta un baiser sur la joue de Pitt.

— Il faut que je me remette au travail. La boîte de Pandore que tu viens d'ouvrir a changé le cours de l'enquête.

Avant de s'éloigner, Pitt se retourna et prit la main de Loren.

— Dimanche en huit, ça t'ira ?

— Qu'est-ce qui se passe dimanche en huit ? demanda-t-elle innocemment.

— Notre mariage ! J'ai réservé la cathédrale de Washington, susurra-t-il, un sourire ravageur au coin des lèvres, avant de quitter une représentante du Colorado au regard perdu dans le vague.

49

11 octobre 2006,
Washington.

Loren, jugeant le délai trop court, avait insisté pour que le mariage ait lieu un mois plus tard, ce qui lui laissait à peine le temps de préparer l'événement, de trouver une couturière pour retoucher la robe de mariage de sa mère et d'organiser la réception au milieu des vieilles voitures de Pitt, dans son hangar.

La cérémonie se déroula, par une journée superbe, à la cathédrale Saints-Pierre-et-Paul de Washington sur le mont Saint-Alban, une colline qui domine la capitale ; sa construction avait démarré en 1907 – la première pierre fut posée en présence de Théodore Roosevelt – et se termina en 1990. Elle a la forme d'un « T » à la base duquel est située l'entrée, flanquée de deux tours ; une troisième, le clocher, s'élève à plus de quatre-vingt-dix mètres. Edifiée sur un plan identique à celui des cathédrales d'Europe huit cents ans auparavant, elle est considérée comme la dernière manifestation du style gothique du monde.

Elle compte deux cent quinze fenêtres, la plupart ornées de vitraux qui filtrent à l'intérieur la lumière du soleil, certains décorés de motifs floraux, les autres représentant des scènes religieuses ou des épisodes de l'histoire américaine.

Près de cinq cents personnes assistaient à l'événement : les parents de Loren venus de leur ranch du Colorado, ses deux frères et ses deux sœurs ; le père de Pitt, le sénateur George Pitt, et son épouse, Barbara, heureux que leur extravagant rejeton se range enfin avec une femme qu'ils aimaient et admiraient. Toute la bande de la NUMA : l'amiral Sandecker, qui avait vraiment l'air de s'amuser, Hiram Yaeger avec sa femme et ses filles, Rudi Gunn, Zerri Pochinsky, la fidèle secrétaire de Pitt ; et une dizaine d'autres personnes avec qui Pitt avait partagé ses nombreuses années à la NUMA ; St. Julien Perlmutter aussi, occupant près de trois places sur un des bancs. Sans oublier une bonne partie de l'élite de Washington, sénateurs, membres du Congrès, hauts fonctionnaires, membres du gouvernement et même le Président et sa femme.

Le cortège d'honneur de Loren rassemblait ses sœurs, sa secrétaire, Marilyn Trask, qui ne l'avait jamais quittée depuis sa première élection au Congrès, et enfin Summer Pitt, sa future belle-fille. Celui de Pitt était constitué de son vieux complice, Al Giordino, de son fils, Dirk, de Rudi Gunn et des frères de Loren.

La mariée portait la robe de sa mère : un ensemble 1950 composé d'un corsage brodé au décolleté profond et aux manches longues en dentelle blanche, et d'une ample jupe de satin. Dirk et ses garçons d'honneur, en habit, avaient très fière allure.

Les chœurs de la cathédrale chantaient pendant que les invités prenaient place. Puis ils se turent pour la traditionnelle marche nuptiale interprétée à l'orgue. Toutes les têtes se retournèrent et Pitt, du pied de l'autel, regarda le cortège de la mariée s'engager dans la nef.

Arrivé à la hauteur de Pitt, M. Smith s'arrêta et lui céda le bras de Loren. Le Révérend Willard Shelton, un ami de la famille de Loren, célébra la messe de mariage.

Quand la cérémonie fut terminée et pendant que le cortège remontait l'allée centrale vers la sortie de l'église, Giordino s'éclipsa par une porte de côté pour amener la voiture au pied des marches de la cathédrale juste au moment où Pitt et Loren apparaissaient. Il était au volant de la V-16 Marmon rose dans laquelle le couple s'installa sous une pluie de grains de riz. On avait remonté la vitre séparant le chauffeur de ses passagers et Giordino ne pouvait pas entendre ce que disaient Loren et Pitt.

— Allons, s'esclaffa Pitt, le mal est fait !

— C'est comme ça que tu parles de notre magnifique mariage ? riposta Loren en lui pinçant le bras.

Il lui prit la main et regarda la bague qu'il lui avait passée au doigt : un rubis de trois carats entouré de petites émeraudes. Ses aventures en Australie lui avaient appris que les rubis et les émeraudes étaient cinquante fois plus rares que les diamants.

— Deux enfants adultes dont j'ignorais l'existence me tombent sur les bras et maintenant me voilà avec une femme à chérir.

— J'aime bien le mot *chérir*, murmura-t-elle en le prenant par le cou pour lui plaquer un baiser sur la bouche.

Quand il la relâcha enfin, il murmura :

— Attendons la lune de miel pour nous laisser emporter.

Elle rit et lui donna un nouveau baiser.

— Tu ne m'as pas dit où tu m'emmenais. C'est une surprise ?

— J'ai loué un petit voilier en Grèce. Nous allons faire une croisière en Méditerranée.

— Merveilleux.

— Je me demande si une cow-girl du Colorado saura hisser les voiles et naviguer ?

— Attends un peu.

Ils arrivèrent bientôt au hangar de Pitt et Giordino conduisit la voiture jusqu'au grand hall. Pitt et Loren montèrent se changer.

St. Julien déboula dans le hangar comme un hippopotame furieux et se mit à lancer des ordres au traiteur. Tamponnant la sueur que la douceur de l'été indien faisait perler sur son front, il se mit à admonester le maître d'hôtel du Curcel, le restaurant trois-étoiles qu'il avait engagé pour organiser la réception.

— Mais ces huîtres sont grosses comme des cacahuètes !

— Je les fais remplacer immédiatement, promit le maître d'hôtel.

Les invités ne tardèrent pas à arriver et, pendant qu'ils s'installaient aux tables dressées dans le hangar, on leur servit un champagne de Californie. Ils avaient à leur disposition plusieurs buffets dressés autour du vieux canot équipé d'un hors-bord avec lequel Pitt avait réussi à s'enfuir de Cuba bien des années auparavant. Perlmutter s'était fait un plaisir de concocter un menu qui, selon toute probabilité, resterait unique.

Quand l'amiral Sandecker arriva, il demanda à voir Pitt seul. On l'introduisit aussitôt dans l'une des cabines du wagon Pullman que Pitt utilisait comme bureau. Quand ils se furent assis, Sandecker alluma un de ses énormes cigares et lança vers le plafond un nuage de fumée bleutée.

— Vous savez, commença l'amiral, que le vice-président Holden ne va pas bien.

— Je l'ai entendu dire.

— La situation est grave : Holden ne passera pas le mois.

— Je suis désolé de l'apprendre, dit Pitt. C'est quelqu'un de bien. Mon père le connaît depuis trente ans.

Sandecker poursuivit en guettant la réaction de Pitt.

— Le Président m'a demandé de me présenter avec lui à la prochaine élection.

Pitt fronça ses épais sourcils noirs.

— Le Président sera sûrement élu, mais je ne sais pourquoi, je ne vous imagine pas en vice-président.

— C'est pourtant une tâche plus aisée que celle que j'assume actuellement, rétorqua Sandecker en haussant les épaules.

— Oui, mais la NUMA, c'est votre vie.

— Je ne rajeunis pas et ça fait vingt-cinq ans que je fais le même travail. Il est temps de changer. D'ailleurs, je ne suis pas du genre à jouer les vice-présidents potiches. Vous me connaissez depuis assez longtemps pour savoir que je vais secouer un peu le gouvernement.

— Je sais, fit Pitt en riant, que vous ne vous cloîtrerez pas à la Maison-Blanche et ne passerez pas sous silence les problèmes qui se poseront.

— Surtout ceux qui concernent la mer, précisa Sandecker. Quand on y réfléchit, je peux agir beaucoup plus pour la NUMA de la Maison-Blanche que de mon beau bureau de l'autre côté du Potomac.

— Qui vous remplacera à la tête de la NUMA ? demanda Pitt. Rudi Gunn ?

— Non, fit Sandecker en secouant la tête. Rudi ne veut pas de ce poste. Il se sent plus à l'aise comme second.

— Alors qui comptez-vous contacter ?

Un petit sourire plissa les lèvres minces de Sandecker.

— Vous, répondit-il brièvement.

Pitt crut d'abord qu'il avait mal entendu, puis la lumière se fit dans son esprit.

— Moi ? Vous plaisantez.

— Je ne vois personne de plus qualifié que vous pour prendre les rênes.

Pitt se leva et se mit à arpenter la pièce.

— Non, non, je ne suis pas un administrateur.

— Gunn et son équipe régleront les problèmes quotidiens, expliqua Sandecker. Et vous, avec votre palmarès, feriez un porte-parole de la NUMA idéal.

— Il faut que je réfléchisse.

Sandecker se leva et se dirigea vers la porte.

— Pensez-y durant votre voyage de noces. Nous en discuterons à votre retour.

— Il faut que j'en parle d'abord à Loren, maintenant que nous sommes mariés.

— C'est déjà fait. Elle est pour.

Pitt fixa l'amiral d'un regard sévère.

— Vous êtes terrible.

— C'est vrai, reconnut gaiement Sandecker.

Pitt regagna la réception et se mêla aux invités qui posaient pour des photos avec Loren et leurs parents. Il bavardait avec sa mère quand Dirk vint lui taper sur l'épaule.

— Papa, quelqu'un à la porte demande à te voir.

Pitt s'excusa et se fraya un chemin entre les vieilles voitures et la foule jusqu'au visiteur, un septuagénaire à la barbe et aux cheveux blancs, presque aussi grand que Pitt et avec des yeux moins verts quoique aussi pétillants.

— Puis-je vous aider ? s'informa Pitt.

— Oui, je vous ai contacté il y a quelque temps parce que je souhaitais admirer votre collection de voitures. Nous étions voisins à une exposition il y a quelques années.

— Bien sûr, j'exposais ma Stutz et vous une Hispano Suiza.

— Exactement. (L'homme regarda derrière Pitt la

foule des invités.) On dirait que j'ai mal choisi mon jour.

— Mais non, protesta Pitt. Aujourd'hui je me marie. Soyez le bienvenu.

— C'est très aimable à vous.

— Pardonnez-moi, j'ai oublié votre nom.

Le vieil homme le regarda en souriant.

— Cussler, Clive Cussler.

Pitt regarda un long moment Cussler d'un air pensif.

— C'est drôle, murmura-t-il, j'ai l'impression de vous connaître depuis longtemps.

— Dans une autre dimension, peut-être.

— Venez, Clive, fit Pitt en le prenant par les épaules, avant que mes invités n'aient bu tout le champagne.

D'un même pas, ils entrèrent dans le hangar et refermèrent la porte.

Table

Du même auteur :

RENFLOUEZ LE TITANIC, *J'ai Lu, 1979.*
VIXEN 03, *Laffont, 1980.*
L'INCROYABLE SECRET, *Grasset, 1983.*
PANIQUE À LA MAISON BLANCHE, *Grasset, 1985.*
CYCLOPE, *Grasset, 1987.*
TRÉSOR, *Grasset, 1989.*
DRAGON, *Grasset, 1991.*
SAHARA, *Grasset, 1992.*
L'OR DES INCAS, *coll. « Grand Format », Grasset, 1995.*
CHASSEURS D'ÉPAVES, *Grasset, 1996.*
ONDE DE CHOC, *coll. « Grand Format », Grasset, 1997.*
RAZ DE MARÉE, *coll. « Grand Format », Grasset, 1999.*
SERPENT *(en collaboration avec Paul Kemprecos), coll. « Grand Format », Grasset, 2000.*
ATLANTIDE, *coll. « Grand Format », Grasset, 2001.*
L'OR BLEU, *coll. « Grand Format », Grasset, 2002.*
WALHALLA, *coll. « Grand Format », Grasset, 2003.*
GLACE DE FEU *(en collaboration avec Paul Kemprecos), coll. « Grand Format », Grasset, 2005.*
BOUDDHA *(en collaboration avec Craig Dirgo), coll. « Grand Format », Grasset, 2005.*

Composition réalisée par IGS-CP

Achevé d'imprimer en mars 2006 en France sur Presse Offset par

BRODARD & TAUPIN

GROUPE CPI

La Flèche (Sarthe).
Dépôt légal édition 1 : avril 2006
N° d'imprimeur : 34563 – N° d'éditeur : 70054
LIBRAIRIE GÉNÉRALE FRANÇAISE – 31, rue de Fleurus – 75278 Paris cedex 06.

31/1394/1